Colorí

Introducción a la Literatura Juvenil Hispana

Ann González

Panda Publications
2014

Dedication

To my grandchildren: Luke Allan Wickman and Paisley Noelle Hofert, with the hope that both of you will learn Spanish one day and be able to understand and appreciate the Hispanic side of your family tree.

PO Box 595, Wilkes Barre, PA 18703
www.Pandapublications.info

ISBN: 978-0-9818392-3-3

Editor-in-chief: Rosa Crisi
Asst. Editor: Mary Moreno
Cover Design: original concept—Ann González
Design: Steven Palmer
Layout: Lori Vandermark-Fuller
Illustrations: clipart
Printer: Yurchak Printing, Landsville, PA

Printed in the United States of America

Acknowledgements

When I taught my first undergraduate class in Hispanic children's literature back in fall of 1997, there were no texts and few materials available. Each of my students was assigned one Spanish-speaking country and asked to look for information about the production of children's literature in that country. Students wrote home to family living abroad, made long distance phone calls to Hispanic friends and relatives to ask what they remembered reading as children, had books and materials sent from overseas, and basically laid the ground work for what was eventually to become this textbook. In successive classes, once we actually had gathered materials, students helped me create prereading and post-reading exercises, vocabulary exercises, and helped with the research for the author biographies and contextual information presented with each selection. My graduate students began editing and putting the information together, and a couple of them worked on the glossaries, revisions, and communications with publishing companies. Once a publisher was found, the editor, Professor Antonio Sobejano, read and corrected the entire manuscript so many times I lost track. I am exceedingly grateful to him. It was also sent out to anonymous reviewers who all offered extremely helpful suggestions. Meanwhile Professor Sobejano began the arduous process of getting copyright permissions. Because we were unable to get copyrights for all the stories we wanted, the text ultimately had to be completely reorganized to present the selections and materials that we had been permitted to use. This last major revision also responded to the reviewers' suggestions and corrections. Finally, it was read and corrected one last time by a friend and colleague, Rosalba Scott of Davidson College, and revised once more based on her suggestions. This textbook, therefore, is the culmination of some fifteen years of teaching and innumerable hours of work by graduate and undergraduate students, friends and colleagues.

I particularly thank my former Chair, Professor Robert Reimer, for his patience and continued encouragement, as well as colleagues from other institutions who gave me valuable suggestions, particularly Carmen Rivera, Chair and Professor at SUNY Fredonia, and Dr. Tracey Guzmán of Miami University in Florida.

My special thanks go to three of my graduate students: Shaun Stone, Andrew Mahar and Gabriela Rivero for their individual contributions for which they received independent study credit. The following graduate and undergraduate classes were also directly or indirectly involved and I thank them all:

- 1997: Amy Falter, Rosario Weber, Adela Henry, Josephine Miranda, Dolores Fox, David Fonseca, Jacqueline Gómez, Lilian Fulk, Andree Weaver, Mariandrea Tierson, Alice Karr, Socorro Davaz, Elvira Jardines, Teresa Blanco.
- 1999: Jennifer Henriquez, Grace Leoni, Tina Mallen, Ashraf Abusamak, Travis Bridges, Lucrecia Brown, Victor Ubaldo, James Stegall, Doris Trogdon.
- 2002: Wendy Archibald, Susan Bryson, Fonald Glenn Byrum, Benjamin Cassidy, Christopher Conover, April Cotton, Margaret Dennard, Lucila Dextre, Amanda Horne, María Rodríguez, Hunter Smith, Shayla Stroud, Allison Tarwater, Jessica Vázquez, Vaniece Williams.
- 2003: Jason Brilliant, Eduardo García, Nathan Richardson, Merritt Russell, Neosha McKnight, Charez Peters, Kathleen Ferrell, Lauren Martin, Trish Ellison, Lakita Smith, Gina Guyer, Patricia Frost, Yasmin Taylor.
- 2005: Lizzie Grace Dedmon, Kathi Rich, María Rodríguez, Dora Sánchez, Carla Townsend, Rafael Pérez, Adela Henry.
- 2006: Maria Bivins, Jennifer Jiménez, Nicole, Scheidt, Caleb Black, Gina Cristiano, David Huntley, Katherine Johnston, Tiffany Lee, Kenia Medrano, Kee Min, Elyse Nachman, Kristen Pina, Mark Rowsey, Kristen Rumfelt, Rick Schilling.
- 2008: Susan Amador, Steven Bowman, Laura Brannon, Carmen Cassada, Ileana González, Mauricio Hernández, Tara Hernández, Justine Liebana, Andrew Mahar, Nilsa Maldonado, Tiffany Overcash.
- 2010 (spring): Kristin Connor, Megann Jones, Edna Ramos, Shaun Stone, Sarah White, Emily Yocco, Astrid Francis.
- 2010 (fall): Matthew Boaz, Lizbeth Callejas, Luis Callejas, Jennifer Fernández, Rachel McGowen, Alexandra Procuniar.

Índice de contenidos

Preface

Colorín Colorado:
Introducción a la Literatura Juvenil Hispana

This text offers a unique approach to high-school or college students of Spanish as a second language as they make the transition from intermediate to advanced-level proficiency and move from acquiring skills in the language itself to learning language through content and content through language. At this stage, academic language programs in secondary and post-secondary education search for innovative ways to introduce the literatures and cultures of the Spanish–speaking world. This text responds to that need by anthologizing samples of children's literature in Spanish, accompanied by glosses and language exercises designed to strengthen students' language proficiency, increase their vocabulary, practice critical reading skills, introduce important aspects of Hispanic cultures, and familiarize students with well-known Hispanic writers. Children's literature is not only less of a psychological threat for students whose second language skills are still developing, but it is also a more palatable way to introduce them to important and often canonical Hispanic writers through an area of cultural study that most learners find particularly appealing: children.

While the language of children's literature is not necessarily easier than that of adult literature (a common misperception), all the selections for this text are glossed so that students at the intermediate/advanced level can understand them without undue linguistic difficulty. In addition to highlighting difficult vocabulary and grammar, the glosses clarify regional uses of vocabulary, phonetic spellings of regional pronunciations, and particular national, historical, or cultural references. The text is divided into an introductory unit and four major sections that can be covered by students over the course of a fifteen-week semester or used as an additional reader in conversation or literature classes. The introduction to each unit (in Spanish) is followed by reading selections that exemplify the central theme under discussion. The sections progress thematically from the child and what it means to have an identity, to the child in relationships, to an analysis of social groups, and finally to the experience of loss and the essential loneliness of the child once more. Each section is preceded by an introduction that speaks to the theme of the unit and offers critical perspectives for approaching the reading selections that follow. Every reading selection includes 1) pre-reading exercises to prepare students for new vocabulary, to offer ideas for discussion as well as to help form reading expectations, 2) the text itself (fully glossed) preceded by biographical information about the author and contextual information about the work, 3) post-reading exercises comprised of comprehension questions and analytical questions, which probe topics for discussion or composition, as well as a bibliography for further study, and 4) a special section for teachers that offers pedagogical suggestions and activities to complement the study of the text by students of different ages and various levels of linguistic competence.

With the increasing emphasis on diversity and multiculturalism in U.S. education today, this text is a timely addition to the field. While growing numbers of anthologies, or sections within multicultural collections, introduce English speakers to children's texts in translation from the Spanish-speaking world, there is no equivalent collection of Hispanic children's works in Spanish readily available in this country. This text is unique since it anthologizes literary selections for children written, for the most part, originally in Spanish by major canonical figures in a teaching text for the non-native or heritage speaker. In addition, Hispanic authors who wrote exclusively or primarily for children, and who are well-known in their country of origin, are also included. As many Spanish-speaking countries as possible are represented, although several countries have been left out (Bolivia, Ecuador, Venezuela, Honduras) due to problems with securing materials and necessary copyrights. Future editions will aim to rectify these omissions. In addition, an appendix is included with supplementary material for several important stories for which we could not secure permissions to reprint. The majority of discussion in the text centers on both literary and cultural issues: how Hispanic cultures define children, childhood, and children's literature, how they teach children to read, what they expect children to read (and why). It is important for students to realize that ideas about children vary widely between cultures and even within cultures (rural versus urban concepts, for example), that they change according to historical periods (see child labor practices during the industrial revolution versus today's child labor laws), and that they respond to advances in psychological and sociological theories of childhood (Freud, Piaget), and national and international laws (e.g., the United Nations' Declaration of Children's Rights).

One of the explicit goals of this text is to question many of the commonly held conceptions and stereotypes about children, childhood, and children's literature. The very title of the text *Colorín Colorado* is a case in point. The saying comes from a popular formulaic ending for children's stories in Spanish: "Colorín Colorado, este cuento se ha acabado" (literally, Colorín Colorado, this story has ended, or as an occasional story in English will finish: Snip, snap, snout, this tale's told out). Sometimes the rhyme is followed by a nonsense line: "y me meto por un hueco y salgo por otro para que me cuenten otro" (and I go through one hole and come out another so that you'll tell me another one). The rhyme is equivalent to the English formulaic ending "And they all lived happily ever after" except that there is no reference to happiness or the expectation of any. In fact, the formula allows for a child to know when the story is over, even if the story has an open ending, an unusual feature in children's stories in English, but much more common in Spanish. By the same token, some of the illustrations that accompany certain selections may be somewhat surprising to students in the United States since specific areas of the human experience tend to be off-limits to North American children, whereas they are approached quite naturally by other cultures. The topics for the themes for each section may also seem unusual, since many of these issues (for example, death, sex, or politics) are not normally associated with contemporary children's literature in English.

For the purpose of the selection of materials for this text, children have been broadly defined as human beings outside the political and legal frameworks that permit decision making (that is, the most important difference between children and adults is not age, in and of itself, but the power differential—adults have political, social, economic, and legal power that children do not). This definition can be problematic, however, since marginalized cultures, women and Amerindians, for example, suffer similar power inequities and, in fact, have often been treated legally as children. In Brazil, for example, various indigenous cultures have been declared wards of the state. Yet children, like marginalized groups in general, often develop strategies of resistance that can be seen in the very stories directed to them.

Children's literature is basically an open category referring to any text that a specific culture at a specific time (for whatever reasons) has deemed appropriate for children or has adapted for children, whether the text was originally intended or written for children or not. In other words, children's literature is not determined primarily by writers, parents, teachers, critics or even children themselves. Nor is children's literature determined primarily by some intrinsic character of the text. Rather, it is fundamentally a marketing strategy, determined by editors and publicists. Not only do these definitions defer to more recent scholarship in the field (cf. Ewers, Hunt, Zornado), but they also open the space for selecting materials that might otherwise not be considered (Darío and Paz, for example, never claimed to write for children nor were myths, legends, and oral literatures ever limited uniquely to children).

Since one of the purposes of this text is to introduce students to works and writers of the Spanish-speaking world, only selections that were originally written in Spanish or translated into Spanish from an Amerindian language are included. The specific objectives of the text are as follows:

1. To improve students' language proficiency in general with special emphasis on reading skills by providing samples of children's literature in Spanish (with accompanying pre- and post-reading exercises, background, contextual information and glosses);
2. To increase students' vocabulary in Spanish (with vocabulary building exercises that use words in context chosen from each of the texts, by italicizing the selected vocabulary words in the texts, and by offering a glossary of vocabulary words at the end of the book);

3. To introduce students to important writers from Latin America and Spain who also wrote for children or whose work has been adapted for children (through biographical and contextual notes and bibliography for further reading);
4. To highlight basic theoretical and critical questions surrounding the study of children's literature (through the introductions to each section, through the use of critical terminology in context and highlighted in bold, and through a glossary of critical terms at the end of the book);
5. To familiarize students with some of the cultural variables involved in the study of children's literature; that is, what distinguishes the reading of children's literature from other literature (through the contextual notes as well as the pre-reading and post-reading activities and discussion questions).
6. To offer suggestions for teachers or future teachers about how these works can be approached and what activities can be employed with students of different ages and linguistic levels to help them engage with the material (by offering a series of teaching suggestions after each of the reading selections).

Each section begins with an introduction in Spanish that presents the student with the main theme of the unit and offers an overview of all the readings included in the section. These introductions are designed to raise questions and undermine stereotypes about the study of children's literature in general, especially with regard to the particular theme under discussion. Critical terminology that is necessary for students to be able to discuss various aspects of the texts is introduced in context, highlighted in bold, explained in the text, and included in the final glossary of critical terms. Following the introduction, each chapter includes a variety of reading selections organized according to the following sub-sections:

I. El autor
II. El contexto
III. Antes de leer
  A. Palabras útiles
  B. Actividades de vocabulario
  C. Expectativas
IV. El texto (con glosas)
V. Después de leer
  A. Preguntas de comprensión
  B. Preguntas de análisis
VI. Sugerencias para profesores
VII. Más recursos

For each reading selection, the student is first presented with biographical information about the author or adaptor that emphasizes important aspects of his or her life and works, especially anything that may be related to the reading selection at hand. Following the short biography, there is a section on context that offers historical and/or cultural information, which is important to understand the reading selection or the circumstances in which the work was written or to which it refers. Part III comprises the pre-reading activities: A) the selection of key vocabulary words with definitions in both Spanish and English, B) various exercises (puzzles, fill in the blank, matching) that allow students to practice using the vocabulary so that they will more easily remember it, and C) questions that prompt students to think about the issues or themes involved in the work they are about to read. Sometimes students are asked to think about the title or a particular quotation from the story; sometimes they analyze illustrations from the text or look at diagrams of word configurations that show the vocabulary that most often appears in a text. The purpose of this section is for students to form expectations about what they are about to read so that they will be more likely to pick up on contextual clues.

Following the pre-reading activities, the selected text is glossed for any difficult vocabulary, idiomatic usage, or historical/cultural reference. Vocabulary words that have been included in the pre-reading exercises appear in italics throughout the selection to remind students that these words should be familiar to them. After the reading, students are asked a series of questions that probe comprehension. The first set of questions makes sure that students have understood the reading at a literal level. The second set of questions asks them to think more deeply about the significance of what they have read. The post-reading activities are followed by a section especially aimed at teachers (or future teachers) who may be using some of these readings with younger readers, native or heritage speakers, or with older students of varying linguistic proficiency levels. Finally, the section titled "Más recursos" offers bibliographical information for further reading and research.

Introducción

Expectativas y Sorpresas

Cuando aprendemos a leer, aprendemos más que el mero proceso de reconocer las sílabas y las palabras. Aprendemos a reconocer ciertos **géneros** (narrativa, poesía, teatro) y sus **argumentos** (historias) fundamentales, y esto nos permite anticipar lo que pasará en la mayoría de los cuentos que leemos, dado que tenemos ciertas **expectativas** (un ejemplo ilustrativo sería el **cuento de hadas**). También, aprendemos a reconocer las pistas que nos indican si **un personaje** será bueno o malo, o si el **entorno** permitirá que pasen eventos mágicos.

Además del argumento básico, o el **metacuento**, también aprendemos, muchas veces y sin darnos cuenta, los valores intrínsecos de la sociedad en que vivimos; es decir, lo que se considera bueno y malo en un lugar y un tiempo específico. Muchas veces, los adultos emplean la literatura para niños con el propósito de enseñarles ciertas ideas que la comunidad aprecia y quiere pasar a la próxima generación, lo que se conoce como **literatura didáctica**. Pero aun en la literatura que no comunica una **moraleja** o lección clara, siempre podemos encontrar de alguna manera reflejada en el texto la ideología del autor, la cultura y el momento histórico en que vive.

Más aun, lo que aprendemos desde pequeños, a pesar de lo que solemos pensar, no es "universal". Las expectativas que tenemos de la literatura, junto con nuestros valores y la ideología que nos envuelve, cambian de cultura a cultura —éstas son **diferencias sincrónicas**— pero aquéllos tienen el potencial de cambiar a través del tiempo —lo que llamamos **diferencias diacrónicas**—. Por eso, cuando aprendemos otro idioma, tenemos que aprender más que el vocabulario nuevo; hay que aprender a tener nuevas expectativas y nuevas formas de ver y explicar el mundo.

Los niños y la literatura infantil

A veces, los conceptos más básicos, las ideas que parecen "naturales" y "universales", no lo son. Tomemos, por ejemplo, el concepto de NIÑO. ¿Cómo definimos a un niño? ¿Por la edad? ¿Por sus habilidades? ¿Por su comportamiento? ¿Por sus necesidades? ¿O por sus diferencias en comparación con los adultos? Y la literatura infantil, ¿qué es? ¿Es realmente diferente de la literatura para adultos? ¿Quién decide lo que es apropiado para los niños y lo que no lo es? Las respuestas a todas estas preguntas varían entre culturas y en períodos históricos diferentes. Por ejemplo, en la Europa del siglo XIX se consideraba a un niño como un adulto pequeño, y el hecho de que muchos niños trabajaran se consideraba como algo normal para aquel entonces. La psicología del desarrollo humano, y especialmente la del desarrollo de los niños, no se había articulado todavía. Científicos notables en la psicología del desarrollo, como Sigmund Freud y Jean Piaget, no empezaron a influir con sus ideas en la psicología del desarrollo de los niños en el mundo occidental hasta principios del siglo XX.

En última instancia, es nuestra **ideología** la que nos dice qué es un niño y qué es apropiado que lea en nuestra cultura. Pero la ideología no es estática; va cambiando y evolucionando a través del tiempo. Salen nuevas teorías y se modifican y reciclan ideas existentes hasta que paulatinamente cambia el **paradigma** o concepto básico bajo el cual funcionamos todos los miembros de una cultura y de una época específicas. En cuanto a la literatura infantil, para ser más específico, la cultura de los Estados Unidos, especialmente desde los años sesenta, ha experimentado fuertes cambios en cuanto a tópicos que antes se consideraban inapropiados para los niños, como, por ejemplo, la inclusión de personajes que pertenecen a grupos minoritarios. Ahora, con el movimiento del multiculturalismo, no sólo se acepta con toda naturalidad la diversidad cultural y racial de los personajes, sino que, además, se espera.

A través de la lectura aprendemos lo que es bueno y malo en nuestra cultura, y lo que debe pasar en un mundo ideal. Por ejemplo, esperamos que el bueno gane; por supuesto, dependiendo de cómo define la cultura "quién" es bueno. De hecho, aprendemos a valorar la justicia y a esperar que triunfe. También, aprendemos sobre la representación de los **géneros** (femenino/masculino) y la sexualidad en nuestra cultura, donde, tradicionalmente, los hombres son fuertes y valientes, y las mujeres son dóciles y sumisas; aunque estas ideas están empezando a cambiar con nuevas representaciones en la literatura, lo cual es una señal de cómo cambia un **paradigma**.

Al leer, si un cuento empieza con la fórmula o **estribillo** "érase una vez", reconocemos inmediatamente que nos encontramos frente a un cuento de hadas y esperamos un final feliz, probablemente un matrimonio entre una muchacha bonita y un príncipe, o un muchacho valiente y una princesa. Además, los niños en particular disfrutan al oír un cuento repetido muchas veces, y a través de la repetición aprenden no sólo el vocabulario y los diferentes elementos del lenguaje, sino también conceptos relacionados con la estructura y el desarrollo de ciertos tipos de literatura.

Las lecturas

A continuación, presentamos un cuento chicano donde se ve claramente cómo los niños aprenden a tener y a modificar sus expectativas. El cuento tiene dos partes: la primera es la historia en sí —la versión en español de *Ricitos de Oro*— mientras que la segunda nos muestra las reacciones del chiquito/oyente que escucha este cuento relatado por su abuelo. A esta segunda parte la llamamos **el marco** del cuento porque, como en un cuadro, tenemos un cuento que enmarca o delimita el otro. Se ve esta demarcación de forma visual en la versión original. El texto y las ilustraciones de la historia de los ositos siempre aparecen más grandes y en el centro de la página. El texto y las ilustraciones del niño con su abuelo son más pequeñas y se encuentran debajo, encima, o al lado del texto sobre los osos. En nuestra versión, este diálogo entre el niño y su abuelo aparece como el texto encuadrado. Vemos, asimismo, el proceso de aprendizaje del niño al tener que hacer ajustes a sus expectativas porque espera la versión **canónica** o tradicional del cuento. A esto hay que sumarle el hecho de que el abuelo cambia muchos elementos en su versión, desde pequeños detalles hasta conceptos fundamentales.

La segunda lectura plantea la diferencia entre lo que esperan los personajes del cuento y lo que esperamos nosotros, los lectores. A esta diferencia la podemos denominar como **ironía**, y siempre está presente cuando los personajes entienden los acontecimientos narrados de una manera y nosotros los lectores de otra. En cambio, si hay concordancia entre lo que saben los personajes y lo que sabemos nosotros, entonces no podemos hablar de ironía. Este cuento toma lugar en otro planeta, un lugar donde todas las personas tienen un solo ojo y ven las cosas de una forma muy particular. Cuando nace un bebé con dos ojos (algo normal en nuestra cultura) el niño de este planeta es considerado como minusválido —ejemplo de ironía—. En otras palabras, lo que consideramos normal o anormal no es algo **ontológico** o intrínseco, sino que corresponde completamente a nuestras expectativas. Por eso, si un elemento narrativo no corresponde a lo que esperamos, aunque se considere completamente normal dentro de otra cultura, experimentamos cierta confusión y sorpresa.

Por último, presentamos unos poemas por una renombrada autora argentina, María Elena Walsh. En estos poemas, **la voz poética** juega precisamente con las expectativas del niño lector. Walsh deja espacios en blanco en el poema y, de esta manera, invita al niño a que participe usando la **rima** y el **ritmo (la métrica)** como claves para hacer entender lo que sigue. También, la voz narrativa hace comentarios equívocos deliberadamente o describe algunos hechos de una manera contraria a lo que el lector espera, causando una sorpresa agradable (el **humor**) en el lector. Todos estos ejemplos tienen como meta central reconocer y alterar ligeramente las expectativas que tenemos como lectores. Al modificar o ampliar nuestras expectativas, no sólo disfrutamos y admitimos nuevas posibilidades, sino que conocemos varias realidades y aprendemos a apreciar a los "otros", a los que son diferentes o están excluidos de nuestro grupo de referencia, tema que será tratado en el capítulo dos.

Más Recursos

Ewers, Hans-Heino. *Fundamental Concepts of Children's Literature Research*. Oxford: Routledge, 2009.

McCallum, Robyn. *Ideologies of Identity in Adolescent Fiction: The Dialogic Construction of Subjectivity*. Ed. Jack Zipes. Oxford: Routledge, 1999.

McGillis, Roderick, ed. *Voices of the Other: Children's Literature and the Postcolonial Context*. Oxford: Garland Publishing, Inc., 1999.

Stephens, John and Robyn McCallum. *Retelling Stories, Framing Culture: Traditional Story and Metanarratives in Children's Literature*. Oxford: Routledge, 1998.

Wilkie-Stibbs. Christine. *The Outside Child: In and Out of the Book*. Oxford: Routledge, 2007.

Zornado, Joseph. *Inventing the Child: Culture, Ideology and the Story of the Child*. Oxford: Routledge, 2000, 2006.

Jerry Tello:
"Abuelo y los tres osos"

I. El autor

Courtesy of Jerry Tello

Jerry Tello, psicólogo y autor chicano contemporáneo, se crió entre dos culturas: la cultura anglosajona y la cultura hispana de Texas y California. Sus libros para niños celebran la diversidad, el multiculturalismo, y las tradiciones culturales. Él mismo nos explica esta convivencia entre dos culturas cuando afirma: "When I was a young child, I had the privilege of spending time with my grandmother. Born in Mexico, she was a very wise Spanish-speaking woman who had a deep love for her grandchildren. One of my favorite memories is of her preparing homemade tortillas... My grandmother didn't speak English and had probably never heard of the term self-esteem, but she sure knew how to make a little boy feel special!"

Por eso, Jerry Tello ha dedicado mucho de su trabajo a ayudar a otros niños que se encuentran en circunstancias biculturales parecidas. Además de escribir, Tello también trabaja en su comunidad para mejorar las relaciones entre diferentes etnias; y con este fin ha organizado grupos como *The National Latino Fatherhood and Family Institute* y *The Multicultural Young Fatherhood Curriculum*. Tanto en su obra literaria como en estas actividades comunitarias, Tello promueve la enseñanza de las tradiciones hispanas en los Estados Unidos. Actualmente, vive en Los Ángeles con su esposa y sus tres hijos.

II. El contexto

En "Abuelo y los tres osos", Jerry Tello adapta el cuento tradicional de "Ricitos de Oro (*Goldilocks*) y los tres osos" a la cultura hispana, y en esta adaptación introduce cambios que reflejan la cultura mexicana. Por ejemplo, la niña Trencitas, al contrario de Ricitos de Oro, aparece representada como una niña **mestiza**; es decir, una niña que tiene herencia indígena y europea. Igualmente, los osos aparecen comiendo frijoles, un plato típico de México y Centroamérica. Es más, el hecho de que en la reunión familiar se incluyen a los padres, abuelos, tíos y primos, nos indica la importancia que tienen la familia y las relaciones intergeneracionales en la cultura hispana.

Un elemento importante en esta lectura es el uso que el autor hace del **marco**; es decir, que aquí tenemos dos cuentos: la historia de Trencitas y los tres osos, y el cuento de Emilio y su abuelo esperando la llegada de la parentela para almorzar (indicado en el texto con un marco). Así que tenemos un cuento dentro de otro cuento, como una pintura dentro de un marco, y esta estructura nos permite ver las reacciones del niño Emilio a la historia que le cuenta su abuelo. Emilio conoce el cuento de Ricitos de Oro porque vive en los Estados Unidos, y no espera que su abuelo lo cambie. A los chiquitos, como es sabido, les gusta la repetición, y tienden a rechazar lo que es diferente. Sin embargo, lo interesante de este cuento es cómo el abuelo logra que Emilio acepte las alteraciones que hace del cuento tradicional y cómo compagina el cuento de Trencitas con la vida y la experiencia bicultural de Emilio.

III. Antes de leer

A. Palabras útiles

1. apurar, apurado — tener que hacer algo muy rápido; *to hurry, hurried*
2. arder — quemar; *to burn*
3. áspero (adj.) — algo seco que pica; *dry, rough, scratchy*
4. atar — ligar, conectar; *to tie something to something else*
5. aullar — el sonido que emite un animal, como un lobo o perro; *to howl*
6. bosque (m.) — muchos árboles; *forest, woods*

7. bramar — el sonido que emite un animal, como el toro; *to roar, to bellow*
8. la cobija (f.) — una manta para taparse y protegerse del frío; *blanket*
9. discutir — argumentar; (cognado falso) *to argue, to discuss heatedly*
10. grueso (adj.) — corpulento, duro y pesado; *thick*
11. gruñir — emitir un sonido de queja; *to groan*
12. lágrima (f.) — el líquido que sale de los ojos cuando se llora; *tear*
13. oler — percibir un olor, un aroma, o una fragancia; *to smell*
14. sabroso (adj.) — delicioso; *tasty*
15. trenza (f.) — peinado que se hace entretejiendo el cabello largo; *braid*

B. Actividades de vocabulario

Actividad 1: Ponga la letra de la frase junto a la palabra correcta.

_____ 1. apurado	a. Póngame una __________ porque tengo frío.
_____ 2. atar	b. La mamá castigó a su hija por ________ con ella y no obedecer.
_____ 3. discutir	c. El pañuelo es __________ y me raspó la mejilla.
_____ 4. arder	d. Estoy __________ porque tengo una cita y voy a llegar tarde.
_____ 5. grueso	e. No llore; séquese las __________.
_____ 6. áspero	f. Antes se hacía dos __________en el pelo; ahora se hace muchas.
_____ 7. lágrimas	g. El sobre está muy ________ porque contiene una carta de muchas páginas.
_____ 8. trenzas	h. Me quemé con la plancha y la herida no me deja de ________.
_____ 9. cobija	i. No logro _______ el caballo al poste.
_____ 10. bosque	j. Esta comida está _____________.
_____ 11. sabrosa	k. Me perdí en el _____________.

Actividad 2: Haga estos sonidos de animales y/o seres humanos. (También se pueden mostrar fotos de los animales y seleccionar el sonido apropiado).

1. ladrar — un perro
2. aullar — un lobo
3. bramar — un toro
4. gruñir — una persona con un dolor
5. maullar — un gato
6. rugir — un león
7. mugir — una vaca

Actividad 3: Trabaje en parejas. Un estudiante escoge uno de los cinco sentidos (el tacto, el olfato, el oído, el gusto, o la vista) y lo actúa. El otro tiene que adivinar qué sentido es.

a. tocar
b. ver
c. saber (también quiere decir "*to taste*". Por ejemplo, "Esto sabe mal. Este otro sabe rico").
d. oler
e. oír

C. Las expectativas

1. Antes de leer "Abuelo y los tres osos", acuérdese del cuento tradicional de "Ricitos de Oro y los tres osos". Recuente la historia en la clase o escriba un resumen.
2. ¿Por qué piensa Ud. que Jerry Tello incluye al Abuelo en el título de su cuento?
3. Basándose en la siguiente ilustración que sale en la portada del libro, ¿qué diferencias notan entre éste y el cuento tradicional?

ABUELO
Y
LOS TRES OSOS

IV. El Texto

ABUELO Y LOS TRES OSOS

Era un domingo tranquilo. Emilio y su abuelo platicaban[1] en el porche.

—Abuelo, ¿cuánto tiempo tenemos que esperar? —preguntó Emilio—. ¿Cuándo van a llegar mis primos?

5 —Ya estarán por llegar[2] y podremos comer —contestó el abuelo—. Para que pase más rápido el tiempo voy a contarte un cuento.

Había una vez[3] tres osos que vivían en *el bosque*. Papá Oso, Mamá Osa y su hijo, Osito. Un domingo Papá Oso se despertó 10 como siempre, de mal humor. Pero enseguida[4] *olió* algo *sabrosísimo*.

—Mmmm, frijoles —dijo Papá Oso.

—Abuelo, es una broma,[5] ¿no? —exclamó Emilio riéndose—. ¡A los osos no les gustan los frijoles!

15 —A los osos que yo conozco les gustan los frijoles —dijo el abuelo.

Papá Oso se levantó y bajó *apurado* a la cocina.

—Buenos días —les dijo a Mamá Osa y a Osito—. ¿Cómo van esos frijoles? —Papá Oso se sentó a la mesa y *se ató* la servilleta 20 al cuello—. ¿Ya están listos?

—Sí —contestó Mamá Osa—. Pero están muy calientes todavía.

—Pues, no puedo esperar —dijo Papá Oso—. Tengo un hambre que me comería un elefante.

25 —Abuelo —dijo Emilio—, los osos no comen elefantes.

—Emilio, no se *discute* con un oso hambriento —le contestó su abuelo.

---

[1] conversaban [2] estar por + infinitivo = *to be about to...* (en este caso "*about to arrive*") [3] *once upon a time there was/were* [4] inmediatamente [5] chiste

El cabezudo[6] Papá Oso no prestó atención a la advertencia de su esposa.

30 —¡Ay! —*aulló*, dando un salto al probar los frijoles—. Todavía están muy calientes.

—Te lo dije, Papá Oso. ¿Qué tal si dejamos que se enfríen y mientras tanto nos damos un paseo por el pueblo? —sugirió Mamá Osa.

35 —Está bien, vamos —*gruñó* Papá Oso, con la boca que todavía le *ardía*. Entonces los osos dejaron su desayuno sobre la mesa para que se enfriara y salieron para el pueblo.

En ese mismo instante, en otra parte del *bosque*, una niña llamada Trencitas salía de su casa para visitar a su amigo, Osito.
40 La llamaban Trencitas por sus *trenzas* largas de pelo muy negro.

—Abuelo —interrumpió Emilio—, la niña del cuento se llama Ricitos de Oro porque es muy rubia.

—¿Ricitos de Oro? Ah, no sé —dijo el abuelo—. En este cuento es Trencitas la que va de visita, con sus *trenzas* largas del pelo
45 muy negro. ¡Y con mucha hambre!

Al llegar a la casa de Osito, Trencitas se encontró con la puerta abierta. Entonces entró y al *oler* los frijoles, siguió derechito[7] hasta que su nariz se topó[8] con la mesa con los tres tazones. Primero Trencitas probó los frijoles del plato grandote, pero estaban
50 calientes. Luego probó los del plato mediano, pero ya estaban fríos. Por fin probó los del más pequeñito. Estaban perfectos. Y tanto le gustaron, que se los terminó.

Luego Trencitas decidió esperar en la sala hasta que volvieran los osos. Se sentó en la silla grandota, pero era muy dura. Se
55 sentó en la silla mediana, pero era muy blanda. Por fin, se sentó en la más pequeñita. Era perfecta, pero de pronto... ¡CRAC!

—Abuelo, Trencitas rompió la silla de Osito —dijo Emilio, preocupado—. ¿Qué va a hacer?

—No te aflijas[9] —dijo el abuelo—. Después Trencitas la va a
60 pegar;[10] y como nueva la va a dejar.

---

[6] terco; *stubborn* [7] en línea recta [8] se encontró con; *ran into* [9] no te preocupes
[10] adherir con pegamento; *to glue*

Trencitas tenía mucho sueño, y subió a descansar. Primero probó la cama grande pero la *cobija* era muy *gruesa*. Luego probó la mediana, pero la *cobija* era muy *áspera*. Finalmente probó la cama pequeña. Era muy pequeña pero tan acogedora[11] y suave
65 que Trencitas se durmió muy pronto.

Cuando los ositos volvieron del pueblo, Papá Oso entró derechito a comer sus frijoles.

—¡Ay! —exclamó cuando vio su plato—. Alguien ha comido de mi plato.

70 —Y alguien ha comido del mío —dijo Mamá Osa.

—Y en el mío sólo queda un frijol —dijo Osito.

Luego los tres osos entraron a la sala.

—¡Ay! —*bramó* Papá Oso, al ver que habían movido su silla— . Alguien se ha sentado en mi silla.

75 —Y alguien se ha sentado en la mía —dijo Mamá Osa.

—Y miren mi silla, sólo quedan astillas[12] —dijo Osito.

Con mucha cautela,[13] los tres osos subieron la escalera hasta el dormitorio, a ver qué ocurría. Papá Oso iba adelante. Mamá Osa y Osito lo seguían.

80 —¡Ay! —dijo Papá Oso al entrar—. Alguien ha dormido en mi cama.

—Y alguien ha dormido en la mía —dijo Mamá Osa.

—Y miren quién duerme en mi cama —exclamó Osito, y corrió a despertar a Trencitas. Entonces a todos les dio mucha risa.
85 Ya se hacía tarde. Mamá Osa decidió que había que[14] acompañar a su casa a Trencitas. Papá Oso no estaba de acuerdo.

—Otra vez nos vamos —*se quejó* enojado—. Y, ¿qué hay de mis frijoles?

—Mi mamá hizo frijoles —dijo Trencitas.

90 —Seguro que al oír eso, Papá Oso se puso contento —dijo Emilio.

—Así es —contestó abuelo—. Y ahora te cuento qué ocurrió después...

En casa de Trencitas, la familia invitó a los osos a sentarse a
95 una mesa muy larga con los padres, abuelos, tíos y tías, y todos los primos de Trencitas. Comieron pollo, cerdo y pescado, frijoles,

---

[11] cómoda [12] pedacitos de madera; *splinters* [13] cuidado [14] tenía que; *had to*

salsa, tortillas, y chiles picantes, de esos que sacan *lágrimas* gigantes. Y después cantaron, bailaron y contaron cuentos.

100 —Ya ves, Emilio —dijo el abuelo—, Papá Oso esperó un largo rato para comer frijoles. Pero al final, lo pasó genial y compartió una *sabrosa* comida, como tú lo harás ahora cuando lleguen tus primos.

—¿Abuelo, ya se acabó[15] el cuento?

105 —Sí, se acabó —contestó el abuelo—.Y tu larga espera también se acabó. ¡Aquí están tus primos!

[15] se terminó

V. Después de leer

A. Preguntas de comprensión

1. ¿Por qué no puede comer Emilio al principio del cuento?
2. ¿Por qué el abuelo le cuenta un cuento a Emilio?
3. ¿Cuál de los comienzos marca el principio del cuento?
4. ¿Qué comen los tres osos? ¿Por qué no pueden comer todavía?
5. ¿Quién visita la casa de los tres osos mientras ellos están en el pueblo?
6. ¿Por qué se llama Trencitas la niña del cuento en vez de Ricitos de Oro?
7. ¿Qué hace Trencitas cuando prueba los frijoles en el plato pequeño?
8. ¿Qué ocurre cuando Trencitas se sienta en la silla pequeña?
9. ¿Qué sucede cuando los tres osos regresan a su casa?
10. ¿Por qué van Trencitas y los tres osos a la casa de Trencitas al final del cuento?

B. Preguntas de análisis

1. Describa algunas de las diferencias entre este cuento y el cuento tradicional de Ricitos de Oro. ¿Por qué cree usted que el autor hizo estos cambios?
2. A Emilio le preocupa "la verdad" del cuento. ¿Cuál es su reacción a los cambios que efectúa el abuelo en el cuento?
3. ¿Cómo responde el abuelo a las dudas de Emilio?
4. ¿Cuáles son algunos de los aspectos culturales que refleja el cuento?
5. El narrador del cuento nos dice que Mamá Osa "decide" que hay que acompañar a Trencitas a su casa, y que Papá Oso "no está de acuerdo". Comenten los papeles tradicionales de la mujer y del hombre. Expliquen el concepto del **machismo**. Además de los cambios que experimenta el cuento tradicional, ¿qué alteraciones relativas a las tradiciones hispanas y anglosajonas está sugiriendo el autor?

VI. Sugerencias para profesores

A. Este cuento es ideal para enseñar el uso de adjetivos opuestos o **antónimos**, y de diminutivos y aumentativos.
   1. Se puede dar dibujos de objetos de varios tamaños a los estudiantes. Por ejemplo, dos platos con los adjetivos grande/chico (grandote, grandísimo, chiquito, chiquitito, chiquillo), o dos niños de diferentes alturas: alto/bajo (altote, altísimo, bajito, bajillo), o ejemplos de aumentativos en sustantivos terminados en -ón: la silla/ el sillón; la nariz/el narizón.
   2. También se puede enseñar el uso del prefijo intensivo "requete" en adjetivos, como es el caso en: requetebién, requetefeo, requetecontrafeo.

B. Los estudiantes pueden reescribir un cuento de hadas con detalles culturales de la cultura hispana, con los de la cultura anglosajona, o con los de las tradiciones de su propia familia.

C. Organice un debate sobre el valor de estudiar cuentos que revelan aspectos de la cultura hispana en Estados Unidos.

VII. Más recursos

Jerry Tello. www.jerrytello.com

Tello, Jerry. *Abuelo y los tres osos*. New York: Scholastic Inc., 1997.

Aldama, Arturo J. *Decolonial Voices: Chicana and Chicano Cultural Studies in the 21st Century*. Bloomington: Indiana University Press, 2002.

Calderón, Hugo. *Criticism in the Borderlands: Studies in Chicano Literature, Culture, and Ideology*. Durham: Duke University Press, 1991.

Saldívar, José David. *Border Matters: Remapping American Culture Studies*. Berkeley: University of California, 1997.

José Luis García Sánchez y Miguel Ángel Pacheco:
"El niño que tenía dos ojos"

I. Los autores

Courtesy of José Luis García Sánchez

José Luis García Sánchez nació en Salamanca, España, en 1941. Aunque empezó a estudiar derecho en la Universidad de Madrid, abandonó sus estudios para ingresar en la Escuela Oficial de Cinematografía. A través de Latinoamérica y España se conoce como uno de los más distinguidos directores y guionistas del cine español. Sus películas incluyen: "Colorín, colorado" (1976), "El seductor" (1995), y "The Green March" (2002). Además de dirigir películas, Sánchez ha editado más de setenta títulos de literatura infantil.

Miguel Ángel Pacheco nació en Jaén, España, en 1944. Pacheco ha trabajado desde 1969 en el mundo de la literatura infantil como autor, ilustrador, y diseñador gráfico. También, ha colaborado en varios programas infantiles de televisión. A través de los años,Pacheco ha recibido numerosos premios por sus libros infantiles, incluyendo:

- Premio Lazarillo de Ilustración, en 1973.
- Premio Nacional de Ilustración, en 1980 y 1983.

Courtesy of Miguel Ángel Pacheco

- Premio Apeles Mestres, con Ana López Escrivá, por su libro *La familia de Mic,* en 1992.
- Premio Lazarillo de Creación Literaria, por su novela *Los zapatos de Murano*, en 1996.
- Premio Nacional de literatura infantil y juvenil por *Verdadera historia del perro Salomón,* en 2001.

Actualmente, Pacheco trabaja como diseñador de portadas para Anaya Educación y también como profesor de ilustración para la Facultad de Bellas Artes de Salamanca. José Luis García Sánchez y Miguel Ángel Pacheco han trabajado juntos como escritor e ilustrador de libros para niños desde el año 1973.

II. El contexto

Sánchez y Pacheco publicaron la primera edición de este cuento en el año 1984, casi diez años después de la muerte de Francisco Franco, dictador de España por más de treinta años. Durante la dictadura de Franco se prohibieron todos los partidos políticos, salvo el suyo; no se permitía el uso de otro idioma en lugares públicos o en documentos legales que no fuera el español (aunque millones de españoles hablaban otra lengua regional), y se censuraban todas las actividades culturales de las regiones minoritarias. Además, Franco no toleraba otra religión al margen del catolicismo.

Tras la muerte de Franco, España experimentó una relajación en todos los órdenes de su vida pública y privada. Los españoles, ahora con más libertad personal y política, empezaron a ver las diferencias entre ellos mismos como algo normal y no como algo que se tenía que eliminar. Este cuento ejemplifica precisamente esta nueva conciencia nacional.

III. Antes de leer

A. Palabras útiles

1. a través de — algo que pasa de un lado a otro, por; *through, across*
2. además — también; *moreover, also*

3. al cabo — por último; *at last*
4. crecer — hacerse mayor; *to grow, to grow up*
5. en seguida (enseguida) —inmediatamente; *right away, immediately*
6. inútil (adj.) — algo que no sirve para nada; *useless*
7. parecido (adj.) — similar o semejante; *similar*
8. retrasarse — sinónimo de tardar, pero también significa quedarse atrás; *to fall behind*
9. tardar — demorarse; *to take a long time, to be late*
10. tropezar/tropezarse — dar un traspié; *to trip*

B. Actividades de vocabulario

Actividad 1: Complete los espacios en blanco con la forma y palabra adecuadas de la lista del vocabulario.

Una mañana Sofía caminaba a la escuela con sus libros bajo el brazo cuando se quedó mirando una nube en el cielo ______ a un conejo. Por eso, no vio una piedra en el camino y se _______ con ella. Al caerse se llenó de barro. Aunque trató de limpiarse, sus esfuerzos fueron ________. —¿Qué debo hacer? —pensó—. Ella _________ unos minutos pensando en su situación. Tomaría por lo menos veinte minutos en regresar a casa y cambiarse el vestido. Después de unos minutos, decidió volver a la escuela para no ________ en sus estudios. _______, era la única alternativa que tenía porque no había nadie en su casa. Cuando llegó a la escuela, otra niña, su mejor amiga, la vio con su vestido todo sucio ___________ la ventana y __________corrió a abrazarla. —No importa —le dijo.

Actividad 2: Complete el siguiente crucigrama utilizando el vocabulario de la lista de "Palabras útiles".

1. Sinónimo de "por"
2. Se va a ______ si no corre con cuidado.
3. Algo que no sirve para nada
4. Un círculo es _______ a un óvalo
5. Sinónimo de "también"

6. → Peter Pan no quiere ______

6. ↓ Al _____ nada cambió.
7. Tomar mucho tiempo en hacer algo
8. Sinónimo de "inmediatamente"

1 2 3 5 4 6 7 8

C. Las expectativas

1. Vea las ilustraciones en el texto. Describa la diferencia entre los niños y el bebé del dibujo.
2. ¿Qué puede significar el título?
3. ¿A qué cree que se debe que las ilustraciones del principio del cuento sean en tonos de sepia (café)/blanco y negro y al final sean en color?

IV. El texto

EL NIÑO QUE TENÍA DOS OJOS

Entre anoche y esta mañana, existió un planeta que era muy *parecido* a la Tierra. Sus habitantes sólo se diferenciaban de los terrestres[1] en que no tenían más que un ojo.

Claro que era un ojo maravilloso con el que se podía ver en la
5 oscuridad, y a muchísimos[2] kilómetros de distancia, *a través de* las paredes... Con aquel ojo se podían ver los astros como *a través de* un telescopio y a los microbios[3] como *a través de* un microscopio... Sin embargo,[4] en aquel planeta las mamás tenían a los niños igual que las mamás de la Tierra tienen a los suyos.

10 Un día nació un niño con un defecto físico muy extraño: tenía dos ojos. Sus padres se pusieron muy tristes.

No *tardaron* mucho en consolarse; al fin y *al cabo* era un niño muy alegre... y, *además* les parecía guapo...

Estaban cada día más contentos con él. Le cuidaban muchí-
15 simo. Le llevaron a muchos médicos... pero su caso era incurable. Los médicos no sabían qué hacer.

---

[1] las personas que viven en la Tierra [2] "-ísimo" significa "muy" [3] seres microscópicos como las bacterias [4] no obstante; *however*

El niño fue *creciendo* y sus problemas eran cada día mayores; necesitaba luz por las no-
20 ches para no *tropezar* en la oscuridad.

Poco a poco, el niño que tenía dos ojos se iba *retrasando* en sus estudios; sus profesores
25 le dedicaban una atención cada vez más especial... Necesitaba ayuda constantemente. Aquel niño pensaba ya que no iba a servir para nada cuando fuera mayor...

Hasta que un día descubrió que él veía algo que los demás no podían ver...

30 *En seguida* fue a contarles a sus padres cómo veía él las cosas... Sus padres se quedaron maravillados... En la escuela sus historias encantaban a sus compañeros. Todos querían oír lo que decía sobre los colores de las cosas.

Y *al cabo* del tiempo era ya tan famoso que a nadie le impor-
35 taba su defecto físico. Era emocionante escuchar al chico de los dos ojos. Incluso llegó a no importarle a él mismo.

Porque, aunque había muchas cosas que no podía hacer, no era, ni mucho menos, una persona *inútil*. Llegó a ser uno de los habitantes más admirados de todo su planeta.

40 Y cuando nació su primer hijo todo el mundo reconoció que era muy guapo. Además, era como los demás niños: tenía un solo ojo.

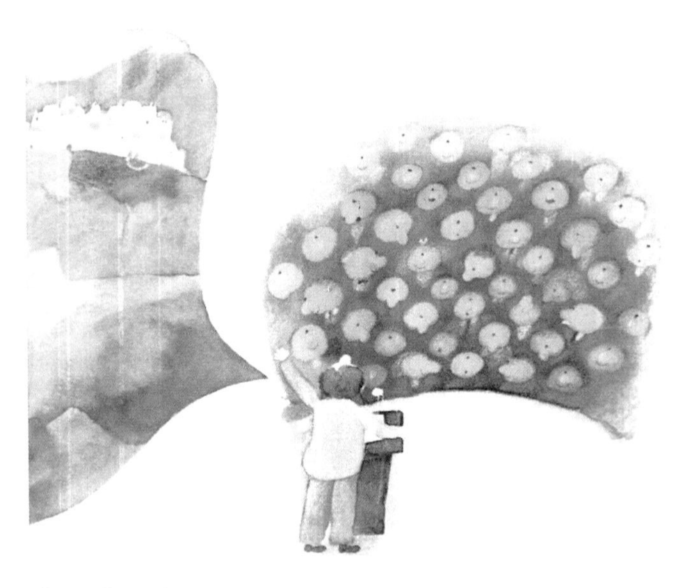

V. Después de leer

A. Preguntas de comprensión

1. Comparado con la Tierra, ¿cómo es el planeta del cuento?
2. ¿Cómo difieren los habitantes de este planeta de los de la Tierra?
3. ¿Cuál es el defecto físico del niño?
4. ¿Por qué no pueden curar los médicos al niño?
5. Mencione algunas de las dificultades que tiene el niño a causa de su defecto.
6. Describa las habilidades visuales que tiene la gente con un solo ojo.
7. ¿Qué ventaja descubre el niño en su defecto?
8. Cuando el niño hace el descubrimiento, ¿a quién se lo cuenta primero?
9. ¿Cómo cambian las actitudes de los otros cuando se enteran de la habilidad del niño?
10. Al final del cuento, ¿de qué se da cuenta el niño?

B. Preguntas de análisis

1. ¿Cómo sería la reacción de la gente si un niño en nuestro mundo naciera con un solo ojo?
2. ¿Qué puede representar el defecto del niño en nuestro mundo?
3. De todas las minusvalías que los autores pudieron escoger, ¿por qué piensa usted que escogieron un problema de la vista?
4. La palabra "oscuridad" aparece dos veces en el cuento —primero en el segundo párrafo y luego en un párrafo de la página siguiente—. Si alguien no sabe lo que significa esta palabra, ¿qué pistas hay en el texto que sugieren su significado?
5. ¿Cómo están relacionados el contexto histórico y la historia del cuento?
6. Mencione algunas maneras en que se puede convertir una deformidad en una bendición.
7. ¿Cuál es la moraleja de este cuento?

8. ¿Por qué cree que las ilustraciones al principio del cuento están en blanco y negro (sepia) y al final en color?

VI. Sugerencias para los profesores

A. Ponga a los estudiantes a inventar un cuento sobre alguien que tiene un defecto físico y lo supera, transformándolo en una ventaja. Los estudiantes deben ilustrar sus cuentos.
B. Divida la clase en grupos de tres o cuatro personas y asigne a cada grupo un proyecto de investigación sobre una persona que tuvo una minusvalía y la superó para realizar grandes cosas. Un posible ejemplo sería Ludwig van Beethoven, quien se quedó sordo pero continuó componiendo música.
C. Pueden usar este cuento para promover la educación moral y buscar los valores de cada persona. Ponga a los estudiantes a pensar en las posibles ventajas de tener un defecto físico.

VII. Más Recursos

Pacheco, M. A. y J. L. García Sánchez. *El niño que tenía dos ojos*. Madrid: Ediciones Altea, 1986.
J. L. García Sánchez. *La niña invisible*. Miami: Santillana USA, 2000.
Yglesias, José. *The Franco Years*. Indianapolis: Bobbs-Merrill, 1977.
Preston, Paul. *Juan Carlos: Steering Spain from Dictatorship to Democracy*. New York: W.W. Norton, 2004.

María Elena Walsh:
El reino del revés

I. La autora

María Elena Walsh (1930–2011) nació en Buenos Aires, Argentina. Su padre era inglés y su madre argentina. Más conocida por sus libros y canciones infantiles, Walsh empezó a escribir a muy temprana edad y publicó su primer libro de poemas en 1947. Viajó mucho y vivió en París cuatro años antes de volver a Argentina, donde empezó a escribir guiones para televisión, obras de teatro, poemas y canciones. A veces sus obras tienen un mensaje político, como en su canción "El país de nomeacuerdo", adaptada en la película *La historia oficial,* ganadora de un Premio de la Academia (*Academy Award*) a la mejor película extranjera (*Best Foreign Film*) en 1985.

II. El contexto

Durante el gobierno de Juan Domingo Perón (1943–1946), Walsh se fue a vivir a Europa. Cuando volvió a Argentina, el gobierno había cambiado, pero aun continuaba bajo el control de los militares. Durante la dictadura militar (1976–1983), Argentina pasó por un periodo de violencia que se conoce como la "Guerra Sucia", años difíciles bajo una opresión política que se caracterizaron por la censura, la tortura y la desaparición de miles de personas. Aunque los poemas presentados aquí no tienen un mensaje político claro, la noción de que todo está al revés se ve entre líneas.

III. Antes de leer

A. Palabras útiles

ligero (adj.) — rápido (en este contexto); *quickly (also light)*
al revés — de orden inverso; *backwards*
reino (m.) — dominio; *kingdom*
reina (f.) — la monarca; *queen*
vigilante (m.) — persona encargada de cuidar algo; *guard*
juez (m.) — persona con la autoridad de decidir en la corte, la persona que decide asuntos legales; *judge*
nuez (m.) — la fruta de un tipo de árbol; *nut*
bigotes (m.) — pelo que crece en la cara sobre el labio superior; *mustache*
araña (f.) — animal de ocho pies que construye una red; *spider*
ajedrez (m.) — juego de táctica; *chess*

B. Actividades de vocabulario

1. Haga un dibujo en el que trata de incluir todas las palabras del vocabulario anterior. Escriba la palabra junto al dibujo.
2. Ponga las palabras en orden alfabético.
3. Escriba un mini-cuento usando todas las palabras de la lista.

C. Expectativas

1. ¿Qué espera Ud. cuando alguien le dice que va a contar un cuento? ¿Qué elementos tiene un cuento? ¿Cómo empieza? ¿Cómo termina?
2. ¿Cuáles son las connotaciones de la frase "al revés"? ¿Qué espera Ud. cuando le dice que las cosas están al revés?

IV. El texto

VOY A CONTAR UN CUENTO

Voy a contar un cuento.
A la una, a las dos, y a las tres:
Había una vez.

¿Cómo sigue después?

5 Ya sé, ya sé.
Había una casita,
una casita que...
Me olvidé.

Una casita blanca
10 eso es,
donde vivía uno
que creo era el Marqués.[1]

El Marqués era malo,
le pegó con un palo
15 a... No, el Marqués no fue.
Me equivoqué.

No importa. Sigo. Un día
llegó la policía.
No, porque no había.
20 Llegó nada más que él,
montado en un corcel[2]
que andaba muy *ligero*.
Y había un jardinero
que era muy bueno pero.
25 Después pasaba algo
que no recuerdo bien.
Quizás pasaba el tren.

Pero lejos de allí,
la *Reina* en el Palacio

---

[1] título de nobleza; *marquis* [2] un caballo fino; *steed*

30 jugaba al ta te ti,[3]
y dijo varias cosas
que no las entendí.
Y entonces...
Me perdí.

35 Ah, vino la Princesa
vestida de organdí.[4]
Sí.
Vino la princesa.
Seguro que era así.

40 La *Reina* preguntóle,
no sé qué preguntó,
y la Princesa, triste,
le contestó que no.

Porque la Princesita
45 quería que el Marqués
se casara con ella
de una buena vez.[5]
No, no, así no era,
era *al revés.*

50 La cuestión[6] es que un día,
la Reina que venía
dio un paso para atrás.
No me acuerdo más.

Ah, sí, la Reina dijo:
55 —Hijita, ven acá.
Y entonces no sé quién.

Mejor que acabe ya.
Creo que a mí también
me llama mi mamá.

---

[3] juego de sílabas [4] una tela fina [5] *once and for all* [6] el asunto es; *the thing is*

EL REINO DEL REVÉS

60 Me dijeron que en el *Reino* del Revés
nada el pájaro y vuela el pez,
que los gatos no hacen miau y dicen yes,
porque estudian mucho inglés.

Vamos a ver cómo es
65 *El Reino del Revés.*

Me dijeron que en el Reino del Revés
nadie baila con los pies,
que un ladrón es vigilante y otro es juez,
y que dos y dos son tres.

70 *Vamos a ver cómo es*
El Reino del Revés.

Me dijeron que en el Reino del Revés
cabe un oso en una *nuez*,
que usan barbas y *bigotes* los bebés
75 y que un año dura un mes.

Vamos a ver cómo es
El Reino del Revés.

Me dijeron que en el Reino del Revés
hay un perro pekinés,[7]
80 que se cae para arriba y una vez...
no pudo bajar después.

Vamos a ver cómo es
El Reino del Revés.

Me dijeron que en el Reino del Revés
85 un señor llamado Andrés
tiene 1530 chimpancés
que si miras no los ves.

---

[7] tipo de perro; *Pekingese*

Vamos a ver cómo es
El Reino del Revés.

90 Me dijeron que en el Reino del Revés
una *araña* y un ciempiés[8]
van montados al palacio del Marqués
en caballos de *ajedrez.*[9]

Vamos a ver cómo es
95 *El Reino del Revés.*

---

[8] un insecto con cien piés; *centipede*

[9] caballos de ajedrez; *literally chess horses or knights*

V. Después de leer

A. Preguntas de comprensión

1. ¿Cómo empieza un cuento de hadas tradicional?
2. ¿De qué color es la casita en "Voy a contar un cuento"?
3. ¿Quién vive en la casita?
4. ¿Quién es el malo y por qué?
5. ¿A dónde va el Marqués?
6. ¿Quién es el bueno?
7. ¿Dónde está la Reina? ¿Qué hace?
8. ¿Cómo se siente la Princesa? ¿Qué es lo que quiere?
9. ¿Qué quiere la Reina al final del poema?
10. ¿Qué tienen de raro el pájaro, el pez, y el gato en "El reino del revés"?
11. ¿Qué tienen de raro los bailes?
12. ¿Quién está encargado de cuidar y juzgar?
13. ¿Qué tienen de raro los bebés?
14. ¿Cuál es el problema del perro?
15. ¿Qué tiene Andrés?
16. ¿Qué hacen la araña y el ciempiés?

B. Preguntas de análisis

1. ¿Quién es el **narrador** (la voz poética) que cuenta la historia en este poema, "Voy a contar un cuento"? ¿Cómo lo sabemos? ¿Cuántos años debe tener el narrador o narradora?
2. ¿Qué problemas tiene la voz poética de este poema? ¿Cómo indica Walsh estos problemas?
3. ¿Cuál es la diferencia en el uso del verbo *pasar* entre "algo pasa" y "un tren pasa"? Ahora amplíe su respuesta a la pregunta número dos.
4. ¿Cuál es la relación entre la princesa y la voz poética? Dada esta relación, ¿cree usted que la voz poética es una chiquita o un chiquito?
5. Este cuento tiene todos los elementos típicos de un cuento de hadas: un bueno, un malo, una princesa, un marqués, un conflicto, acción. Sin embargo, ¿por qué no es un cuento exitoso? ¿Qué falta?

6. En el siguiente poema, "El reino del revés", ¿cuál es el mensaje político que puede haber escondido en el texto?
7. ¿Cuál es el problema con el espacio, el tiempo, la lógica, las matemáticas, y la física?
8. ¿Por qué es irónico el refrán?

VI. Sugerencias para profesores

A. Pida a los estudiantes que terminen los cuentos empezados en el poema "Voy a contar un cuento".
B. Pida a los estudiantes que dibujen los escenarios improbables del poema "El reino al revés".
C. Aprenda de memoria el estribillo del segundo poema. Ponga a diferentes estudiantes a leer cada estrofa, y todos los demás (el coro) repitan de memoria el estribillo.
D. Repasen los números grandes, como el de 1530 (mil quinientos treinta).
E. Walsh escribió muchas canciones infantiles. Trate de encontrar su música y vídeos en el internet.

VII. Otros recursos

María Elena Walsh homepage: http://www.me.gov.ar/efeme/mewalsh/

"El reino del revés", 1964: http://www.bibliotecasvirtuales.com/biblioteca/literaturainfantil/contemporaneos/mariaelenawalsh/reinodelreves.asp.

"El reino del revés": http://www.youtube.com/watch?v=KlMQZsifcio

Foster, David William. "Playful Ecphrasis: María Elena Walsh and Children's Literature in Argentina". *Mester*, 13.1: 40-51.

Herbst, Marina. "María Elena Walsh y la opinión urgente". August 15, 2010. http://www.ensayistas.org/filosofos/argentina/walsh/introd.htm.

Sibbald, Kay. "Tradición y transgresión en la poética de María Elena Walsh". *Poéticas de escritoras hispanoamericanas al alba del próximo milenio*. Lady Rojas-Trempe y Catharina Vallejo, eds. Miami: Ediciones Universal, 1998: 49-61.

Sección Uno

La identidad: Uno y los otros

La formación de la identidad de una persona es un proceso complejo con implicaciones filosóficas y **ontológicas** sobre lo que es el ser humano. En el siglo XVIII, período conocido como El Siglo de las Luces, se consideraba a una persona básicamente como un ente coherente y único. Después, con las teorías de Freud, empezamos a hablar de las divisiones en el ser (ego, super-ego, id) que siempre están en conflicto. El siglo XX añadió otras ideas al estudio del ser, como la de la multiplicidad de identidades que cada persona adopta en distintas circunstancias sociales —la identidad como estudiante, como hijo, o como miembro de la comunidad—. Estas ideas sostienen que una persona nunca tiene una identidad estática, única, y completamente coherente. El famoso existencialista francés, Jean Paul Sartre, decía que la identidad siempre está en proceso de formación, con lo que se quiere decir que uno nunca "es" sino que siempre "está", y que la existencia es un continuo y constante proceso de decisiones, elecciones, cambios y ajustes entre uno y los otros.

La literatura infantil ha cobrado cada vez más relieve como una herramienta educativa para inculcar ideas en la formación del niño. Tanto es así que uno de sus propósitos fundamentales es el de ayudar al niño a formar su identidad indicándole quién es él o ella (la identidad individual), a qué grupos pertenece (la identidad social o nacional), y de dónde viene (la identidad cultural, histórica o étnica). Todas estas ideas sobre quiénes somos cambian con el tiempo.

Al estudiar las obras que los adultos escogen para los niños, notamos cómo va cambiando el criterio de selección. Por ejemplo, en los países latinoamericanos, después de su independencia (siglo XIX), la literatura infantil se vio como un mecanismo para formar a los ciudadanos, fomentar el patriotismo y forjar la lealtad a las nuevas repúblicas. Por ende, a principios del siglo XX se crearon multitud de **leyendas** sobre los varios héroes nacionales que servían como ejemplo de los mejores momentos en la vida de la nación y que colocaban al héroe en un pedestal como un modelo que debía ser emulado.

Recientemente en Latinoamérica, la identidad étnica/cultural y la relación que un individuo tiene o debe tener con los primeros habitantes de las Américas han cobrado más importancia en la formulación de la identidad de los jóvenes. Esto representa un cambio enorme en un continente que ha despreciado a los indígenas por más de cinco siglos. Para responder a este nuevo interés, algunos autores han optado por escoger textos escritos por indígenas y adaptarlos para niños que hablan español. Al hacer esto, se expone a los niños de la cultura dominante a la historia indígena del continente, enfatizando a la vez la diversidad y pluralidad de la sociedad.

A continuación se incluyen dos ejemplos de textos que originalmente no fueron escritos exclusivamente para niños ni fueron escritos en español, sino que fueron dirigidos a todos los miembros de una comunidad indígena: el *Popol Vuh* (obra sagrada de los mayas escrita en K'iche') y *El güegüense* (obra dramática escrita primero en náhuatl). Al traducirlos al español y dirigirlos exclusivamente a los niños, vemos una nueva mentalidad por parte de los adultos que, lejos de erradicar todo el pasado indígena, lo cual fue parte de la política de los gobiernos durante el colonialismo y principios del período de la post-independencia, ahora consideran importante que los niños conozcan dicho pasado y aprecien la diversidad que fundamenta y constituye la sociedad actual en la que viven.

La selección del *Popol Vuh* incluida aquí cuenta la historia de los orígenes del pueblo maya. El dios de los mayas intenta tres veces crear al ser humano, y, tras fracasar en los dos primeros intentos, tiene éxito en el tercero, cuando crea al hombre de maíz, la comida fundamental del pueblo indígena. El maíz, literal y metafóricamente, constituye la sangre y la esencia del ser humano, y el concepto de un dios que fracasa es radicalmente diferente del que tenemos del dios cristiano, que es omnipotente y omnisciente. Es sorprendente también la vitalidad que tienen todas las cosas en el mundo maya —no sólo los seres humanos tienen voz, sino también los animales, los elementos de la naturaleza, y hasta los objetos; es decir, elementos de la creación que según el parecer occidental son inanimados y, por ende, carecen de vida, como por ejemplo, las piedras o las ollas—. En la cosmología indígena, sin embargo, todos los elementos del mundo, naturales o fabricados por el hombre, tienen una interrelación fundamental y contribuyen a la totalidad del universo. Estos cuentos, en su momento de creación, contribuyeron a la formación de la identidad individual y colectiva del indígena y a la formación de un contexto global del hombre en unidad con los suyos, su tierra y su mundo. Al dirigirlos ahora al niño de los siglos XX y XXI, los editores se proponen ampliar los conocimientos históricos de los niños hispanohablantes, incrementar su tolerancia a la diversidad, y valorar las raíces étnicas como algo integral en la formación del **mestizaje**.

La obra dramática colonial *El güegüense*, que originalmente se presentaba con música y baile, muestra cómo el indígena logra mantener sus creencias, valores y prácticas culturales a pesar de las trabas impuestas por el gobierno colonial español, que intentaba suprimir las costumbres indígenas (en este caso el baile) por considerarlas incivilizadas. En la versión moderna realizada para niños se mezclan ilustraciones llenas de color y figuras exageradas con una historia que se ha repetido muchas veces, y de varias formas, en la historia de la literatura centroamericana. Este patrón, o fórmula textual, muestra cómo el supuesto "tonto" (o más precisamente el que "se hace el tonto", en este caso el indígena) triunfa sobre el supuesto "sabio" (representado por el gobernador español). El mensaje central del texto es que la astucia y la inteligencia son superiores a la fuerza bruta. A través de trampas y manipulaciones del lenguaje (un ejemplo de las cuales incluimos aquí), el indígena de esta obra resiste las imposiciones y se sale con la suya, y el público (ahora el niño lector) se identifica con él. Este patrón es particularmente ameno para los niños, ya que ellos a veces experimentan situaciones similares con los adultos que tratan de controlar su comportamiento o con otros niños mayores que quizá tratan de abusar de él/ella como veremos en la selección de Augusto Roa Bastos.

Después presentamos un cuento folklórico de Nicaragua, "El sombrero de tío Nacho". En este cuento, el sombrero se asocia con la identidad individual del tío Nacho. El tío, simbólicamente, quiere cambiar esta definición de quién es él al deshacerse de su sombrero viejo y ponerse uno nuevo y distinto. Sin embargo, no es fácil cambiar la identidad individual porque el ser humano es menos individual que social, y el resto de la gente ya tiene un concepto de quién es uno y tratará de imponer su visión particular. En este cuento, todo el mundo quiere devolverle el sombrero viejo al tío Nacho porque lo asocian con él. Al final, el tío Nacho se rinde, tira el sombrero nuevo a la basura y nadie trata de devolvérselo. En otra versión, sin embargo, el tío habla del problema del sombrero con su sobrina Ambrosia, y ella le recomienda concentrarse más en el nuevo que en el viejo. En esta versión, el tío Nacho se pone el sombrero nuevo al final y va a visitar a sus amigos para mostrárselo. Las dos versiones, pues, tienen mensajes muy diferentes sobre la posibilidad del cambio.

Si analizamos ambas versiones del cuento en su conjunto, nos damos cuenta de que puede haber otro nivel de identidad en esta historia que se relaciona con el concepto político/ideológico de la persona. Hay que recordar que Nicaragua sufrió una dictadura por cuarenta años bajo la dinastía de la familia Somoza, y que en 1979 el Frente Sandinista de Liberación Nacional derrocó al gobierno somocista. En términos **alegóricos**, el tío Nacho representa a todos los nicaragüenses, y el cambio de su sombrero viejo (el gobierno bajo Somoza) por un sombrero nuevo (el gobierno sandinista) representa un cambio en la identidad del país. Un análisis socio-político e ideológico del texto nos revela qué difícil es substituir un sistema político por otro, aunque este cambio sirva para mejorar la situación política, social, y económica del país, ya que las fuerzas del cambio generan resistencia dentro de sí mismas. La diferencia al final de los cuentos, sin embargo, representa un cambio de actitud sobre la identidad nacional del nicaragüense. En vez de rendirse, como hace el tío Nacho, en el cuento tradicional presentado aquí, la nueva versión sugiere que hay que persistir e insistir en forjar una nueva identidad, no sólo para uno mismo, sino también para todo el país y todos sus ciudadanos.

Parte de la formación de la identidad consiste en encontrar las supuestas diferencias entre uno y los otros; es decir, decidir a qué grupos pertenece y a cuáles no. A veces las diferencias con los otros son superficiales o hasta imaginarias o existen simplemente para justificar la exclusión de los "otros" de su grupo. En la República Dominicana surgió una leyenda con múltiples implicaciones sobre la identidad. Hay que recordar que en este país la población indígena taína fue eliminada por completo pocos años después de la conquista por enfermedad, hambre y maltrato. Tal vez por eso se inventó la existencia de un grupo (las ciguapas) que logró escaparse de la destrucción total. Como esta historia es un **mito**, existen múltiples versiones. La versión de Juan Bosch, incluida aquí, ubica a las ciguapas en los árboles; la versión de Julia Álvarez (véase el apéndice) las ubica en el mar; otras versiones dicen que viven en las montañas, o en las cuevas prehistóricas de la isla. Las descripciones de su apariencia física y de cómo viven también varían. Algunos dicen que es una raza sólo de mujeres bajitas, con pelo largo hasta los tobillos y piel azul; otros dicen que es una tribu de hombres y mujeres hermosos parecidos a los taínos. A pesar de la variedad de descripciones de esta gente, hay una característica común que reaparece en todas las versiones y que las distingue de los taínos: los miembros de esta tribu fantástica tienen los pies al revés. Esta extraña anatomía tiene una funcionalidad muy importante: las huellas que dejan cuando caminan señalan un camino en dirección opuesta al verdadero, y les permiten esconderse de los seres humanos que les harían daño. Por tanto, cualquiera que trata de seguir sus huellas irá en la dirección contraria y no podrá encontrarlos. Así, este grupo logra proteger su identidad de los "otros", que en este caso somos nosotros, los seres humanos.

A veces, sin embargo, la identidad de uno se encuentra en conflicto con su propio grupo de referencia y no logra integrarse a la identidad del grupo dominante. Con los niños, la formación de la identidad individual puede resistir los intentos **didácticos** de los adultos de imponerles una identidad de grupo. Como los colonizadores con los amerindios, los adultos quieren "civilizar" a los niños y socializarlos bajo las convenciones de la sociedad dominante; los mandan a la escuela y a la iglesia, controlan lo que hacen, lo que comen, cuándo duermen, la ropa que se ponen, cuándo pueden jugar, etc. Los niños no pueden hablar para defenderse (o sea, no tienen voz), no tienen poder (los adultos siempre mandan); la realidad y las creencias del niño siempre son trivializadas y subestimadas por la gente mayor. Por eso, en muchas historias infantiles vemos lugares imaginarios donde el niño, simbólicamente, se puede esconder o evitar la autoridad para cuidar tanto de su identidad personal como de su necesidad existencial de seguridad y autonomía. La forma en que logra huir suele involucrar acciones sobrenaturales, imposibles o irreales, como los pies al revés de las ciguapas. Este lenguaje simbólico, centrado en la huida del mundo de los adultos, abunda en los cuentos folklóricos de todas las sociedades, y ayuda al niño no sólo a entender su ambiente y relacionarse con él, sino también a sublimar su posición de inferioridad y marginalización para poder pelear por su propia identidad.

El siguiente cuento de esta sección, del paraguayo Augusto Roa Bastos, sobre los primitos Carolina y Gaspar, forma parte de esta tradición de escaparse para encontrarse a sí mismo. Ni Carolina ni Gaspar son buenos estudiantes, rechazan lo que los adultos consideran importante, e incluso se niegan a hablar el lenguaje de los demás. Como las ciguapas que caminan al revés, estos niños hablan al revés. De este modo pueden comunicarse sin que los otros entiendan su conversación, creando su propio mundo protegido donde los adultos no pueden entrar. También, tienen un poder muy poco usual que les da una gran ventaja sobre los adultos y los otros niños conformistas: pueden volar. Ignoran no sólo los deseos de los adultos, sino las leyes de la física también. En sus vuelos imaginarios adquieren conocimientos de las aves y de las alturas; a su regreso, saben muchas cosas que los adultos no saben. El conocimiento de aquéllos no es el que enseñan las escuelas, o lo que la "fea institutriz" que les da lecciones particulares considera importante. El pequeño lector comparte la felicidad que sienten estos niños protagonistas al evitar la imposición del grupo dominante e insistir en el valor y la importancia de otras maneras de ser y estar.

Por último, presentamos un cuento de Mario Benedetti, "El hombre que aprendió a ladrar", que tiene implicaciones sobre la identidad del ser humano como especie. Como es sabido, una de las características que nos identifica como seres humanos es el lenguaje. ¿Qué pasaría si lográramos aprender el lenguaje de los animales, si lográramos comunicarnos con otras especies? ¿Qué tan fácil sería perder la identidad, confundirla con otra o modificarla? Estas preguntas serias y válidas son la esencia de esta historia, aún cuando el cuento en sí es cómico. Este cuento establece una relación dialógica con otro autor hispano, el guatemalteco Augusto Monterroso, quien escribió un cuento breve (minicuento) sobre un perro que trata de convertirse en ser humano. El cuento de Benedetti ofrece una respuesta a las preguntas fundamentales que Monterroso plantea en el suyo. Evidentemente, no sólo los seres humanos hablan entre sí, sino que también los textos hablan unos con otros.

Francisco Morales Santos:

Popol Vuh para niños

I. Adaptador

Francisco Morales Santos nació el 4 de octubre de 1940 en Ciudad Vieja, en el departamento de Sacatepéquez, Guatemala. Tiene una carrera artística larga que empezó con la publicación de su primer poemario, *Agua en el silencio,* en 1961. Su obra poética para adultos le ganó, entre otros reconocimientos, el prestigioso Premio Nacional de Literatura Miguel Ángel Asturias en 1998. Fue entonces cuando su arte dio un giro y empezó a escribir para niños. Su primer ejemplar infantil, *Ajonjolí,* se publicó en Costa Rica en 1998, y fue nombrado por el Consejo Superior de Educación de este país como lectura obligatoria en las escuelas primarias a partir del 2008. Morales Santos ha mostrado mucho interés en la tradición oral de Guatemala, y en que los niños de Guatemala conozcan algo de la cultura de sus antepasados mayas. Ha publicado libros de cuentos para niños que provienen de las **leyendas** y **mitos** guatemaltecos, además de dos versiones del *Popol Vuh,* una obra central del pueblo maya. La primera de estas versiones, *Popol Vuh para niños* (2002), no sólo provee una traducción libre y sencilla al castellano de este texto precolombino, sino que también incorpora materiales **didácticos**, glosarios, ejercicios y explicaciones.

II. El contexto

El *Popol Vuh* es una obra que pertenece a la tradición oral, es decir que se transmitía oralmente de generación en generación. Se cree que fue escrito después de la conquista española, y es posible que haya sido escrito por un indígena que aprendió a leer y escribir el idioma español como alumno de los frailes misioneros. El texto original del siglo XVI fue escrito fonéticamente en idioma quiché (K'iche') utilizando el alfabeto latino; y el manuscrito permaneció ignorado hasta que lo descubrió el fraile dominico Francisco Ximénez a principios del siglo XVII. El *Popol Vuh* es una obra anónima, producto de una creación colectiva, que puede considerarse como la suma o compendio de las tradiciones, creencias y valores más esenciales del pueblo maya quiché. Para Guatemala y toda América, el *Popol Vuh* representa uno de sus valores culturales más extraordinarios. Las palabras "popol vuh" significan literalmente "libro de la estera", y entre los pueblos mesoamericanos las esteras, o petates, simbolizaban la autoridad. El *Popol Vuh* fue declarado Libro Nacional de Guatemala en 1972 por el presidente Carlos Arana Osorio.

La selección de *Popol Vuh para niños* incluida aquí es "La creación de la tierra y el hombre", una versión **mitológica** de la creación del ser humano. En esta historia, los dioses Tepeu y Gucumatz intentan dos veces crear al hombre sin lograrlo. Sin embargo, cuando hacen al hombre del maíz su creación resulta un éxito rotundo. La importancia que se le da al maíz en esta historia refleja la importancia que esta planta tiene en la vida de los mayas. La historia seleccionada nos ofrece una amplia idea del conocimiento que tenía en aquellos tiempos el pueblo maya, sus costumbres y creencias religiosas. El hecho de que este texto tan importante haya sido traducido y adaptado para niños que hablan español indica la creciente aceptación que tiene la cultura maya dentro de la comunidad **ladina**, es decir, la comunidad que no es india, cuyos integrantes históricamente han rechazado a la población indígena.

III. Antes de leer

A. Palabras útiles

1. tranquilo — calmado; *calm*
2. consultar — pedir información; *to consult*
3. barranca (f) — profundidad grande; *steep bank*
4. chillar — hacer un sonido de llanto exagerado; *to howl, to cry*
5. desmoronar — deshacer algo; *to undo, to pull into pieces*
6. mono (m) — mico, animal de la selva; *monkey*
7. ordenar — mandar; *to order*
8. criatura (f) — ser vivo; *creature*
9. empañar — quitar la claridad; *to blur*
10. sacudir — mover; *to shake, to dust off*
11. fracasar — salir mal; *to fail*
12. madera (f) — material que viene del tronco de un árbol; *wood*
13. superficie (f) — la parte superior de algo; *top, outside part, área*

B. Actividades de vocabulario

Actividad 1: Escriba las palabras del vocabulario en orden alfabético e identifique los cognados.

Actividad 2: Utilice su teléfono celular o el teclado numérico provisto para encontrar la palabra que corresponda a cada serie de números. Divida la clase en grupos, cada grupo busca 5 palabras. ¡A ver quién gana!

▪ tranquilo	623372
▪ consultar	76765 884
▪ barrancas	872678456
▪ chillar	37222727
▪ mono	227726227
▪ criatura	7228347
▪ ordenar	3672627
▪ empañar	27428872
▪ sacudir	2445527
▪ Popol Vuh	266785827
▪ fracasar	6733627
▪ madera	6666
▪ superficie	7873734243

Teclado numérico

1	2 A B C	3 D E F
4 G H I	5 J K L	6 M N O (ñ)
7 PQRS	8 T U V	9 WXYZ

Actividad 3: ¡Qué desorden! Ordene las sílabas para descubrir las palabras del vocabulario. Divida la clase en parejas o grupos pequeños; cada pareja tiene que descifrar dos palabras y explicar a la clase qué quieren decir en español.

dircusa	*quitranlo*	*nomo*	*racritua*
________	________	________	________
bacasrran	*emñarpa*	*sarcafra*	*deornar*
________	________	________	________
llarchi	*tarsulcon*	*ramade*	*nardesromo*
________	________	________	________
ciesufiper			
________			

Actividad 4: Identificación. Identifique las siguientes imágenes. Escriba la letra que corresponda a la imagen.

(a) quetzal	**(c) víbora**	**(e) piedra de moler**	**(g) madera**
(b) frijoles rojos	**(d) mazorca**	**(f) mono**	

______ ______ ______ ______ ______ ______ ______

C. Expectativas

1. Piense en los mitos de la creación. ¿Cuáles conoce? ¿Cuál es el **mito** de la creación de la Biblia? Cuéntelo en español.
2. Busque otros mitos de la creación escritos o creados por otros pueblos originarios de las Américas. Compártalos con sus compañeros de clase.
3. ¿Qué tienen en común los varios mitos de la creación que encontraron?
4. Analice la ilustración y escriba lo que representa. ¿Es un hombre o un mono?

IV. El texto

LA CREACIÓN DE LA TIERRA Y EL HOMBRE

Antes de la creación, todo estaba *tranquilo*. No se veía la tierra porque el agua cubría la *superficie*. No había ni un solo hombre, ni un animal, ni pájaros, ni peces, ni cangrejos, ni árboles. Tampoco había piedras, ni hoyos, ni *barrancas*, ni paja, ni bejucos.[1]
5 Únicamente reinaba el silencio y la oscuridad.

Solo existían los dioses creadores, Tepeu y Gucumatz, quienes estaban en el agua cubiertos de plumas verdes de quetzal.[2]

Entonces los dioses *consultaron* entre sí, y discutieron sobre cómo hacer a las *criaturas* que poblarían la tierra.

10 Lo primero que *ordenaron* fue:

—¡Que se vacíe el agua y que aparezca la tierra para labrar su *superficie*!

Aparecieron, pues, los montes y los llanos. Las aguas tomaron su camino al formar los ríos y emergieron las montañas cubiertas
15 de pinos y cipreses.

Luego los dioses crearon a los animales, que cuidarían los montes: al venado, al pájaro, al puma, al jaguar, a la víbora y al cantil.[3]

A cada especie le asignaron un lugar para vivir, y le dijeron:

20 —¡Tú, venado, habitarás y dormirás en las *barrancas*, te multiplicarás en el monte y andarás en cuatro patas! Vosotros, pájaros, habitaréis sobre los montes. Sobre sus ramas haréis vuestros nidos y allí tendréis vuestros hijos.

Luego que los animales tomaron el lugar en que habrían de
25 vivir, los creadores les *ordenaron*:

—¡Hablen, griten según su especie! ¡Digan que nosotros los creamos! ¡Hablen! ¡Salúdennos! Los animales trataron de asociar palabras para saludar a sus creadores, pero sólo *chillaron* y gritaron. Entonces, los dioses los castigaron y los condenaron de
30 manera que sus carnes sirvieran de comida.

---

[1] una planta trepadora, propia de las regiones tropicales [2] ave de cola larga y plumas verdes, también es el ave nacional de Guatemala [3] culebra venenosa; *Mexican moccasin*

Después de este intento, los dioses trataron de hacer otras criaturas y formaron un hombre de lodo,[4] pero éste no se movía, estaba blando y se *desmoronaba* en el agua.

Al ver esto, los creadores lo deshicieron, y decidieron *consul-*
35 *tar* a dos adivinos: Ixpliyacoc e Ixmucane, a quienes les dijeron:

—Zajorines,[5] echen sus suertes con los frijoles rojos[6] del palo de pito[7] y los maíces. Pregúntenles como habremos de hacer un hombre.

Los zajorines hicieron la pregunta a los frijoles rojos y a los
40 maíces, que contestaron:

—Hagan al hombre de *madera* y hablará.

Los dioses, entonces, labraron hombres de *madera*, que se multiplicaron y su descendencia fue numerosa. Hablaron, pero no se acordaron de dar las gracias a sus formadores.

45 Los dioses castigaron a los hombres de *madera* por no acordarse de ellos. Desencadenaron un fuerte diluvio[8] para ahogarlos. Llovió de día y de noche sobre la tierra.

Al mismo tiempo, todos sus animales y cosas se volvieron contra ellos y los maltrataron. Los perros dijeron:

50 —¡Cuántas veces nos echasteis fuera, apaleándonos![9] Ahora os morderemos y despedazaremos.

Las piedras de moler[10] amenazaron:

—Todos los días quebrantaste maíz en nuestras caras; ahora, nosotras os las quebrantaremos.

55 Las ollas y los comales[11] exclamaron:

—Nos pusisteis al fuego y se nos quemaron nuestras caras. ¡Os quemaremos!

Las piedras llamadas tenamastes[12] les gritaron:

—Nos pusisteis al fuego para sostener las ollas y los comales,
60 por lo que sufrimos grandes dolores junto a las brasas.[13] ¡Nosotros quebrantaremos vuestras cabezas!

Los hombres de *madera* corrían desesperados bajo la lluvia de resina y brea.[14]

---

[4] *mud* [5] *soothsayers, person reputed to see what is hidden* [6] el uso de los frijoles rojos todavía existe como ritual entre los indígenas [7] *sacred tree of the Mayas* [8] *heavy rain* [9] pegándonos; *hitting us with a stick* [10] *stones for grinding corn* [11] *round metal utensil used to cook tortillas; like a wok* [12] *cooking stones* [13] *burning coal* [14] sustancia pegajosa de color rojo; *pitch*

La tierra fue *sacudida* por un fuerte movimiento; y los hom-
65 bres de *madera* daban alaridos[15] de dolor y espanto:[16]

—¡Se caen las casas sobre nosotros!

Decían: —¡Nos ahogamos! —¡Los arboles *sacuden* sus ramas y nos lanzan[17] al suelo! —¡Las cuevas y los hoyos cierran sus puertas y nos niegan[18] la entrada!

70 Y así fueron destruidos los hombres de *madera* y solo quedaron los *micos* como recuerdo de aquellas *criaturas*. Por eso es que el *mico* se parece al hombre.

En vista de que los ensayos[19] anteriores habían *fracasado*, una vez más los creadores Tepeu y Gucumatz hablaron. Discu-
75 tieron y se *consultaron* entre sí cómo formarían al hombre y qué sustancia utilizarían para hacer su carne.[20]

Entonces el gato del monte, el coyote, la guacamaya[21] y el cuervo[22] les dijeron:

—Vengan a Paxil y Cayalá, lugares de abundancia. Allí hay
80 mucho maíz amarillo y maíz blanco. Las anonas, los nances, los zapotes, los matasanos y los jocotes[23] son incontables en ese lugar y todo está lleno de miel de cacao.

Los creadores se dirigieron a Paxil y Cayalá guiados por los animales. Cortaron las mazorcas[24] de maíz amarillo y maíz blan-
85 co y se las entregaron a Ixmucané para que preparara la masa con la que formaron cuatro hombres a quienes les pusieron los nombres de Balam Quitze, Balam Ak'ab, Majucutaj e Iquí Balam.

Lo primero que Tepeu y Gucumatz les preguntaron, fue:
90 —Hombres de maíz ¿Qué ven? ¡Hablen!

—Vemos lo que hay en el mundo, hasta los cuatro rincones de la tierra.

Al oír esto, los creadores se preocuparon, pues, consideraban que no era bueno que sus *criaturas* supieran tanto de ellos y les
95 soplaron vaho[25] en los ojos para *empañarles* la vista.

En seguida les dieron sus mujeres para que, al despertar, se alegraran sus corazones.

---

[15] gritos; *shouts* [16] horror [17] *throw* [18] *deny* [19] intentos [20] *flesh* [21] *colorful tropical bird, macaw* [22] *raven* [23] *all are tropical fruits* [24] *ears of corn* [25] soplo que sale por la boca de las personas; *breath, mist*

Cajábaluná fue la mujer de Balam Quitze; a la mujer de Balam Ak'ab la llamaron Chomijá; Tzununijá, a la de Majucutaj, y
100 a la de Iquí Balam le pusieron el nombre de K'aquixaja.

Estos cuatro hombres y estas cuatro mujeres fueron los primeros padres y madres de la gente del pueblo quiché.

V. Después de leer

A. Preguntas de comprensión

1. Según el cuento, ¿quiénes fueron los primeros en existir antes de la creación?
2. ¿Qué fue lo primero que los dioses crearon?
3. ¿Cuál fue la orden que los dioses le dieron a su primera creación?
4. ¿Por qué castigaron los dioses a su primera creación?
5. ¿Qué fue lo que los dioses formaron utilizando lodo? ¿Tuvieron éxito? ¿Por qué?
6. ¿De qué fue hecho el hombre cuya descendencia fue numerosa y, posteriormente, destruida?
7. ¿A qué animal se compara el hombre hecho de madera?
8. ¿De qué fue creado el hombre en el último intento de los dioses?
9. ¿Cuáles son los nombres de los cuatro hombres creados de la masa de maíz?
10. ¿Por qué los dioses empañaron la vista de los hombres?

B. Preguntas de análisis

1. ¿Por qué los dioses Tepeu y Gucumatz estaban cubiertos de plumas verdes de quetzal?
2. ¿Por qué exigen los dioses que los animales declaren quien los creó?
3. ¿Quiénes son Ixpliyacoc e Ixmucane? ¿Serán seres humanos? ¿Espíritus? ¿O qué?
4. ¿Por qué hablan los animales y los objetos en este cuento?
5. ¿Por qué fue tan importante el maíz en la cultura maya?

C. Volver a contar

Utilice las ilustraciones para volver a contar la historia en sus propias palabras. La historia se puede volver a contar oralmente entre grupos o parejas; también se puede hacer individualmente como ejercicio escrito.

Los dioses creadores

Uno de los zajorines

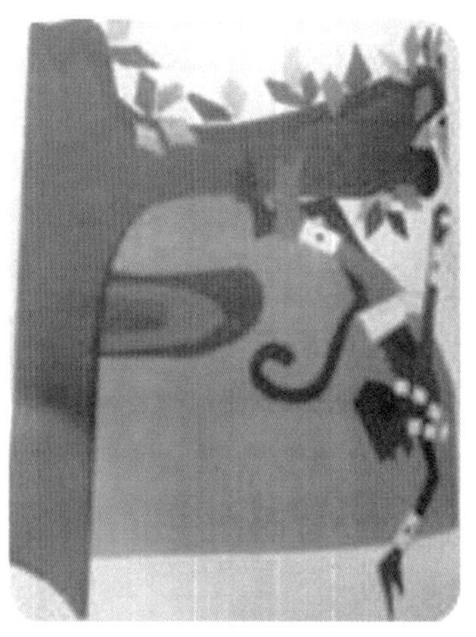

Los hombres de madera

Los cuatro hombres de maíz

La creación de las mujeres

VI. Sugerencias para los profesores

A. Sería de mucha ayuda para los estudiantes leer algo sobre la cultura maya antes de leer la historia. No es necesario darles mucha información, sino simplemente darles una idea general de su cultura, lengua, arte y creencias. Esta página de la red podría ser de ayuda:

Museo Popol Vuh
http://www.popolvuh.ufm.edu.gt/index.htm

B. Otro ejercicio podría ser que sus estudiantes practiquen estas palabras traducidas al quiché. Esta página de la red sería de mucha utilidad: http://www.enlacequiche.org/

	Español	K'iche'
1	Abrir	Ujaqik
2	Aceptado	Ajawem
3	Aceptar	Uk'amik
4	Buscar	Tzukunik
5	Continuar	Utaqaxik
6	Conversar	Tzijonik
7	Dirección	Riqib'al
8	Eliminar	Resaxik
9	Guardar	Uk'olik
10	Imagen	Wachib'al
11	Mostrar	Uk'utik
12	Orden	Cholaj
13	Rehacer	Ukamulixik
14	Reiniciar	K'ak' umajik
15	Símbolos	Retal

VII. Más recursos

Versiones para niños:

Galeano, Eduardo. *Las aventuras de los jóvenes dioses*. Mexico: Siglo XXI Editores, 1998.

López Vigil, Nivio. *Popol Vuh: Visiones y Versión*. Managua: Fondo Editorial Libros para Niños, 2009.
Montejo, Víctor. *Popol Vuj: Libro Sagrado de los Mayas*. Toronto: Groundwood Books, 1999 (also a translation in English).
Morales Santos, Francisco. *Popol Vuh para niños*. Guatemala: Editorial Piedra Santa, 2002.
Morales Santos, Francisco. *Estampas del Popol Vuh: Versión libre para niñas y niños*. Bogotá, et.al.: Grupo Editorial Norma, 2006.

Critica

González, Ann. "The Popol Vuh for Children: Explicit and Implicit Ideological Agendas." *Children's Literature Association Quarterly,* 39.3 (2013).

Traducciones para adultos

Texto del *Popol Vuh*, según la traducción al español de Adrián Recinos http://www.literaturaguatemalteca.org/popol.html
Edición facsimilar del *Popol Vuh*, The Ohio State University Libraries http://library.osu.edu/sites/popolwuj/
Texto del *Popol Vuh*, traducción al inglés por Allen Christenson http://www.mesoweb.com/publications/Christenson/index.html

María López Vigil:

Historia del muy bandido, igualado,rebelde, astuto, pícaro y siempre bailador Güegüense

I. Adaptadora

Courtesy of Mariá López Vigil

María López Vigil, periodista y maestra, nació en Cuba en 1944. Llegó a Nicaragua en 1981 para trabajar en una variedad de proyectos educativos y periodísticos. En 1981 comenzó a difundirse en América Latina la serie radial, de la que es co-autora con su hermano José Ignacio, *Un tal Jesús*, re-creación en 144 capítulos, y como radionovela, de los relatos de los Evangelios. Los guiones radiales se publicaron después como libro, que fue traducido al inglés en Nueva York y Filipinas. Las autoridades católicas condenaron la obra y esto la hizo aún más popular. Algo similar ocurrió 25 años después con *Otro Dios es posible*. También es autora de *Piezas para un retrato de Monseñor Romero*, el obispo asesinado en El Salvador por su defensa abierta de los pobres. López Vigil es teóloga y escritora de libros para niños. Fundó y dirige la revista mensual *Envío*, que desde 1981 informa y analiza la realidad de Nicaragua y de Centroamérica. Se ha pasado la vida escribiendo, y por eso afirma: "Mi machete es la palabra. No sé hacer otra cosa que hablar y escribir". Actualmente vive en Managua.

II. El contexto

La obra anónima *El güegüense* pertenece al siglo XVII. Está escrita en dos idiomas, el náhuatl y el castellano, y está inspirada en el teatro callejero y en bailes de la región. Los personajes de la obra van bailando y dialogando por el pueblo, y todos llevan máscaras. María López Vigil ha hecho una adaptación de *El güegüense* para niños que es más fácil de entender, a pesar de las muchas palabras antiguas, regionales, y expresiones vulgares con doble sentido. El protagonista es un viejo cómico llamado Güegüense (*huehue* en náhuatl significa "viejo"), pero este protagonista no es un verdadero indio, aunque así lo llaman los españoles, sino más bien un **mestizo**. Las autoridades españolas necesitan dinero y quieren cobrar nuevos *impuestos* sobre la mercancía que vende el Güegüense, pero éste, con mucha astucia, logra salirse con la suya y evita el pago. Para imponer su autoridad, los españoles quieren prohibir los bailes, que forman una parte central de la vida cultural del pueblo; sin embargo, el Güegüense logra hacer pasitos de baile mientras habla con los oficiales, los confunde y enreda con su lenguaje de doble sentido; y hasta los insulta a cada rato para el deleite de los espectadores.

Para entender cómo este viejo logra confundir a las autoridades, hemos incluido aquí una de sus **retahílas**. Cuando alguien va vendiendo mercancía por las calles, va gritando estas retahílas para describir la mercancía que vende. Para llamar la atención de la gente, los vendedores manipulan el lenguaje de una manera sorprendente, hablando muy rápidamente, repitiendo frases rítmicas que a menudo son como trabalenguas, e incluyendo variaciones de una palabra y sonidos que riman sin que formen palabras con sentido. Por ello, es imposible entender cada palabra o traducir por completo una retahíla. Su forma de hablar se parece a la manera de hablar de un subastador o rematador (*auctioneer*).

III. Antes de leer

A. Palabras útiles

1. paso (m.) — movimiento sucesivo de ambos pies al andar; *step*

2. brindar — celebrar con alcohol, decir algo antes de beber; *to toast*
3. impuestos (m) — dinero que el gobierno cobra a la gente; *taxes*
4. panza (f) — vientre de las personas, barriga; *belly*
5. agarrar — asir fuertemente con la mano; *to grab*
6. enredar — entretejer una cosa con otra; *to tangle up*
7. alcanzar — lograr; *to reach (over)*
8. oro (m) — metal valioso de color amarillo; *gold* (dorado/a; *the color gold, golden*)
9. plata (f) — metal valioso de color gris; *silver*
10. seda (f) — tela fina; *silk*
11. media (f) — calcetín, más común en Centroamérica; *sock*
12. desafiar — retar; *to challenge*

B. Actividades de vocabulario

Actividad 1: Diminutivos y aumentativos. Con las palabras del vocabulario y las terminaciones que usted ha estudiado para hacer expresar diferencias de tamaño o para mostrar aprecio en el caso de los diminutivos, ofrezca varias posibilidades para traducir las siguientes frases al español. (Terminaciones posibles: ito, ita, ico, ica, illo, illa, cito, cita, ote, ota, ón)

1. A tiny sock
2. A really big belly
3. Little steps
4. A Little bit of money (use the word "plata")
5. Pretty golden hair ("pelo dorado"). Try making the noun smaller. Now try making the adjective smaller. Notice that what you say does not mean little hair.
6. A baby's tummy

Actividad 2: ¡Sopa de letras!

Encuentre las palabras del vocabulario en esta sopa de letras.

e	i	o	r	o	r	a	i	r
a	m	e	a	t	a	l	p	r
m	p	e	z	z	d	a	r	a
e	u	p	n	u	n	p	g	d
d	e	s	a	f	i	a	r	e
i	s	l	c	a	r	t	p	r
a	t	e	l	r	b	s	o	n
a	o	s	a	p	a	e	o	e
d	s	r	s	e	d	a	s	s

paso
brindar
impuestos
panza
agarrar
enredar
desafiar
alcanzar
oro
plata
seda
media

Actividad 3: ¡Es una orden!
Ponga las palabras del vocabulario en orden alfabético en la columna correspondiente.

VERBOS	SUSTANTIVOS
____________	____________
____________	____________
____________	____________
____________	____________
____________	____________
____________	____________
____________	____________

impuestos
panza
oro
plata
media
seda
paso
desafiar
enredar
brindar
alcanzar

C. Expectativas

1. Lea el título de este drama. La palabra "igualado" quiere decir astuto. Describa al personaje principal de esta obra basándose en el título.
2. Describa la relación entre los indígenas y los conquistadores españoles.
3. Con este refrán termina la obra: "le pega el ratón al gato". ¿Qué quiere decir? ¿Puede pensar en un dicho en inglés que quiere decir más o menos lo mismo?
4. Analice la ilustración y describa lo que representa.

IV. El texto

HISTORIA DEL MUY BANDIDO, IGUALADO, REBELDE, ASTUTO, PÍCARO Y SIEMPRE BAILADOR GÜEGÜENSE

(fragmento)

Al Güegüense le pispileaban[1] los ojos de pura bandidencia.[2] Y al Gobernador, de pura curiosidad.

—¿Qué tenés[3] ahí, pues? Hablá mosco,[4] que te conozco.

Y el Güegüense comenzó a dar sus *pasitos* de baile mientras
5 hablaba:

—Tengo tengo tengo cajonería[5] de *oro*, cajonería de *plata*, pichingas[6] de lata, cortes[7] de calidad, cortes de contrabando, cortes de *seda* ando, güipil[8] de pecho, nuevo y maltrecho, güipil de pluma como de cacalojoche,[9] *medias* de *seda*, mecate[10] que
10 *enreda*, zapatos *dorados*, *platudos*, puntudos, cuerudos, charoludos,[11] sombreros de castor[12] que son un primor, *seda* de Castilla, *seda* con puntilla. Traigo borona,[13] traigo cotona.[14] Una dona trena cadena quina quinena, traigo una mona con su cadena. Y perejil, cuadra cuadril cuadril cuadrón,[15] ¡cuéntelas
15 bien que veinte cosas son!

Y soltando la retahíla,[16] el Güegüense soltó también su bailadita. Como siempre lo hacía. Por bailar. Por fregar.[17]

—¡¿Qué *enredo* es éste?! ¿Y por qué bailas? ¡¡Prohíbanse los bailes!!

. . .

---

[1] parpadeaban; *blinked* [2] travesura, maldad [3] forma de "vos" en vez de tú que se usa mucho en Centroamérica. "Tenés", en vez de "tienes". [4] te conozco, mosco (mosco hace rima con conozco), sugiere que se conocen los antecedentes de esta persona [5] conjunto de cajones [6] recipiente para transportar líquidos [7] trajes típicos [8] blusa indígena, traje típico [9] flor blanca [10] soga; *rope* [11] *pointed, made of leather, made of patent leather* [12] *beaver* [13] pan de maíz [14] camisa blanca elegante, traje típico [15] parte de una retahíla que se oye mucho en Nicaragua: "...cuadril cuadrón, cuéntelas bien que veinte son" [16] un juego de palabras que beneficia la fluidez verbal, así como también la atención y la memoria, se usa para vender cosas y se dice rápidamente; *like the way an auctioneer talks* [17] molestar

20 *(By the end of the story, one of el Güegüense's sons, Forcico, has married the daughter of the Governor, Suche, and everyone is dancing, drinking and celebrating in spite of the Governor's prohibition against dancing.)*

—¡Prohíbanse los bailes! ¡Suspéndanse los bacanales! ¡Ter-
25 mínense las fiestas!

Pero ya nadie escuchaba las órdenes del Gobernador Tastuanes, ya nadie, tampoco él mismo. Porque todos bailaban por la calle arriba, por la calle abajo. También él, el señorón, el grandísimo *panzón*.

30 Cuando el Güegüense ya se había echado sus buenos guaspirolazos,[18] fue cuando le *agarró* cavanga[19] y se le aguadaron[20] los ojos. . .

Pero se bebió las lágrimas y se echó otro trago.[21] Y así, más que picado,[22] empezó a *brindar*, de modo y manera que todos lo
35 escucharan:

—¡Han sido seis triunfos al hilo sobre el *panzonsísimo* y excelentísimo Señor Gobernador de España! ¡Por esos triunfos *brindo*!

Para ese momento, las autoridades, desde el Gobernador
40 hasta el último guardia español, estaban hasta el bollo de leche. . .[23]

—¡*Brindo, rebrindo* y *tribrindo*!
Impuestos quería imponerme: ni un centavo me cobró.
Licencia quería exigirme: pero de eso se olvidó.
45 Mis chereques[24] quería robarme: y ni uno solo *agarró*.
El baile quiso cortarme: y ni una danza paró.
Y con la su hija Suche un mi hijo se casó.
¡Y hasta el vino con que él brinda Forcico se lo cachó![25]
¡A la gorra! ¡A la gorra! ¡Hagan todos como yo!
50 Y siguió el baile.

Por la calle ancha hasta allacito,[26] todo era ya un gran fiestón.

Y los sones de los chischiles[27] eran como clarín[28] de guerra que llamaban a todos los nicaragüenses a resistir.
55 A resistir riendo.

A *desafiar*, jiqui, jiqui, jiqui, a la autoridad.

---

[18] tragos de licor [19] cabanga, melancolía [20] empezó a llorar, a llenársele los ojos de lágrimas [21] bebió más licor [22] *more than a little tipsy* [23] borrachos [24] cosas (lo que tiene para vender); *stuff, things* [25] lo robó [26] allá, en diminutivo; *over there* [27] cascabeles; *bells* [28] *bugle*

Los machos-ratones[29] iban brincoleando[30] y moviendo sus baticolas.[31]

Y el güilingüinchinchín de las marimbas se oía de largo.
60 Para que lo escucharan todos los güegüenses de Somoto, los de Matagalpa y los de El Viejo, los de Camoapa, Acoyapa y Teustepe, los de Boaco[32] también.

Machos y güegüenses, llevando en la cabeza las plumas de los pájaros de colores de nuestra tierra contaban y cantaban
65 que más vale maña[33] que fuerza.

Riendo, cantando y bailando contaban lo que todo mundo sabe, lo que ya se conoce desde hace rato: que en Nicaragua, señores, le pega el ratón al gato.

V. Después de leer

A. Preguntas de comprensión

1. ¿Cuáles son los dos personajes que están hablando al principio?
2. Haga una lista de las cosas que el Güegüense vende. Al final de la retahíla, dice que hay veinte cosas. ¿Su lista tiene veinte entradas?
3. ¿Qué prohíbe el Gobernador?
4. Al final de la obra, ¿qué está haciendo toda la gente?
5. ¿Por qué empieza a llorar el Güegüense?
6. ¿Cómo se llama el Gobernador?
7. ¿Por qué brinda el Güegüense?
8. ¿Por qué no se ofenden los españoles cuando el Güegüense hace su brindis (*toast*)?
9. ¿Cuáles son los seis triunfos que el Güegüense dice que ha logrado contra los españoles?
10. ¿Cuál es la moraleja de esta obra?

B. Preguntas de análisis

1. ¿Cómo se justifica el comportamiento del Güegüense?
2. ¿Por qué cree que el Gobernador trata a los mestizos de la manera que los trata?

---

[29] *the dancers who are wearing masks and costumes of rats* [30] brincando; *jumping* [31] *tails* [32] varios lugares de Nicaragua [33] astucia

3. ¿Qué quiere decir "A resistir riendo"?
4. ¿Qué significa "más vale maña que fuerza"?
5. Explique la moraleja del cuento.

VI. Sugerencias para los profesores

A. Este cuento es ideal para hablar con los estudiantes sobre los regionalismos o las expresiones que son típicas en ciertos países.
B. Divida la clase en parejas. Luego, un estudiante hace una lista de algunas de las palabras usadas por el Gobernador y el otro estudiante hace una lista de palabras usadas por el Güegüense. Al terminar, los estudiantes comparan las palabras y se ayudan con las definiciones de las mismas.
C. Ayude a sus estudiantes a memorizar las palabras del vocabulario. Escriba en fichas bibliográficas (*index cards*) solamente la primera mitad de cada una de las palabras del vocabulario. Muéstreles a sus alumnos la mitad escrita y ellos le tendrán que decir la otra mitad. Lo pueden hacer en voz alta o por escrito.
D. Ponga a los estudiantes a escribir una retahíla; o a memorizar y declamar una ante la clase. Pueden hacer concursos entre los estudiantes para ver quién tiene más facilidad para recitar retahílas.

VII. Más recursos

Aragón, Alba. "Lessons of *Güegüense*". *Revista: Harvard Review of Latin America* (Fall 2007). http://www.drclas.harvard.edu/revista/articles/view/1024

Arellano, Jorge Eduardo, ed. *Coloquio Nacional sobre El Güegüense*. Managua: Instituto Nicaragüense de Cultura, 1992.

López Vigil, María. *Historia del muy bandido, igualado, rebelde, astuto, pícaro y siempre bailador Güegüense*. Managua: Anamá Ediciones, 2007.

Urbina, Nicasio. "El Güegüense". *Encyclopedia of Latin American Theater*. Connecticut and London: Greenwood Press, 2003.

———. *El Güegüense, o El gran burlador*. Managua: Ediciones Distribuidora Cultural, 2000.

Un vídeo del baile de *El Güegüense*: http://www.diriamba.info/video_7.htm

Otra versión de *El Güegüense*: http://www.yoyita.com/gueguense.htm

Pablo Antonio Cuadra:
"El Sombrero de Tío Nacho"

I. Adaptador

Courtesy of Pedro Xavier Solís Cuadra

Pablo Antonio Cuadra, reconocido poeta nicaragüense, nació en Managua, capital de Nicaragua, el 4 de noviembre de 1912. Perteneció a una familia ligada a la política y a la poesía. En 1931 fundó el movimiento de vanguardia en compañía de otros autores renombrados como José Coronel Urtecho y Joaquín Pasos. En 1945 ingresó en la Academia Nicaragüense de la Lengua, fundada por su padre en 1928. En 1954 fue nombrado codirector del diario *La Prensa*, donde creó *La Prensa Literaria*. Cuadra integró la junta directiva que estableció la primera universidad privada de Centroamérica en Managua. Después, en 1964 inició su primera columna periodística "*escritores a máquina*", donde reflexionó sobre el pasado y el porvenir del país y el mundo. Su carrera de poeta, desde su primera colección en 1934, *Poemas nicaragüenses,* hasta la última en 1980, *Siete árboles contra el atardecer,* abarca unos cincuenta años. En 1985 enseñó literatura en la ciudad de Austin, Texas. Pablo Antonio Cuadra falleció el 2 de enero del 2002 en Managua, a la edad de 89 años.

Desde el punto de vista político, Cuadra era conservador, incluso fue partidario y admirador de Somoza. Pero más tarde adoptó la teología de la liberación y se convirtió en portavoz de los problemas de los pobres y oprimidos de Nicaragua. Como poeta, ensayista, dramaturgo y crítico recibió varios honores literarios y en 1991 recibió el premio interamericano de cultura "Gabriela Mistral".

II. El contexto

El origen del cuento popular "El sombrero de tío Nacho" es desconocido, pero la presente versión fue adaptada por Pablo Antonio Cuadra en 1995. Aunque el personaje principal de este cuento es el tío Nacho (Nacho es un apodo para el nombre de Ignacio), hay otros personajes que juegan un papel relevante, y que, de una manera u otra, convencen a Nacho de la importancia del sombrero viejo. La trama del cuento es bastante sencilla. El tío Nacho está cansado de su viejo sombrero, y trata de deshacerse de él de varias maneras. Sin embargo, los vecinos reconocen el sombrero del tío Nacho y se lo devuelven. Lo curioso es que cuando el tío Nacho tira el sombrero nuevo, nadie lo recoge. Sin lugar a dudas, el tío Nacho representa lo que muchos nicaragüenses han experimentado: el intento frustrado de provocar un cambio. Incluso, en Latinoamérica, hay un dicho que representa esta reacción al cambio: "mejor malo conocido que bueno por conocer". En este cuento, el sombrero define la identidad del tío Nacho. El sombrero es parte de él y es lo que lo identifica ante la sociedad que le rodea. Simbólicamente, el sombrero viejo puede representar el gobierno dictatorial de Somoza. El sombrero nuevo que nadie reconoce representaría el intento de los Sandinistas de cambiar el gobierno. En esta versión, el tío Nacho se rinde y decide volver al sombrero viejo, al cual está acostumbrado. La segunda versión, sin embargo, nos ofrece una perspectiva muy distinta. Al final de ésta, vemos cómo el tío Nacho, convencido por su sobrina, decide usar el sombrero nuevo. Al quedarse con el sombrero nuevo, el protagonista nos muestra la posibilidad de cambio.

III. Antes de leer

A. Palabras útiles

1. comadre (f) — madrina de bautizo de una criatura; *Godmother*
2. compadre (m) — padrino de bautizo de una criatura; *Godfather*
3. arroyo (m) — caudal pequeño de agua; *stream*
4. figurarse — imaginar; *to imagine*
5. joder — molestar, fastidiar; *to annoy* (*vulg*)
6. coger — agarrar; *to hold (vulgar in certain countries)*

7. arrastrar — jalar algo; *to drag*
8. cubrir — tapar; *to cover*
9. reventar — explotar; *to explode*
10. sopapear — darle golpes a alguien; *to beat up (slang)*

B. Actividades de vocabulario

Actividad 1: Escriba en pirámide. Escriba la primera letra de una de las palabras del vocabulario. En la siguiente línea escriba las primeras dos letras. Continúe haciendo esto hasta que la palabra del vocabulario esté completamente escrita. Ejemplo: correntada

comadre	figurarse	c
		co
compadre	joder	cor
		corr
arroyo	arrastrar	corre
		corren
cubrir	reventar	corrent
		correnta
sopapear	coger	correntad
		Correntada

Actividad 2: Llenar el espacio con la forma de la palabra apropiada de la lista del vocabulario.

1. El sombrero le protege y le ________________ al tío Nacho del sol.
2. Cuando un chiquito nace, los padres escogen un hombre y una mujer para que cuiden a su niño en caso de que ellos falten. Estas personas, el ____________ y la __________, también prometen responsabilizarse de la educación religiosa del niño.
3. Un caudal pequeño de agua es un _____ ______________.
4. Cuando uno está muy bravo o muy frustrado, se dice que está a punto de explotar, o a punto de ________________.
5. En el cuento, el tío Nacho ___________________ su sombrero y lo tira al basurero.
6. Después lo tira en el arroyo donde las aguas lo ________.

7. Muchas personas dicen ____________________ cuando quieren llamar la atención a algo en vez de decir: mire Ud. o vea Ud.
8. ___________ es una palabra muy vulgar en España, pero en Centroamérica se usa con mucha frecuencia por todo el mundo para decir: molestar o irritar.
9. Te _______________ es una manera muy coloquial, graciosa y onomatopéyica para decir: te pego. La aliteración del sonido plosivo /p/ suena como los golpes.

Actividad 3: ¡Text!

Utilice su teléfono celular para encontrar la palabra que corresponda al grupo de números:

1.	coger →	b. 26437
2.	joder	
3.	reventar	
4.	sopapear	
5.	comadre	
6.	figurarse	
7.	arroyo	
8.	compadre	
9.	arrastrar	
10.	cubrir	

a. 2662373
b. 26437
c. 26672373
d. 277696
e. 73836827
f. 344873773
g. 56337
h. 76727327
i. 282747
j. 277278727

Teclado numérico

1	2 A B C	3 D E F
4 G H I	5 J K L	6 M N O (ñ)
7 PQRS	8 T U V	9 WXYZ

C. Expectativas

1. ¿Cuál es el propósito de un gorro o sombrero? Busque imágenes de personas que tengan puesto un gorro o un sombrero. Puede buscarlas en revistas o periódicos. Analice las imágenes. ¿Puede identificar el oficio o identificar el pasatiempo de la persona sólo por el gorro o el sombrero?
2. Si tuviera que ponerse un sombrero, ¿cómo sería? ¿Qué dice el sombrero de su personalidad?
3. Describa la ilustración que sigue.¿Qué está haciendo el tío Nacho con su sombrero? ¿Por qué? Describa el sombrero.

IV. El texto

EL SOMBRERO DE TÍO NACHO

El tío Nacho tenía un sombrero roto que ya ni para soplar[1] le servía y dijo tío Nacho:

—Voy a cambiar este sombrero viejo —y lo aventó[2] al basurero. En eso pasó su *comadre* Chola.

5 —¡Eh! —dijo—, ¡el sombrero de tío Nacho! —y lo *recogió*, lo envolvió en un papel y se lo llevó a su *compadre*:

—¡Se le cayó su sombrero, tío Nacho! Aquí se lo traigo.

—Dios se lo pague,[3] *comadre* —dijo tío Nacho.

Cogió el sombrero roto y se fue a botarlo lejos, al *arroyo*.
10 Cuando volvía comenzó a llover y viene la correntada y *arrastra* el sombrero.

—¡Ve! —gritó tío Chente— ¡allí se llevan las aguas el sombrero de tío Nacho! ¡Corré, muchacho, andá *recogelo*!

—Tío Nacho, *figúrese* que ya se le *arrastraban* las aguas el
15 sombrero. Aquí se lo traemos.

Gracias, muchachos, gracias. Y salúdenme[4] a tío Chente —dijo tío Nacho.

¡Ahora sí que me *jodió* este sombrero! —pensó tío Nacho, y lo voló[5] sobre un taburete.[6] Al rato pasó un pobre pidiendo y tío Na-
20 cho le dice:

—Llévate ese sombrero, por lo menos te *cubre* del sol.

Y se fue el hombre; pero todo es que lo vieran los del barrio y comienzan a gritar:

—¡Ladrón, ladrón se le lleva robando el sombrero a tío Na-
25 cho! Y van y lo *agarran* y lo *sopapean* y le quitan el sombrero y llegan todos corriendo:

—¡*Figúrese* tío Nacho que un ladrón se le llevaba su sombrero! ¡Aquí se lo traemos!

—¡Gracias! ¡Gracias! —decía tío Nacho; pero ya estaba que
30 *reventaba*. Apenas se fueron los vecinos *cogió* su sombrero nuevo y lo voló al basurero y se puso el viejo.

Pero el sombrero nuevo nadie lo devolvió.

---

[1] soplar *means to blow; here it means that the hat wasn't even good for fanning himself with because it had so many holes.* [2] tiró; *threw it* [3] gracias; *literally, may God pay you* [4] *send my regards to* [5] tiró; *threw it* [6] banquito; *stool*

(Aquí termina la versión de Pablo Antonio Cuadra, pero la versión que sigue, adaptada por Harriet Rohmen, agrega otro final).

EL SOMBRERO DE TÍO NACHO

(Final de otra versión)

Un poquito más tarde, Ambrosia llegó de visita de regreso de la escuela.

35 —¿Qué pasa, Tío Nacho? ¿Por qué no tienes puesto tu sombrero nuevo?

—He estado demasiado preocupado por mi sombrero viejo, Ambrosia. Mientras más trato de deshacerme de él, más regresa. No sé qué hacer.

40 Ambrosia pensó un ratito.

—Deja de preocuparte por tu sombrero viejo, Tío Nacho. En cambio, piensa en tu sombrero nuevo.

—¡Tienes razón! No se me había ocurrido antes. ¡Qué inteligente que eres, Ambrosia!

45 El tío Nacho se puso su sombrero nuevo.

—¡Sombrero, vamos! ¡Te voy a llevar a conocer a mis amigos!

V. Después de leer

A. ¡Es una orden! Ordene los acontecimientos del cuento (1 a 5)

- ◯ Apenas se fueron los vecinos, cogió su sombrero nuevo y lo tiró al basurero y se puso el viejo.
- ◯ Voy a cambiar este sombrero viejo —y lo aventó al basurero.
- ◯ Cogió el sombrero roto y se fue a botarlo lejos, al arroyo.
- ◯ ¡Ladrón, ladrón, se le lleva robado el sombrero a tío Nacho!
- ◯ ¡El sombrero de tío Nacho! —y lo recogió, lo envolvió en un papel y se lo llevó a su compadre.

B. Ejercicio escrito

Escriba la moraleja de ambas versiones. ¿Cómo cambia la moraleja en la segunda versión?

____

____

____

____

____

____

____

C. Preguntas de comprensión

1. ¿Por qué decide tío Nacho cambiar el sombrero?
2. ¿Cuál es el primer intento que hace tío Nacho para deshacerse del sombrero?
3. ¿Cómo se llama la comadre? ¿Qué significa "comadre"?
4. ¿Cuál es el segundo intento que hace tío Nacho para deshacerse del sombrero?
5. ¿Qué pasa después de que tío Nacho echa el sombrero al arroyo?
6. ¿Quién rescata el sombrero de la correntada?
7. ¿A quién acusan de ladrón y por qué?
8. ¿Cómo recuperan al final el sombrero viejo?
9. ¿Qué hace tío Nacho cuando se van los vecinos?
10. ¿Cuántas veces intenta tío Nacho deshacerse del sombrero viejo?

D. Preguntas de análisis

1. ¿Cómo sabe la comadre que el sombrero es de tío Nacho?
2. ¿Por qué asumen todos que tío Nacho quiere que le devuelvan el sombrero?
3. ¿Por qué razón no les dice tío Nacho que ya no quiere el sombrero?
4. ¿Con qué propósito le da tío Nacho el sombrero al pobre?
5. ¿Por qué concluye la gente del barrio que el pobre se robó el sombrero de tío Nacho?

VI. Sugerencias para los profesores

A. Para los estudiantes que aprenden de manera visual, sería ideal mostrar unas imágenes relacionadas con el cuento. La versión ilustrada les ayudaría a comprender mejor el cuento. Puede traer el libro a clase.

B. ¡Sombreros! Este ejercicio podría hacerse tanto antes como después del cuento. Muéstreles a sus estudiantes fotografías de diferentes tipos de sombreros, gorros u otro tipo de prenda que va en la cabeza. Por ejemplo, podría mostrar fotografías de un sombrero vaquero, un sombrero de pescador, una gorra de béisbol, una gorra de médico, etc. El propósito de este ejercicio es crear una lluvia de ideas sobre el uso de cada sombrero o gorro. Es importante mencionar que el gorro o sombrero identifica el oficio o personalidad del individuo, así como el sombrero de tío Nacho.

C. Los norteamericanos tienden a pensar siempre en el sombrero mexicano como el sombrero típico de Latinoamérica, pero no es así. Como proyecto, los estudiantes pueden buscar un sombrero típico de cada país o región de Latinoamérica y hacer un poster/afiche.

VII. Otros recursos

Rohmen, Harriet. *El sombrero del tío Nacho / Uncle Nacho's Hat*. New York: Children's Book Press, 1989.

Solís, Fernando. *Cuentos nicaragüenses escogidos para niños*. Managua: Programa textos escolares nacionales, 1997.

Meneses, Vida Luz and Jorge Eduardo Arellano. *Literatura para niños en Nicaragua : Antología*. Ediciones Distribuidora Cultural / Fondo Editorial ASDI-INC, 1995.

http://leyendas-nicaraguenses.blogspot.com/2010/05/el-sombrero-de-tio-nacho. html

Crawley, Eduardo. *Dictators Never Die: A Portrait of Nicaragua and the Somoza Dynasty*. New York: St. Martin's Press, 1979.

Página de internet: http://www.state.gov/r/pa/ei/bgn/1850.htm Esta página ofrece información en inglés acerca de Nicaragua.

Juan Bosch:
"La Ciguapa"

I. Adaptador

Courtesy of www.biografiasyvides.com

Juan Emilio Bosch Gaviño, político, escritor, historiador y educador, nació en la República Dominicana el 30 de junio de 1909. Después de vivir 25 años en el exilio en Puerto Rico y Cuba por su oposición al dictador tirano Rafael Trujillo, ganó la presidencia en 1963 en las primeras elecciones democráticas y limpias en la historia del país. Sólo se mantuvo en el poder 7 meses, y al término de éstos fue derrocado por el ejército bajo fuertes presiones de los Estados Unidos y la Iglesia Católica, que se opusieron a muchas de las reformas agrarias e industriales que Bosch apoyó. Aunque siempre negó todo tipo de afiliación con el partido comunista, el gobierno de J. F. Kennedy sospechaba de su amistad con Fidel Castro y su apoyo a los trabajadores y a los pobres. Escribió muchas de sus obras históricas y muchos de sus ensayos en la segunda mitad de la década de 1970 y se postuló, sin éxito, como candidato a la presidencia cada cuatro años desde 1978 hasta 1994. Se retiró de la política después de las elecciones de 1994, y falleció el 20 de noviembre del 2001 en Santo Domingo.

II. El contexto

La República Dominicana ocupa dos tercios de la isla La Española, y se encuentra situada en el Mar Caribe (Haití ocupa el otro tercio). Antes de la llegada de los españoles, la isla fue habitada por tribus indígenas que llegaron a la isla del norte de Sudamérica. Estos primeros habitantes, los taínos, vivían de la pesca y la agricultura; y tenían su propia cultura y religión. La isla cuenta con una de las redes más extensas de cuevas en el Caribe, y mucho de lo que se sabe de los indígenas se debe a los artefactos y las pinturas que se han encontrado en estas cuevas.

Antes de la llegada de Cristóbal Colón en 1492, había una población indígena en la isla de entre 300.000 y 500.000 personas. Sin embargo, debido a las nuevas enfermedades y el maltrato de los españoles, la población se vio reducida a sólo 60.000 para 1508. Los españoles establecieron un sistema de encomiendas, y empezaron a esclavizar a la población indígena, imponiéndoles su religión, cultura e idioma. Estas circunstancias, como podemos imaginar, fueron un gran obstáculo para que los indígenas preservaran su propia cultura. Sin embargo, pequeños grupos de indígenas lograron escapar de esta situación y se aislaron en partes remotas del interior de la isla, manteniendo intactos de este modo ciertos elementos de su cultura. La mayoría de los indígenas murieron o se mezclaron con los españoles, y lo mismo sucedió con los esclavos que los españoles habían llevado de África. Hoy día, casi el 73% de la población dominicana es mestiza, 16% es blanca, el 11% es afrocaribeña, y solamente menos del 1% es indígena.

Una de las obras importantes de Juan Bosch fue su recolección y adaptación de muchos de los mitos y leyendas de los indígenas que habían vivido en la isla. Bosch se esfuerza por utilizar en sus obras palabras que vienen del lenguaje de los Taínos, y que, eventualmente, terminaron incorporándose al español. Hoy día este vocabulario es casi la única herencia que tenemos de esta población destinada a la extinción.

III. Antes de Leer

A. Palabras útiles

1. cabello (m) — pelo; *hair*
2. olor (m), oler, oliente (adj), oloroso (adj) — variaciones del sentido percibido por la nariz; *smell, to smell, smelly, scented or perfumed.*
3. tras — después, detrás; *after as in "day after day" or to be "after" something*
4. hojear — mirar, ver; *to leaf through, to look through the leaves* (Ojo: hoja = *leaf of a book or a tree)*
5. jurar — prometer, insistir solemnemente; *to swear*

6. senos (m) — los pechos de la mujer; *breasts*
7. tierno (adj) — joven, delicado; *young, sweet*
8. hoyo (m) — hueco, agujero; *hole*
9. enterrar — poner debajo de la tierra; *to bury*
10. huracán (m) — tormenta fuerte de lluvias y vientos del caribe; *hurricane*

B. Actividades de vocabulario

Actividad 1: Busque los substantivos que se relacionan con los verbos jurar y enterrar. Véanse las palabras "oler" y "hojear" como ejemplos.

Actividad 2: Ya sabe que los senos se refieren al cuerpo de la mujer. Sin buscar en el diccionario, trate de deducir el sentido de esta frase: Juan Bosch creció en el seno de una familia burguesa.

Actividad 3: Busque el origen de la palabra "huracán".

Actividad 4: Dibuje una figura humana. Ponga los nombres de todas las partes del cuerpo que ya sabe, incluyendo las dos palabras nuevas de la lista del vocabulario.

Actividad 5: Divida la clase en dos grupos. Cada grupo tiene que escribir un cuento usando el máximo número de palabras del vocabulario. Tienen diez minutos para completar la actividad. El grupo que logre usar más palabras de la lista gana.

C. Expectativas

1. Busque en el internet algunas imágenes de una ciguapa.
2. Haga una lista de todas las criaturas mitológicas que pueda recordar. ¿Cuáles tienen características humanas?

3. ¿Por qué cree Ud. que existen cuentos de seres o animales imaginarios en todas las culturas? Haga una lista mencionando algunos ejemplos de aquéllos.

IV. El texto

LA CIGUAPA

Cuenta la **leyenda** que después de pasar un huracán que venía de Adamaney (isla Saona), vinieron a vivir a esta isla otras gentes.

Entre esas nuevas personas llegó una mujer bonita y callada
5 llamada Anaó, la cual, con un indio caribe, tuvo un hijo al que llamó Guasiba.

La bella Anaó cantaba areítos[1] a su niñito. Su canto decía: "En tierra de Maguá vive una ciguapa bella y *olorosa*. La ciguapa de *cabellos* negros y brillantes. La ciguapa que camina de noche y
10 tiene los pies al revés. Sale de noche cuando los cocuyos[2] iluminan el bosque. Es bajita y se cubre el cuerpo con sus *cabellos*. Vive en los árboles: en el jobo, en el guanábano[3] *bienoliente*".

Siempre cantaba la taína[4] Anaó. Día *tras* día, Guasiba oía el areito de la ciguapa, cantado por su madre.

15 Cuando Guasiba creció iba a cazar ciguas[5] al bosque, al conuco[6] a buscar maíz y yuca, al río a buscar agua y pasaba horas *hojeando* los árboles para encontrar la ciguapa que de día dormía y de noche salía a recorrer los caminos.

Guasiba había oído también que Yocanitex, el viejo bouhití
20 (el brujo), *juraba* haber visto una ciguapa con una sonrisa blanca, el cuerpo *oloroso* y los *senos* muy erguidos;[7] y decía que el rey de los dioses daría como premio una tierra nueva e inmensa al que le dé hijos de una ciguapa.

El joven indio siempre buscaba y anhelaba encontrar la ci-
25 guapa.

Llegó enfermo con mucha fiebre a Guaiguí. Fue al tronco de una cuaba, a orilla del río del mismo nombre y allí durmió junto a un árbol de amacey.

---

[1] canto popular de las antiguas tribus indígenas de las Antillas [2] insecto que puede iluminar parte de su cuerpo; *firefly, lightning bug* [3] árboles frutales tropicales [4] tribu indígena de la isla La Española en los tiempos de Cristóbal Colón [5] tipo de pájaro [6] tierra cultivada [7] parados, erectos; *upright*

Una cotorra[8] contó la historia de los dos últimos días de
30 Guasiba, así:

"Los ojos de la ciguapa más bella y más arisca[9] de Maguá vieron, la segunda noche, la sombra del indio Guasiba. Ella sabía *tras* de qué andaba ese indio macorix,[10] quien había estado largo rato contemplándola.

35 "Después, ella bajó del amacey cariñosa y distinta. Se inclinó sobre el cuerpo del enfermo, alumbrado por un cocuyo, le admiró la barbilla[11] atrevida, los duros músculos, pero ya de los labios de Guasiba sólo salía una palabra: ¡Anaó!

El cuerpo se le hizo frío, se le cerraron los ojos, y los labios
40 tomaron el color del maíz *tierno*. Todo esto vio la ciguapa; todo esto vio y lloró.

"Para que los guaraguaos[12] no comieran el cuerpo, la ciguapa hizo un *hoyo* con sus manos, lo *enterró* y puso encima una piedra grande.

45 "Desde aquel día, las aguas del río Guaiguí, hoy Camú, se hicieron saladas con las lágrimas de la ciguapa que vivió en Maguá".

V. Después de Leer

A. Preguntas de comprensión

1. ¿Quiénes son Anaó y Guasiba?
2. ¿Cómo es la ciguapa de acuerdo a la canción de cuna de Anaó?
3. ¿Qué quería Guasiba?
4. ¿Qué le pasó a Guasiba?
5. ¿A quién llamó Guasiba antes de morir?
6. ¿Qué hizo la ciguapa con Guasiba? ¿Por qué?
7. ¿Por qué lloró la ciguapa?
8. ¿Qué pasó con las lágrimas de la ciguapa?

B. Preguntas de análisis

1. ¿Por qué piensa Ud. que Guasiba "anhelaba" a la ciguapa?

---

[8] tipo de loro; *parrot* [9] áspero, intratable; *unfriendly* [10] taíno, indígena [11] parte de la cara donde crece la barba; *chin, jaw* [12] ave de rapiña; *kind of hawk*

2. ¿Por qué el rey de los dioses ofrecía un premio?
3. La ciguapa era normalmente arisca, pero cuando bajó del árbol era "cariñosa y distinta". ¿A qué se debe este cambio?
4. ¿Por qué es importante que los pies de la ciguapa estén al revés?

VI. Sugerencias para los profesores

A. Pídales a los estudiantes que dibujen a la ciguapa como se la imaginan.

B. Los estudiantes pueden dibujar una figura humana diferente. Por ejemplo, el dibujo puede tener cuatro brazos, tres ojos, etc. Una vez terminen, ponga a los estudiantes en parejas para que tomen turnos dictándole su dibujo a su compañero. Cuando terminen, pueden compararlos con los originales.

C. Tengan una discusión en clase sobre el tratamiento social de las personas que son "diferentes". ¿Por qué las diferencias de los "otros" nos hacen sentir incómodos?

VII. Más recursos

See the Appendix for pre-reading and post-reading material related to Julia Alvarez's version of this legend, *Las huellas secretas*.

Bosch, Juan. *Indios-Apuntes históricos y leyendas*. Santo Domingo: Editorial La Nacion, 1935.

"La Ciguapa en la literatura dominicana". http://ciguapa.blog pot.com/

"República Dominicana: Nuestras creencias: Mitos y leyendas: La Ciguapa". http://mipais.jmarcano.com/cultura/mitos/ciguapa.html

Ubiñas Renville, Juan Guaroa. *La ciguapa dominicana*. Santo Domingo: Editorial Letra Gráfica, 2001.

Augusto Roa Bastos:
"Los juegos de Carolina y Gaspar"

I. El autor

Augusto Roa Bastos nació en Asunción, Paraguay, en 1917, y se crió en Iturbe, un pueblo al este de Asunción. Su padre trabajó en una plantación de caña de azúcar; y era un hombre estricto, severo y autoritario. En 1932, a la edad de 13 años y durante la Guerra del Chaco entre Paraguay y Bolivia, Roa Bastos se alistó como camillero en un hospital militar. Después de la guerra, Roa Bastos comenzó a trabajar como periodista en el periódico *El País* de Asunción. En 1946 fue exiliado a Buenos Aires por haber escrito artículos críticos sobre los gobiernos militares de Paraguay. En 1976, y ante la llegada de la dictadura militar en Argentina, Roa Bastos dejó Buenos Aires y se fue a Toulouse, Francia. En Toulouse, Roa Bastos aceptó el puesto de profesor de español en la Universidad de Toulouse, donde enseñó hasta 1985. En 1980, el autor se casó con Iris Giménez, profesora de cultura mexicana en la Universidad de Toulouse. Roa Bastos y Giménez tuvieron tres, y éstos hijos que lo inspiraron a escribir literatura infantil. Roa Bastos falleció en Asunción al sufrir un infarto a la edad de 87 años.

Roa Bastos es considerado como el mejor escritor paraguayo, y uno de los mejores escritores latinoamericanos de ficción. Sus obras se caracterizan por una combinación de mitología, fantasía y realismo, y por su enfoque en la turbulenta historia militar y social de Paraguay. Algunos temas importantes de sus obras incluyen el exilio y las dictaduras de Paraguay. Además, Roa Bastos se caracteriza por su habilidad para comunicar la universalidad de sus experiencias particulares. Sus obras principales incluyen *Hijo del hombre* (1960), una novela sobre la explotación de los campesinos en las plantaciones de Paraguay, y su obra maestra *Yo, el Supremo* (1974), novela sobre la dictadura de José Gaspar Rodríguez de Francia, cruel dictador de Paraguay entre 1814 y 1840. En 1989, Roa Bastos ganó el Premio Miguel de Cervantes, el premio más prestigioso de la literatura hispana. Donó la mayor parte del dinero del premio a las escuelas pobres de Paraguay.

II. El contexto

Una de las características que distingue a Roa Bastos es el talento que tiene como escritor para darle una dimensión universal a un elemento particular. El caso concreto de la dictadura de José Gaspar Rodríguez de Francia en Paraguay, descrito por Roa Bastos en *Yo, el Supremo,* le sirve al escritor paraguayo para comunicar la represión y sofocación que todos sentimos en algunos ambientes limitados de la experiencia humana. Esto se puede aplicar a cualquier aspecto de la vida en el que sentimos que se ha limitado nuestra libertad individual. Estas limitaciones existen, por ejemplo, en el ámbito institucional o profesional, donde se exige una conformidad con cierta imagen o norma aceptable, y un horario fijo, o en el ambiente familiar donde las expectativas exigen que uno desempeñe el papel que le corresponde como padre, madre, hijo, hija, etc. Estos límites impuestos sobre la identidad y la libertad también existen en el ámbito individual cuando uno se enfrenta a las limitaciones de sus propias capacidades y habilidades. En "Los juegos de Carolina y Gaspar", los protagonistas se enfrentan a varias clases de opresión, y a cada paso hay alguien que exige su conformidad. No obstante, Carolina y Gaspar utilizan su creatividad, su imaginación y la magia, para mantener su libertad y pelear por su identidad.

Roa Bastos bien dijo una vez: "el tema del poder, para mí, en sus diferentes manifestaciones, aparece en toda mi obra, ya sea en forma política, religiosa o en un contexto familiar. . . La represión siempre produce el contragolpe de la rebelión. Desde que era niño sentí la necesidad de oponerme al poder, al bárbaro castigo por cosas sin importancia, cuyas razones nunca se manifiestan". Ejemplos de su obsesión con el tema del poder y la opresión abundan en su obra, incluso sus libros para niños.

III. Antes de leer

A. Palabras útiles

1. el atraso — falta o insuficiencia de desarrollo, demora; *lack of development, delay*
2. el bicho — insecto; *bug* (Ojo: palabra vulgar en la República Dominicana)
3. el caracol/la caracola — concha con forma espiral; *conch shell*
4. la carcajada — risa impetuosa y ruidosa; *loud laughter*
5. contratar — emplear a alguien; *to hire*
6. echar — hacer salir a alguien de algún lugar, despedir; *to expel, to throw out*
7. la fiebre — fenómeno patológico que se manifiesta por elevación de la temperatura normal del cuerpo; *fever* (*In some Latin American countries the word* "calentura" *is more commonly used for "fever"*)
8. la golondrina — pájaro mencionado con frecuencia en la literatura, y que se asocia con la idea de escaparse; *swallow*
9. la herramienta — instrumento que se utiliza para realizar algún trabajo; *tool*
10. el recreo — un período de descanso o juego durante el día escolar; *recess*

B. Actividades de vocabulario

Actividad 1: Complete el crucigrama utilizando el vocabulario de la lista.

Horizontales
1. Concha con forma espiral
5. Un período de juego durante el día escolar
6. Emplear a alguien
7. Hacer salir a alguien de algún lugar o despedir a alguien del trabajo
8. Instrumento que se utiliza para hacer algún trabajo
9. Elevación de la temperatura normal del cuerpo, calentura

Verticales
2. Risa impetuosa y ruidosa
3. Falta o insuficiencia de desarrollo, demora
4. Pájaro muy común con pico negro y corto
10. Insecto

Actividad 2: Llene los espacios con la palabra adecuada de la lista de vocabulario.

1. Fui a la playa y encontré un(a) ____________. Creo que anteriormente un cangrejo ermitaño (*hermit crab*) vivía en él(ella).
2. Un martillo es la ____________ que necesito para construir la jaula para los pájaros.
3. El mal tiempo (*weather*) puede causar un ____________ en la construcción de una casa.
4. La directora de la escuela puede ____________ a los peores estudiantes.
5. No pude evitar soltar (*let out*) una ____________ cuando escuché el chiste (*joke*).
6. Para los niños, su parte favorita del día escolar siempre es el ____________.
7. Los mosquitos, las moscas y las cucarachas son los ____________ que menos me gustan.
8. El jefe de la oficina desea ____________ a una recepcionista que pueda contestar su teléfono y tomar apuntes durante las reuniones importantes.
9. Una ____________ es un pájaro que vuela muy rápido y come insectos.
10. A veces, tener ____________ es una señal que indica que una persona está enferma.

C. Expectativas

1. Basándose en el título, ¿de qué se trata este cuento?
2. ¿Alguna vez ha inventado Ud. un juego o ha hablado un lenguaje secreto con sus amigos? ¿Qué habilidades se necesitan para inventar un juego o un lenguaje?
3. Basándose en las ilustraciones que aparecen a continuación, comente de qué se trata este cuento y cómo son Carolina y Gaspar.

IV. El texto

LOS JUEGOS DE CAROLINA Y GASPAR

Esa mañana Carolina y Gaspar se aburrían[1] soberanamente[2] con la institutriz,[3] una señora antigua y algo maniática,[4] que venía a darles clases particulares[5] para "sacarlos" de su *atraso* en la escuela. Esa mañana, además, estaban disgustados[6] con
5 la institutriz, la señorita Petra.

Ella les iba mostrando sus colecciones de insectos clavados[7] con alfileres[8] en cajas de celofán. Moscas enormes, abejorros,[9] libélulas,[10] cigarras,[11] luciérnagas,[12] mariposas de todas las especies: un cielo entero de insectos voladores ahora inmóviles y

---

[1] aburrirse; *to get bored* [2] *tremendously* [3] *governess* [4] *fussy* [5] clase particular; *private lesson* [6] enfadados; *upset* [7] clavar; *to nail, to hammer* [8] *pins, pegs* [9] *bumblebees* [10] *dragonflies* [11] cicádidos; *cicadas* [12] *fireflies*

sin vida. Los chicos decían que la historia natural que enseñaba la señorita Petra era una historia antinatural, porque lo natural era que esos *bichitos* volaran alegremente su vida.

Eso es lo que murmuró[13] Carolina por lo bajo, esa mañana:

—Esos *bichitos* deberían estar volando por el aire como los pájaros, como nosotros. . .

—¡Silencio, niña! ¡No refunfuñe![14] —la retó[15] la señorita Petra con sus anteojuelos[16] de marcos de oro montados[17] en la punta de su nariz—. ¡Hay que tomar en serio las cosas, caramba![18]

Le tocó el turno a Gaspar. La señorita Petra le señaló con el puntero[19] una mariposa de las llamadas Coronas Boreales. Debió de ser muy hermosa en vida. Antes de estar clavada allí habría sido un verdadero pedacito de arco iris.[20] Ahora parecía apagada. Sólo brillaba entre sus alas la cabeza de bronce del alfiler que la sujetaba[21] en la caja.

—¿Qué es esto, alumno? —preguntó la señorita Petra.

—¡Eso es un crimen! —contestó Gaspar, lleno de repugnancia y tristeza.

La institutriz amaba mucho sus colecciones de insectos y detestaba a los niños *atrasados* y respondones.[22]

—¡Vaya al rincón[23] hasta el final de la clase! —le ordenó con la larguísima uña[24] de su dedo índice.

Carolina lo alentó[25] al pasar con uno de esos gestos incomprensibles que sólo ellos entendían.

—¿Por qué esos insectos no están libres? —preguntó Carolina algo maliciosamente a la señorita Petra.

—Porque están muertos —dijo ella, ajustándose los anteojuelos—. Ahora nos sirven para que estudiemos sobre ellos.

—Pero los *bichitos* muertos no pueden enseñarnos nada —protestó Carolina.

La señorita Petra cerró sus cajas, se encajó[26] en la cabeza su gorro puntiagudo[27] y se marchó también disgustada esa mañana.

---

[13] mumurar; *to murmur* [14] refunfuñar; *to grumble, to grouch* [15] retar; *to challenge, to scold* [16] aumentativo de anteojos; *eye glasses* [17] *mounted* [18] *good heavens!* [19] *pointer (a stick used to point with)* [20] arco iris; *rainbow* [21] sujetar; *to pin, to fasten, to hold* [22] *people who talk back* [23] *corner* [24] *fingernail* [25] alentar; *to encourage, to cheer* [26] encajarse; *to place, to fit* [27] gorro puntiagudo; *pointed hat*

Esto sucedió antes de que Carolina y Gaspar hicieran el
45 gran descubrimiento de los muñequitos,[28] hijos del sol y de la luna. Pero esa es otra historia. Y en ésta sólo hablaremos de Carolina y Gaspar, los primos que se querían como hermanos y que eran los mejores amigos del mundo.

Lo cierto es que, en la escuela, los demás alumnos los mira-
50 ban como a dos *bichos* raros. Eran los peores del grado, pero eran los mejores en los juegos.

Ya desde el jardín de infantes[29] sobresalían[30] entre todos por su habilidad para correr y saltar, hacer morisquetas[31] y contorsiones imitando a los animales, por su imaginación para
55 dibujar con lápices de colores, pegar figuritas en los cuadernos o modelarlos[32] en plastilina.[33] Nadie como Gaspar y Carolina para jugar a las escondidas,[34] al martín-pescador,[35] a la farolera,[36] al arroz con leche,[37] a la mancha.[38] Pero no solamente se destacaban[39] en los juegos comunes. También sabían inventar
60 otros nuevos.

Fabricaban[40] telefonitos con hilo de carretel[41] y cajas de fósforos.[42]

Hacían musiquita[43] con botellas vacías de Coca-cola cantando a compás[44] el cantito de la Coca-cola.

65 Imitaron la voz del mar y de los lobos marinos[45] con un organito de *caracolas*.

Con trozos de espejos formaron espejismos[46] y danzas de figuras que parecían llegadas desde lejanos países y hasta desde otros mundos planetarios.

70 Con trozos de cristales fabricaron telescopios y anteojos de mirar al revés[47] para contemplar el país de Nunca-Jamás. . .

Carolina cantaba: *Jugamos en la lluvia sin mojarnos. . .*

---

[28] diminutivo de muñeco; *doll* [29] jardín de infantes; *nursery school, kindergarten* [30] sobresalir; *to stand out* [31] hacer morisquetas; *to make faces* [32] *to sculpt, to model, to mold* [33] *plasticine, clay* [34] *hide-and-seek* [35] *a children's game similar to London Bridge* [36] un juego tradicional de Argentina [37] arroz con leche; *a children's game similar to Duck-Duck-Goose* [38] *a children's game similar to Tag* [39] destacarse; *to stand out* [40] fabricar; *to make* [41] hilo de carretel; *string* [42] *matches* [43] diminutivo de música [44] *in time to, to the beat of* [45] lobo marino: *seal* [46] *mirages, images* [47] al revés; *upside down, inside out, backwards*

Y Gaspar cantaba:

Sobre los charcos[48] *navegamos*
75 *con el paraguas al revés*
y cruzamos el mar el mar el mar
en una cáscara[49] *de nuez...*[50]

Así fue como también inventaron un lenguaje. Su propio lenguaje. Empezaron hablando al revés; cada vez más ligerito al revés.
80 *al vés-re ... al vés-re ... al vés-re*

Dieron vuelta[51] al lenguaje como una alfombra[52] y llegaron muy atrás; seguramente a los primeros balbuceos,[53] al idioma primitivo de los primeros hombres, a la edad en que también los animales hablaban como los hombres:

85 *El tiempo en que la luna y el sol jugaban juntos*
El tiempo en que el cielo de la noche y el cielo del día eran un solo cielo
El tiempo en que el fuego y el agua jugaban juntos...

Carolina y Gaspar llegaban por el camino del primer lenguaje a la primavera del mundo y conversaban con los grandes
90 y pequeños animales de la era prehistórica. No les temían, y hasta se llevaban muy bien con ellos. Se hicieron amigos de un gliptodontetatarabuelo[54] que les contaba historias de cuando las aguas del mar se retiraron[55] de la tierra después del diluvio.[56] Se hicieron amigos de los pájaros y especialmente de las
95 *golondrinas*. Ellos volvían a contar estas historias a los demás[57] chicos. Pero, claro,[58] nadie les creía.

Acabaron llamándolos "los loquitos", "los faroleros",[59] y les pusieron otros muchos nombres y motes[60] que es mejor no repetir.

100 Todo esto sucedió[61] antes de que Carolina y Gaspar descubrieran a los muñequitos.

Carolina y Gaspar no leen los diarios, ni siquiera las historietas[62] de los diarios ni revistas de historietas.

---

[48] *puddles* [49] *shell* [50] *nut* [51] dar vuelta; *to turn inside out, to turn over* [52] *rug* [53] *mutterings* [54] *great great grandfather of a gliptodon (an extinct animal, relative of the armadillo)* [55] retirarse; *to withdraw* [56] *flood* [57] los demas; *the rest of the* [58] *of course* [59] faroleros; *bluffers, braggers* [60] apodos, sobrenombres; *nicknames* [61] suceder; *to happen* [62] *comic strips*

—Por qué ustedes no leen por lo menos las aventuras de
105 Supermán —les preguntó Casimiro, el sabelotodo[63] de gruesos anteojos de miope.[64]

—Porque son muy idiotas y aburridas. Siempre cuentan lo mismo. Y el Supermás ése no es más que un supermenos. Y nosotros volamos como él. No, mejor mucho mejor que él, porque
110 los pájaros nos enseñaron a volar.

Los demás alumnos se rieron a *carcajadas* y les hicieron toda clase de burlas[65] y de bromas.[66]

Cantaban y gritaban en coro dando vueltas alrededor de ellos como endemoniados[67] pieles-rojas:[68]

115 *Gaspar y Carolina son unos charlatanes. ¡Vuelan como ratones y no van ni a la esquina!*

—¿Quieren ver si volamos o no? —los desafió[69] Gaspar, cuando ya estaban por arrancarles las cabelleras[70] como hacen los pieles-rojas con los enemigos vencidos.

120 Esa mañana, en el *recreo*, Carolina y Gaspar inventaron el rachachá-tum-tum-volarum-volarum, que es un juego muy bonito, pero extraño y difícil: cada uno de los que juegan debe sostenerse todo el tiempo en el aire mientras los demás cuentan abajo cuentos de nunca acabar. Todos, uno tras otro, caían
125 como piedras al saltar de una silla, una pared, o desde la rama de un árbol.

Sólo Carolina y Gaspar quedaban suspendidos en lo alto, quietos como picaflores.[71] Luego, cuando los llamaban para descubrir la adivinanza[72] final, descendían suavemente como por
130 un tobogán invisible.

Después de ver esto los demás les creyeron un poco. Hasta escucharon en silencio la historia que les contó Carolina de que todos los veranos, cuando volvían las *golondrinas*, se iban a aprender a volar con ellas en un parque que nadie conocía por-
135 que estaba a la vuelta del país de Nunca-Jamás.

—Un invierno nos iremos con ellas hacia el sol del norte y no volveremos hasta el verano siguiente.

De nuevo retumbó[73] el corro de las burlas:

¡Carolina y Gaspar son unos mentirones: golondrinas-
140 *ratones que no saben volar!. . .*

---

[63] *know-it-all* [64] *myopic, near-sighted* [65] *mockery* [66] *jokes* [67] *possessed* [68] *redskins* [69] desafiar; *to challenge* [70] arrancarle la cabellera; *to scalp* [71] colibrí; *hummingbird* [72] *riddle* [73] retumbar; *to thunder, to boom, to resound*

Carolina y Gaspar seguían siendo los peores alumnos del grado.

Papá Máximo y mamá Mirta, padres de Carolina, tanto como papá Augusto y mamá Carmela, padres de Gaspar, em-
145 pezaron a preocuparse seriamente por la "rareza" de sus chicos.

Mamá Mirta, hermana de papá Augusto, la más preocupada de todos, dijo dándose ánimos:

—¡No les hagan caso! Ya se les va a pasar. Los juegos son la
150 manera que ellos tienen de descubrir el mundo, de hacer su mundo. ¡Son cosas de chicos!

—¡Qué cosas de chicos ni ocho cuartos![74] —dijo papá Máximo, experto en malacología,[75] que es la ciencia de los moluscos y las conchillas—.[76] Han desaparecido ya casi todas mis *herra-*
155 *mientas*, mis *caracolas*, mis piedras preciosas. Y yo sé a dónde han ido a parar. ¡A manos de esos dos malandrines![77]

Papá Augusto y mamá Carmela, artistas plásticos, más que un poco asustados, estaban maravillados y orgullosos a reventar[78] de su Gaspar.

160 —¡Genios! ¡Van a ser unos genios! —exclamó mamá Carmela.

—¡Qué genios ni qué genios! —farfulló[79] afónicamente[80] papá Máximo—. ¡Si han vuelto a aplazarse[81] este mes en todas las materias![82] A este paso, acabarán *echándolos* de la escuela.

165 Discutieron largamente el caso. Al final decidieron tener en observación a los dos inventores de juegos, a costa de un riguroso *encierro* y resolvieron *contratar* a la institutriz para que les diera clases particulares.

Carolina y Gaspar tenían que recuperar lo perdido a juicio
170 de los papás. A juicio de los chicos, la penitencia era como perder lo ganado; era casi tanto como perder el juicio.

—¡Y esa señorita Petra tan repelente con sus insectos muertos! —se quejó Carolina.

---

[74] "ni ocho cuartos"; *an expression used to emphasize the negation of something. Similar in usage to "not even close".* [75] el estudio de los moluscos; *malacology* [76] conchas; *shells* [77] personas con malas intenciones [78] orgullosos a reventar; *bursting with pride* [79] farfullar; *to speak quickly and unclearly* [80] *voicelessly* [81] *to fail* [82] *subjects (classes)*

—¡Tenemos que conservar el juicio si no queremos perder la
175 partida! —aconsejó Gaspar con una mueca de mono[83] que hizo reír a Carolina.

Llegó el invierno y sucedió lo que Carolina había anunciado: con las últimas *golondrinas* se fueron ellos volando. Y no regresaron sino hasta el verano siguiente con las primeras *golondrinas* que volvían
180 desde las lejanías del cálido[84] norte.

Esto es lo que contaron ambos. Pero nadie puede decir que fuese o no fuese verdad. Lo cierto es que durante ese invierno enfermaron los dos de escarlatina.[85] Durante la cuarentena de la enfermedad y del aislamiento a que fueron sometidos, los otros niños no los vieron
185 más hasta un poco antes de las vacaciones del verano.

En medio de la altísima *fiebre*, que era como el calor de mil soles en su interior, Carolina y Gaspar se alejaban volando con las *golondrinas*. En la frescura del aire y con los cabellos revoloteando[86] entre los vientos y las nubes, sentían una felicidad que nunca habían co-
190 nocido tan plenamente.

Y cuando regresaron sanos al mundo de todos los días, sabían muchas más cosas que antes: las cosas que les enseñaron las aves.

—¡No sabes, mamá, lo hermoso que se ve el mundo desde arriba! —decía Gaspar con un extraño brillo en los ojos.
195 —Papá —dijo Carolina, sacando de debajo de su almohada un objeto brillante como una lunita de nácar[87] o de mármol.—[88] Desde los mares del norte te traje esta *caracola* que encontré en la isla de Tamoraé donde está el país de Ojalá-pudiera-ser.

Papá Máximo, desconfiado, tomó la *caracola*. La observó
200 por todas partes, la olisqueó[89] de punta a punta, pasó la uña por la superficie irisada[90] de todos los matices[91] del cielo y del mar.

—No —dijo—, esta *caracola* no figura en mis catálogos ni esa isla Tamoraé figura en mis mapas.
205 Carolina sonreía, entrecerrando[92] los ojos, como si todavía estuviera volando de cara al sol por los cielos del norte.

---

[83] mueca de mono; *goofy look, monkey face* [84] *hot* [85] *scarlet fever* [86] revolotear; *to flutter or swirl around* [87] *mother-of-pearl, nacre* [88] *marble* [89] olisquear; *to sniff* [90] *iridescent* [91] *hues, shades* [92] *to half-close*

V. Después de leer

A. Preguntas de comprensión

1. ¿Qué piensan Carolina y Gaspar de la escuela? ¿Está Ud. de acuerdo con ellos?
2. ¿Cuál es el problema con los bichos que la institutriz les muestra? ¿Por qué dicen que es "una historia antinatural"?
3. ¿Cómo son Carolina y Gaspar? ¿Cómo se comparan con los otros estudiantes?
4. ¿De qué animales se hacen amigos Carolina y Gaspar? ¿Qué aprenden de ellos?
5. ¿Qué piensan los otros estudiantes de Carolina y Gaspar?
6. ¿A dónde dicen Carolina y Gaspar que van a ir en el invierno?
7. ¿Por qué están preocupados los padres de Carolina y Gaspar?
8. ¿Qué les sucede a Carolina y Gaspar durante el invierno?
9. ¿Qué le da Carolina a su papá al final del cuento?
10. ¿Piensa Ud. que estaban enfermos o que se fueron al norte con las golondrinas?

B. Preguntas de análisis

1. ¿Cuáles son algunas de las lecciones que aprendemos de este cuento?
2. ¿Por qué piensa Augusto Roa Bastos que la imaginación y la creatividad son tan importantes?
3. ¿Qué piensa Augusto Roa Bastos de la conformidad?
4. ¿Qué insinúa este cuento sobre el sistema educativo?
5. ¿Qué mensaje comunica este cuento a los padres?
6. ¿Qué problemas tienen estos niños en cuanto a su identidad?

VI. Sugerencias para los profesores

A. Discuta con la clase la relación entre el sistema educativo y la identidad; entre el sistema educativo y la creatividad. ¿Se debe poner más énfasis en las artes y otras materias que fomentan la creatividad? ¿Qué importancia tiene la creatividad en la formación de la identidad?

B. Pídales a los alumnos que dibujen uno de los juegos de Carolina y Gaspar o que inventen y dibujen su propio juego. Discuta con ellos por qué escogieron ese juego en particular.

VII. Más recursos

González Ortega, Nelson. *Relatos mágicos en cuestión: La cuestión de la palabra indígena, la escritura imperial y las narrativas totalizadoras y disidentes de Hispanoamérica*. Madrid, Spain; Frankfurt, Germany: Iberoamericana; Vervuert, 2006.

Martínez, Tomás Eloy, interviewer. *Yo, Augusto Roa Bastos*. Suplemento Cultura *La Nación* (Buenos Aires), 2005 May 8: 1, 8.

Weldt-Basson, Helene Carol, ed. *Postmodernism's Role in Latin American Literature: The Life and Work of Augusto Roa Bastos*. New York, NY: Palgrave Macmillan, 2010.

Mario Benedetti:
"El Hombre que aprendió a ladrar"

I. El autor

Mario Benedetti, cuyo nombre completo es Mario Orlando Hamlet Hardy Brenno Benedetti Farrugia, nació en 1920 en Uruguay en el seno de una familia con antepasados italianos. Poeta, novelista, escritor de cuentos cortos y ensayos, Benedetti es mejor conocido por su obra para adultos. Escribió más de 80 libros, y su novela más popular, *La tregua* (1960), fue traducida en 19 lenguas y adaptada en dos películas. Rara vez escribió para niños, y el cuento que presentamos aquí lo hizo en respuesta a una invitación para que participara en la serie mexicana para lectores infantiles "Encuento". De 1973 a 1985, y por razones políticas (Uruguay estaba bajo el control de una dictadura militar), Benedetti vivió exiliado en Argentina, Perú, Cuba y España. Por lo tanto, una gran parte de su obra tiene que ver con esta experiencia. El afamado cantante catalán, Juan Manuel Serrat, grabó en 1985 una colección de diez canciones con letra de Benedetti. Los críticos notan especialmente su talento en la manipulación del humor y la ironía. Murió en Montevideo a la edad de 88 años, y es reconocido como uno de los más importantes escritores latinoamericanos del siglo XX.

II. El contexto

Como observamos anteriormente, Benedetti escribió muy poco en el campo de la literatura infantil. Tenemos este cuento gracias a una serie mexicana, "Encuento", que se dedica a presentarles a los niños autores famosos latinoamericanos, invitándolos a que participen con un poema o un cuento. La serie se encarga después de encontrar un artista, internacionalmente reconocido, para que ilustre cada obra. El cuento de Benedetti, "El hombre que aprendió a ladrar", lleva la siguiente dedicatoria: "A Tito Monterroso este agradecido complemento de 'El perro que deseaba ser un ser humano'."

Augusto (Tito) Monterroso es un renombrado autor guatemalteco que popularizó el **mini-cuento**, cuentos minimalistas de uno o dos párrafos, que dejan al lector pensando, casi en un estado de "shock". El éxito de este género se debe precisamente al hecho de que viola las expectativas del lector. El cuento de Monterroso que presentamos en la sección "Después de Leer", como el título mismo indica, trata del caso extraño de un perro que quiere convertirse en un ser humano, y aunque el animal dedica un enorme esfuerzo a este propósito, su éxito es muy limitado. El cuento de Benedetti es, como él mismo indica, "un complemento" (algo que expande o explica) del cuento de Monterroso, y procede de un modo inverso, con un hombre que quiere aproximarse más a la vida de los "hermanos" perros.

III. Antes de Leer

A. Palabras útiles

1. aprendizaje — acción y efecto de aprender, el conocimiento; *knowledge*
2. desistir — parar, dejar de hacer algo; *to stop*
3. perseverancia — acción y efecto de perseverar, la insistencia en hacer algo; *perseverance*
4. tenderse — acostarse; *to lie down*
5. animarse — entusiasmarse; *to liven up*

B. Actividades de vocabulario

Actividad 1: Haga dos columnas en su cuaderno. Ponga en una columna todos los verbos de la lista del vocabulario, y en la otra ponga los sustantivos. Trate de formar sustantivos de los verbos.

Actividad 2: Busque en la lista los tres cognados y escríbalos en su cuaderno.

Actividad 3: Dos de los verbos son reflexivos: tenderse y animarse. Escriba una frase con "yo" y otra con "nosotros" usando estos dos verbos. No se olvide de cambiar el pronombre "se" cuando conjuga el verbo.

C. Expectativas

1. De acuerdo al título, ¿de qué puede tratar este cuento?
2. ¿Cuál es la diferencia entre aprender e imitar?
3. ¿Qué pensamos de la gente en los EE.UU. que no habla el inglés, o que no lo habla bien?

IV. El texto:

EL HOMBRE QUE APRENDIÓ A LADRAR

Lo cierto es que fueron años de arduo[1] y pragmático[2] aprendizaje, con lapsos de desaliento[3] en los que estuvo a punto de desistir. Pero al fin triunfó la *perseverancia* y Raimundo aprendió a ladrar. No a imitar ladridos, como suelen hacer algunos chistosos[4] o que se creen tales, sino verdaderamente a ladrar. ¿Qué lo había impulsado a ese adiestramiento?[5] Ante sus amigos se autoflagelaba[6] con humor: "La verdad es que ladro por no llorar".

Sin embargo, la razón más verdadera era su amor casi franciscano[7] hacia sus hermanos perros. Amor es comunicación. ¿Cómo amar entonces sin comunicarse?

Para Raimundo representó un día de gloria cuando su ladrido fue por fin comprendido por Leo, su hermano perro, y (algo más extraordinario aún) él comprendió el ladrido de Leo. A partir de[8] ese día Raimundo y Leo se tendían, por lo general en los atardeceres, bajo la glorieta,[9] y dialogaban sobre temas generales. A pesar de su amor por los hermanos perros, Raimundo nunca había imaginado que Leo tuviera una tan sagaz[10] visión del mundo.

---

[1] difícil [2] práctico [3] falta de motivación; *discouragement* [4] cómicos; *jokers* [5] enseñanza; *training* [6] se reprochaba a sí mismo [7] como el amor de San Francisco, que dio su nombre a los monjes franciscanos [8] desde [9] en un jardín; *arbor* [10] astuta

Por fin, una tarde se animó a preguntarle, en varios sobrios[11] ladridos: "Dime, Leo, con toda franqueza: ¿qué opinas de mi forma de ladrar"? La respuesta de Leo fue escueta[12] y sincera: "Yo diría que lo haces bastante bien, pero tendrás que mejorar. Cuando ladras, todavía se te nota el acento humano".

V. Después de Leer

A. Preguntas de Comprensión

1. ¿Cómo se llaman el hombre y el perro?
2. ¿Qué quiere hacer el hombre? ¿Por qué?
3. Después que el hombre aprendió a ladrar, ¿qué hicieron él y su perro por las tardes?
4. Al final, ¿qué quiso saber el hombre?
5. ¿Qué problema tiene todavía el hombre al final?

B. Preguntas de Análisis

1. ¿Cómo define el hombre el amor? ¿Está usted de acuerdo?
2. Antes de poder ladrar/hablar en perro, ¿subestimaba Raimundo a Leo aunque lo amaba? ¿Qué nos indica esto de la capacidad que tenemos para valorar a aquellos que son diferentes de nosotros?
3. ¿Por qué es irónica la última línea del cuento?
4. ¿Qué indica la última línea sobre la identidad del ser humano?
5. Una de las supuestas diferencias entre los seres humanos y los otros animales es su manejo del lenguaje. ¿Está Ud. de acuerdo con esta distinción? ¿Hay otros animales que utilizan un lenguaje? Si el lenguaje no nos separa de los otros animales, entonces ¿cuál es la diferencia?
6. Benedetti dedicó este cuento a Augusto (Tito) Monterroso, y a continuación reproducimos el mini-cuento de Monterroso. Comparen los dos cuentos. ¿Podemos afirmar que el cuento de Benedetti es un comentario sobre el cuento de Monterroso?

---

[11] serios [12] forma de hablar breve y sin rodeos

Augusto Monterroso: "El perro que deseaba ser un ser humano"

En la casa de un rico mercader de la Ciudad de México, rodeado de comodidades y de toda clase de máquinas, vivía no hace mucho tiempo un Perro al que se le había metido en la cabeza convertirse en un ser humano, y trabajaba con ahínco en esto.

Al cabo de varios años, y después de persistentes esfuerzos sobre sí mismo, caminaba con facilidad en dos patas y a veces sentía que estaba ya a punto de ser un hombre, excepto por el hecho de que no mordía, movía la cola cuando encontraba a algún conocido, daba tres vueltas antes de acostarse, salivaba cuando oía las campanas de la iglesia, y por las noches se subía a una barda a gemir viendo largamente a la luna.

VI. Sugerencias para los Profesores

A. Pregúnteles a los estudiantes que si pudieran aprender a hablar con un animal, ¿qué animal escogerían? ¿Por qué? Este ejercicio puede servir para practicar el uso del pasado del subjuntivo.

B. Busquen estudios sobre el lenguaje de varios animales como los delfines, las ballenas, o los chimpancés u otros primates.

VII. Más Recursos

Alemany, Carmen, Remedios Mataix, José Carlos Rovira. *Mario Benedetti: Inventario cómplice*. Alicante, Spain: Universidad de Alicante, 1998. (Este libro contiene muchos artículos críticos sobre la obra de Benedetti).

Benedetti, Mario. *El hombre que aprendió a ladrar y otros cuentos*. Mexico City: CIDCLI, 2007.

Monterroso, Augusto. *Obras completas y otros cuentos*. Mexico City: Ediciones ERA, 2007.

———. *La oveja negra y demás fábulas*. Guatemala: Punto de lectura, 2007.

Roffé, Reina. "Interview with Mario Benedetti". *Cuadernos Hispanoamericanos*. 597 (2000): 98–110.

Sección Dos

Entre Parejas:
El amor, la amistad, y la sexualidad

No es de sorprender que en la literatura infantil escrita en español aparezcan como temas centrales el amor o la amistad, ya que éstos son valores centrales que al adulto le interesa inculcarle al niño. La relevancia de estos tópicos estriba en la variedad de niveles y manifestaciones que reconocemos y vemos reflejados en la literatura. De acuerdo al prestigioso psicólogo de finales del siglo XIX y principios del XX, Sigmund Freud, el amor es una cualidad aprendida. El niño, según Freud, es, por naturaleza, dictatorial y egocéntrico, pero aprende a amar a su madre; esto es, la madre se convierte en el objeto del amor infantil. Con el tiempo, y en la medida en que el niño madura, el objeto amado se diversifica y extiende, a la vez que la capacidad de amar se vuelve altruista y desinteresada. Tanto es así que, antes de la pubertad, el objeto de amor incluye no sólo a la madre, sino también a otros miembros de la familia. En los países latinoamericanos, la familia generalmente consiste no sólo de la unidad nuclear (papá, mamá, hijos) sino que también incluye a los abuelos, los tíos, y los primos. Sin embargo, en algunas culturas indígenas, dentro de la familia se incluyen también elementos de la naturaleza, como la madre tierra, para que los niños aprendan a sentir afecto y respeto hacia el medio ambiente. En la cultura cristiana, el amor de Dios y para Dios se define en términos de familia, y así concebimos a Dios como padre, a Jesús como hijo, y a la virgen María como madre. El amor filial es claro y reconocible para el niño, y se caracteriza sobre todo por su a-sexualidad. Este amor se nota, por ejemplo, en el énfasis puesto en la virginidad de la madre de Jesús.

Por el contrario, el tema del amor en su manifestación sexual es menos obvio o común en la literatura infantil. Sin embargo, el amor romántico, o la atracción entre los sexos opuestos, aparece de manera especial en la literatura dirigida a los adolescentes y, más concretamente, a las mujeres. A pesar de su aparente ausencia en la literatura infantil, la sexualidad ha sido uno de los temas más populares que, de manera subyacente o insinuada, aparece desde los primeros **cuentos de hadas**. De acuerdo a Bruno Bettelheim, un crítico psicoanalítico, los cuentos de hadas simbolizan en muchos casos el despertar de la sexualidad (como en "La Bella Durmiente"), y el final feliz, que casi siempre se representa en términos de un matrimonio —"se casaron y vivieron muy felices"—, implica lo gratificante del amor sexual. Precisamente, porque hay tantos **tabúes** o prohibiciones asociados con la sexualidad, muchos autores escriben sobre este tema haciendo uso de símbolos y metáforas, tratando el texto como si fuera un código secreto; y a veces logran disfrazar el tema de tal manera que hasta los mismos adultos no se dan cuenta del mensaje que existe entre líneas o en el subtexto.

El despertar de la sexualidad puede ser un proceso doloroso y penoso a causa de las prohibiciones asociadas con el tópico. A los niños les avergüenza a veces preguntar cómo funciona el cuerpo, y los padres se inhiben también al tener que discutir el tema. Hoy en día, sin embargo, muchos autores de literatura infantil están enfrentándose más directamente con el tema de la sexualidad, los problemas de las enfermedades venéreas, especialmente el SIDA, los problemas del embarazo inesperado, los cambios **sincrónicos** y **diacrónicos** en cuanto a lo que es o no es permitido en las relaciones entre los géneros, y la moralidad o los valores culturales y religiosos que juzgan, dirigen y limitan el comportamiento sexual. No obstante lo cual, los escritores que escriben en español todavía se muestran bastante reservados a la hora de tratar temas más controvertidos, como el aborto o la homosexualidad, la prostitución y el abuso sexual. Pero los vemos cada vez más explorando estos campos y probando los límites de lo permitido. Es interesante ver los enfoques y perspectivas que emplean para acercarse paulatinamente a lo que tradicionalmente se ha considerado un tópico escandaloso. En esta sección hemos seleccionado unos textos de diferentes momentos históricos en los que podemos notar cómo han cambiado las expectativas de los lectores en cuanto al tema de la sexualidad. Más que nada hemos incluido cuentos y poemas que reflejan la gran variedad de amores existentes: entre el niño y la madre, entre el hombre y su mascota, entre una niña y su muñeca, entre los adolescentes, o entre un niño y una niña de razas y culturas distintas, todos ellos con el propósito de ejemplificar las múltiples relaciones afectivas que formamos con los otros. Aunque el objeto de amor es diferente en cada uno de estos ejemplos, hay un denominador común que los escritores quieren comunicar a sus jóvenes lectores: el amor altruista tiene la capacidad de cambiar la vida de la persona que lo experimenta y lo manifiesta.

El primer cuento, "El palacio del sol" de Rubén Darío, apareció en su obra clásica *Azul...* (1888), y no iba dirigido originalmente a los niños. Incluso, al principio del cuento, el narrador dice claramente que quiere hablar a las madres acerca de las niñas adolescentes. A pesar de esto, a veces los editores contemporáneos, buscando que los lectores jóvenes conozcan a escritores importantes o escritores de la literatura nacional (en este caso Nicaragua), adaptan textos para los niños que originalmente iban dirigidos a adultos. En el caso de Darío, hay que recordar que él era una figura prominente del **Modernismo**, un movimiento de renovación del lenguaje que buscaba representar lo bello y lo exótico y privilegiar el uso de la imagen poética. Lo que escribió Darío durante esta primera etapa de su carrera solía tener un efecto tan visual que parecía que pintara con las palabras. La evocación de los cinco sentidos, especialmente los colores y olores de las flores, y los sonidos de las letras cuando el texto se lee en voz alta, son elementos que entretienen a los niños aun cuando ellos no entienden las ideas expresadas. Lo interesante es cómo los editores escogieron este cuento en particular, dado que en él Rubén Darío describe el acto sexual minuciosamente hasta el orgasmo ("los espasmos"), aunque éste aparece disfrazado en la descripción de un baile que, por su parte, simboliza el intrincado juego entre los géneros. Más interesante aun es la moraleja central que el cuento imparte, advirtiéndoles a las madres que liberen a sus hijas para que puedan disfrutar de la sexualidad. El narrador sostiene que las niñas necesitan participar del acto sexual para sentirse bien. Sin embargo, debemos recordar también que Darío muchas veces compara la poesía (sustantivo femenino) a una mujer, así que la liberación sexual que Darío aparentemente promueve se puede leer no sólo literalmente sino también como una **metáfora** sobre la nueva poesía del **Modernismo**, liberada de las restricciones de la tradición. Es posible que los editores no se dieran cuenta de la complejidad de este cuento, ni del mensaje heterodoxo sobre la sexualidad que refleja; y lo más probable es que pensaran que los jóvenes lectores no iban a entender las connotaciones sexuales del cuento e iban más bien a disfrutar de las descripciones y el sonido de la prosa.

Juana de Ibarbourou, como Darío, es una poeta (no queremos emplear el término anticuado y sexista de "poetisa") que realmente escribió para adultos, aunque más tarde algunos de sus poemas fueron recogidos en un libro para niños. Una vez más, vemos descripciones y temas que un niño no va a entender, pero, como el sonido y el ritmo de las palabras a veces ocultan las ideas, la editora decidió no censurarlos. El primer poema, "La hora", es un ejemplo del ***carpe diem,*** un poema que le advierte al lector que debe aprovechar el momento presente. Pero en este poema está muy claro que la narradora se refiere literalmente al acto sexual, "tómame ahora"; y el yo poético exhorta a su amante a que disfrute de ella sexualmente ahora, antes de que envejezca. El segundo poema, "Retorno", nunca menciona directamente el acto sexual, y es probable que el niño lector no entienda que las emociones que siente la voz poética son producto de un encuentro amoroso con un muchacho. Para ver la referencia sexual en el poema hay que fijarse en las descripciones que hacen referencia al hecho de que la muchacha estaba revolcándose en la hierba después de coger moras (las espinas de la mata de moras se quedaron pegadas a la falda ("la enagua"). Debemos añadir que estas experiencias las rememora automáticamente la voz poética, como si caminara "despierta sonámbula", trayendo agua de una fuente.

La siguiente lectura, *Platero y yo* (1914), del español Juan Ramón Jiménez, es una de las obras más famosas escritas en español para niños. La obra consta de una serie de viñetas que retratan la relación de amistad, realmente de amor, entre un hombre y su burro, una relación más parecida al amor entre un padre y un hijo que a la de un hombre y su mascota. Las selecciones que hemos incluido aquí representan la historia de esta profunda amistad entre un hombre y un animal, amistad que dura hasta después de la muerte de Platero, el burro. Lo sorprendente aquí, para los lectores angloparlantes, es la elección de un burro como mascota, u objeto de amor, en vez de un perro (como Lassie) o un caballo (como Black Beauty), por mencionar algunos ejemplos. Sin embargo, el lector acepta esta relación única como lo más natural. El afecto que tiene el narrador por su burro, sin embargo, revela más sobre el carácter del hombre que sobre el del animal y enfatiza su sensibilidad, su bondad, su paciencia y su sentido del humor. A Platero lo trata como si fuera un niño, comparte con él placeres sencillos e idílicos; lo protege de peligros reales e imaginarios, de daños físicos y psicológicos. El enfoque no está en la acción, y por eso no suceden grandes acontecimientos ni aventuras. No se trata de una obra que intente crear suspenso y misterio o narrar una serie de aventuras; al final lo único que importa, y lo que el lector recuerda, es el profundo amor que siente este hombre por su burrito.

Los cinco poemas que incluimos de la premiada Nobel, Gabriela Mistral, representan diferentes manifestaciones del amor: el amor de una madre hacia su bebé, el amor de un niño hacia su mamá, el amor que siente la autora por toda la humanidad que sufre, el amor de Dios por Su creación, y, finalmente, el amor del niño/adulto por los libros y el deleite y conocimiento que prestan. El primer poema, "Miedo", expresa el amor a través de una emoción contradictoria: la posibilidad del cambio y el miedo al cambio. A veces nos sentimos tan felices que queremos que el tiempo se congele y que todo siga igual, aunque sabemos que no va a suceder así. Así pues, la madre que habla en este poema no quiere que su niña crezca porque quiere mantener este momento de felicidad y amor para siempre. El siguiente poema, "Los piececitos", describe a un bebé que tiene frío, pero este bebé simboliza los sufrimientos de toda la humanidad. La narradora expresa su amor de madre a todos los que padecen de "frío" o tienen necesidad y critica la hipocresía de la gente a la que no le importa la miseria de los otros. En "Caricia", el siguiente poema, vemos a un bebé que le habla a la madre, y cuando se ve reflejado en los ojos de su mamá entiende el profundo amor que siente la madre por él. Los ojos del bebé, a consecuencia de esto, se pasarán toda la vida buscando la imagen de la madre en todo su alrededor: "los valles", "el cielo", "el mar", etc. En "Mientras baja la nieve", Mistral describe la nieve como un ejemplo del amor de Dios. Pero lo que más llama la atención es su habilidad en la manipulación del lenguaje. El poema está lleno de tropos y figuras literarias: **aliteración**: "calla-callando, cae y cae"; **paradoja**: "llama sin llamar"; **personificación** o **prosopopeya**: la nieve es una "divina criatura"; **símil**: "Así llega la Virgen, y así llegan los sueños"; **anáfora** con la repetición de "tal vez" en la última estrofa, y **me-**

táfora: "plumas caen" para referirse a la nieve. En este breve poema, verdadero testimonio del poder del lenguaje, podemos ver y sentir a través de las palabras y las figuras retóricas cómo cae la nieve suavemente del cielo, y cómo este fenómeno natural puede ser interpretado como una manifestación del poder divino sobre nuestro mundo. El último poema, "El ruego del libro", es una declaración de amor por el aprendizaje, pero aquí es el libro el que le habla a una niña, proclamando ser su amigo. El libro le describe a la niña toda la información y entretenimiento que le trae, pero para no asustarla le dice: "Mi saber es liviano,/ mi saber no es profundo". A pesar de lo dicho, y paradójicamente, añade: "Niña, me das la mano/y yo te muestro el mundo". Al final del poema, el libro le pide solamente un favor: que la niña lo ame. El amor por el libro, la poesía, y el arte, Mistral sugiere, es fundamental en el desarrollo del niño y en su capacidad de amar y relacionarse con su mundo.

Los últimos dos cuentos entretejen el tema del amor con la aceptación de la diferencia, específicamente las diferencias entre los afrocaribeños negros y los europeos blancos. Ambos autores se resisten al racismo y abogan por políticas más justas e igualitarias pero, irónicamente, a veces son víctimas de estos mismos prejuicios sin darse cuenta ya que estas ideas forman una parte insidiosa de la visión occidental del mundo. José Martí, por ejemplo, autor de *La edad de oro* (1889), la revista para niños más famosa del continente, cuenta varias historias con el propósito de argüir por el amor hacia los infortunados y de enseñarles a los niños que deben tratar a todas las personas por igual a pesar de su color. Sin embargo, es interesante ver que todos sus personajes infantiles descritos como niños bonitos son blancos, de pelo rubio y ojos azules; los niños feos, en cambio, son de piel oscura y pelo negro. En el caso del cuento que vamos a ver a continuación, la fea es una muñeca, pero la chiquita del cuento (blanca y bonita, por supuesto) ama más a la muñeca negra y fea que a su nueva muñeca blanca y bella. Sin embargo, el mensaje subyacente termina siendo contradictorio —por un lado Martí insiste en que hay que amar a todas las razas por igual, pero, por otro lado, refuerza los estereotipos y valores estéticos europeos que juzgan la belleza por el color de la piel.

Cincuenta años después, Joaquín Gutiérrez, un novelista costarricense de mediados del siglo XX, escribe una novelita para niños sobre un niño afrocaribeño que vive en Limón, Costa Rica, una región de la costa Atlántica. En esta obra, otra vez, encontramos algunas contradicciones internas. Gutiérrez intenta mostrarnos un niño inteligente, capaz, valiente e independiente. Incluso su nombre, Cocorí, se refiere a un indígena que peleó heroicamente contra los españoles. Sin embargo, como en el cuento de Martí, las chiquitas blancas son "lindas como los lirios", mientras que el niño afrocaribeño aparece como sucio y "lleno de hollín" (*soot*). A causa de estos estereotipos en el libro, algunos críticos lo acusaron de contener "aspectos discriminatorios". Por tanto, surgió un debate público en el año 2003 en el que la Asociación Proyecto Caribe de Costa Rica exigió que se quitara *Cocorí* de las listas de lecturas obligatorias para las escuelas primarias. Sin embargo, en un país en el que se ama y se apoya a Gutiérrez, y donde fue nombrado "el hombre del siglo", hubo gran rechazo e ira ante la acusación de racismo. Por fin se calmó la situación, aunque sin resolverse verdaderamente, al eliminar todas las listas obligatorias de lectura para los estudiantes de primaria. Lo irónico de estas críticas es que la relación de amistad entre los personajes de la novela, una niñita blanca y Cocorí, escrita en 1947, es realmente revolucionaria porque en ese momento la discriminación y la segregación dominaban en los Estados Unidos, y el indígena y el afrocaribeño se consideraban inferiores en América del Sur. Incluimos aquí un capítulo con una escena sorprendente en que la niña blanca le da un beso sonoro a Cocorí como señal de verdadera amistad, una escena que en los Estados Unidos de esta época hubiera suscitado reacciones de repudio. Una vez más, vemos los efectos positivos que el verdadero amor tiene en el individuo. Cocorí, impulsado por su experiencia con la niña, empieza una búsqueda admirable con el propósito de entender el efímero propósito de la vida.

Rubén Darío:
"El palacio del sol"

I. El autor

Rubén Darío, cuyo verdadero nombre era Félix Rubén García Sarmiento, nació en Metapa, Nicaragua, el 18 de enero de 1867. Desde muy niño se familiarizó con las letras, ganándose el nombre de "el niño poeta". Escribió su primera obra, *Poesías y artículos en prosa*, a los catorce años. Su don literario fue reconocido por personas influyentes, que a su vez se encargaron de publicar sus primeros versos y patrocinar sus viajes por toda Centroamérica. En 1886 se trasladó a Chile y colaboró en el periódico *La época*. En 1888 publicó *Azul...*, una obra que marcó un paso decisivo en el desarrollo del movimiento Modernista. En esta obra, Rubén Darío combina poesía con prosa poética para tratar temas relacionados con el amor, la muerte, la mujer, o la realidad social. En 1896 publicó *Prosas profanas*, en la que se ve la influencia de los simbolistas y parnasianos franceses y en la que destaca el uso de un lenguaje refinado, con gran ritmo y musicalidad. Algunos de los escenarios que predominan aquí son jardines, palacios lujosos, fuentes, y animales, como cisnes (*swans*) y pavos reales (*peacocks*). En 1905 publicó *Cantos de vida y esperanza*, en la que recoge poemas escritos entre1892 y 1905, y en la que introduce el concepto innovador del "mundonovismo", un concepto basado en la exaltación de valores típicamente hispanoamericanos.

Darío se casó dos veces, y después vivió con una campesina española, Francisca Sánchez, hasta el final de sus días. Viajó por Europa y América, representando a su país como cónsul y embajador. Murió a causa del alcoholismo en 1916, y es conocido como el máximo exponente del **Modernismo**.

II. El contexto

El nombre de Rubén Darío se asocia, inevitablemente, con el movimiento literario hispanoamericano del **Modernismo**. Este movimiento literario intentó aproximarse a lo bello a través de la imagen y del poder evocativo del lenguaje. No sólo revolucionó el curso de las letras en Latinoamérica, sino también el de las artes, las ciencias y la política de 1887 a 1915. El **Modernismo** trajo nuevas ideas, buscó la renovación estética del lenguaje, y quería que el arte, especialmente la poesía, se identificara sobre todo con la belleza, la perfección y el ideal. Por lo tanto, rechazó los movimientos del Realismo y Naturalismo europeos junto con el Criollismo regional, los cuales enfatizaban lo feo, lo trágico, y lo injusto de situaciones específicas y concretas. Se reconoce el **Modernismo**, especialmente en la obra de Darío, por las múltiples referencias a colores, flores, piedras preciosas, lo exótico, la fantasía (las hadas), la **sinestesia**, la evocación de los sentidos, y la descripción de la mujer bella en términos e ideas europeas (piel blanca, ojos claros —celestes o verdes—, pelo rubio). El símbolo de esta nueva poesía, la belleza y la perfección, se sintetiza en la imagen del cisne que se encuentra en casi toda la obra de Darío. En el cuento seleccionado, "El palacio del sol", Berta, la niña anémica, representa esta búsqueda del placer que provee el arte, y la necesidad del arte (la belleza) de liberarse de todas las restricciones impuestas por la tradición y la sociedad.

Originalmente, el cuento no fue dirigido a los niños, sino que formaba parte de su obra innovadora *Azul...* (1888). En un esfuerzo nacional para que los jóvenes conocieran a esta gran figura de la historia nicaragüense, el cuento apareció en una colección de cuentos para niños, aunque uno de sus temas —la pérdida de la virginidad— tal vez no fuera el más apropiado en un país en el que las familias cuidan con tanta constancia a sus hijas. Hay que recordar también que al hablar de la sexualidad tan abiertamente y al enfatizar el erotismo y la sensualidad, Darío rechazaba las restricciones y los tabúes que no permitían la mención de ciertos temas en la buena sociedad, mucho menos proponer que el gozo sexual fuera una solución a los problemas de la adolescencia. Sin embargo, hay una comparación implícita entre la experiencia de Berta y el gozo producido por el nuevo arte del **Modernismo**. Por lo tanto, la liberación de Berta se puede entender no sólo como una liberación sexual, sino también como una liberación estética.

III. Antes de leer

A. Palabras útiles:

1. rama — parte del árbol donde crecen las hojas; *branch*
2. aceituna — el fruto del olivo, es una fruta con una semilla y existe en una gran variedad de colores; *olive*
3. hada — mujer imaginaria y hermosa con alas, protectora de lo bueno; *fairy*
4. mejillas — cachetes, partes situadas a ambos lados de la cara; *cheeks*
5. venas — cada uno de los vasos o conductos por donde circula la sangre; *veins*
6. diadema — un adorno para la cabeza en forma de cinta; *tiara*
7. avecitas — diminutivo plural de la palabra "ave", pequeños pájaros; *little birds*
8. ataúd — caja donde se pone un cadáver; *coffin*
9. codo — parte del cuerpo que une el brazo y el antebrazo; *elbow*
10. melancolía — tristeza, desilusión; *melancholy, unhappiness, depression*

B. Actividades de vocabulario

Actividad 1: Indentifique cada foto o dibujo con una palabra de la lista de vocabulario.

Courtesy of
Gina Hofert

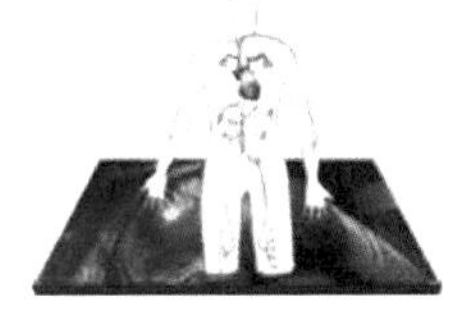

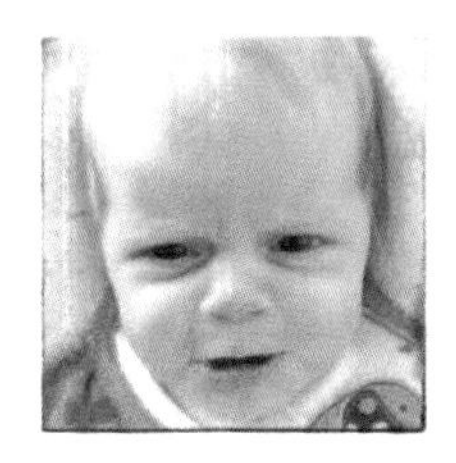

Courtesy of
Gina Hofert

Courtey of Carolina Wickman

____

Actividad 2: Llene los espacios del siguiente texto con palabras de la lista de vocabulario.

Era una tarde de primavera cuando el _________ apareció con sus alas de colores tan resplandecientes que se podían ver sus _______. Ella llevaba una ________ en su cabeza, un traje color azul y sus __________ tan rosadas que parecía que se las hubiera pintado. Las ___________ volaban y cantaban por el campo y se detenían a comer una ____________ de un olivo. Un campesino que por allí caminaba tenía el _______ derecho lastimado; pensaba que iba a morirse y sólo imaginaba cómo sería su _________ si no encontraba ayuda pronto. El hada lo encontró, lo curó y todos juntos, con las aves, cantaron.

Actividad 3: Artículos

Busque la regla gramatical que explica por qué "hada", que es un sustantivo femenino (una hada) se usa con el artículo masculino (el hada). (Pista: es lo mismo con la palabra "agua").

C. Expectativas

1. Después de leer el título, ¿de qué piensa Ud. que trata el cuento?
2. El narrador dice que este cuento va dirigido a las madres. ¿Por qué piensa Ud. que dice esto? Dado que el cuento lo publicó Rubén Darío en su libro *Azul...*, que no iba dirigido a las madres, ¿a quién cree usted que realmente va dirigido este cuento?

IV. El texto

EL PALACIO DEL SOL

A vosotras, madres de las muchachas anémicas, va esta historia, la historia de Berta, la niña de los ojos color de *aceituna*, fresca como *una rama* de durazno[1] en flor, luminosa como un alba, gentil como la princesa de un cuento azul.

5 Ya veréis, sanas y respetables señoras, que hay algo mejor que el arsénico y el fierro,[2] para encender la púrpura de las lindas *mejillas* virginales; y que es preciso abrir la puerta de su jaula a vuestras *avecitas* encantadoras, sobre todo, cuando llega el tiempo de la primavera y hay ardor en las *venas* y en las savias, 10 y mil átomos de sol abejean[3] en los jardines, como un enjambre[4] de oro sobre las rosas entreabiertas.[5]

Cumplidos sus quince años, Berta empezó a entristecer, en tanto que sus ojos llameantes se rodeaban de ojeras *melancólicas*.

15 —Berta, te he comprado dos muñecas...
—No las quiero, mamá...
—He hecho traer los Nocturnos...[6]
—Me duelen los dedos, mamá...
—Entonces...
20 —Estoy triste, mamá...
—Pues que se llame al doctor...

Y llegaron las antiparras[7] de aros de carey,[8] los guantes negros, la calva[9] ilustre y el cruzado levitón.[10]

Ello era natural. El desarrollo, la edad...[11] síntomas claros, 25 falta de apetito, algo como una opresión en el pecho... Ya sabéis; dad a vuestra niña glóbulos de arseniato de hierro, luego, duchas. ¡El tratamiento!...

---

[1] melocotón; *peach* [2] hierro; *iron* [3] rodean; *surround; from the word* "abeja" *(bee)* [4] conjunto de abejas que salen de un panal (*honeycomb*); *swarm* [5] algo abierto a medias; *something half open* [6] música para tocar al piano; cuando Berta dice que le duelen los dedos, es porque no quiere tocar el piano [7] anteojos/gafas; *glasses* [8] la concha de la tortuga; *tortoise shell* [9] que no tiene cabello; *bald* [10] traje/saco [11] *her age*

Y empezó a curar su *melancolía*, con glóbulos y duchas al comenzar la primavera, Berta, la niña de los ojos color de *aceituna*,
30 que llegó a estar fresca como una *rama* de durazno en flor, luminosa como un alba, gentil como la princesa de un cuento azul.

* * *

A pesar de todo, las ojeras[12] persistieron, la tristeza continuó, y Berta, pálida como un precioso marfil,[13] llegó un día a las puertas de la muerte. Todos lloraban por ella en el palacio, y la sana y
35 sentimental mamá hubo de pensar en las palmas blancas del *ataúd* de las doncellas. Hasta que una mañana la lánguida anémica bajó al jardín, sola, y siempre con su vaga atonía[14] *melancólica*, a la hora en que el alba ríe. Suspirando erraba sin rumbo, aquí, allá; y las flores estaban tristes de verla. Se apoyó
40 en el zócalo[15] de un fauno soberbio y bizarro, cincelado[16] por Plaza,[17] que húmedos de rocío[18] sus cabellos de mármol[19] bañaba en luz su torso espléndido y desnudo. Vio un lirio que erguía al azul[20] la pureza de su cáliz[21] blanco, y estiró la mano para cogerlo. No bien había... (Sí, un cuento de *hadas*, señoras mías, pero
45 que ya veréis sus aplicaciones en una querida realidad), no bien había tocado el cáliz de la flor, cuando de él surgió de súbito[22] una *hada*, en su carro áureo y diminuto, vestida de hilos brillantísimos e impalpables, con su aderezo de rocío, su *diadema* de perlas y su varita[23] de plata.
50 ¿Creéis que Berta se amedrentó?[24] Nada de eso. Batió palmas alegres, se reanimó como por encanto, y dijo al *hada*:

—¿Tú eres la que me quieres tanto en sueños?
—Sube, —respondió el hada.

Y como si Berta se hubiese empequeñecido, de tal modo cupo
55 en la concha del carro de oro, que hubiera estado holgada[25] sobre el ala corva de un cisne a flor de agua. Y las flores, el fauno orgulloso, la luz del día, vieron cómo en el carro del *hada* iba por el

---

[12] *shadows under the eyes* [13] materia dura y blanca; *ivory* [14] falta de tono, debilidad en los tejidos orgánicos [15] pedestal [16] *sculpted* [17] el artista/escultor [18] *dew* [19] *marble* [20] se refiere al cielo [21] cubierta externa de la flores [22] de pronto, de repente [23] instrumento al que se le atribuyen poderes mágicos; *wand* [24] infundir miedo, atemorizar; *to frighten* [25] relajada, cómoda

viento, plácida y sonriendo al sol, Berta, la niña de los ojos color de *aceituna*, fresca como una *rama* de durazno en flor, luminosa
60 como un alba, gentil como la princesa de un cuento azul.

* * *

Cuando Berta, ya alto el divino cochero, subió a los salones, por las gradas del jardín que imitaban esmaragdita,[26] todos, la mamá, la prima, los criados, pusieron la boca en forma de O. Venía ella saltando como un pájaro, con el rostro lleno de vida y de
65 púrpura, el seno hermoso y henchido, recibiendo las caricias de una crencha[27] castaña, libre y al desgaire,[28] los brazos desnudos hasta el *codo*, medio mostrando la malla[29] de sus casi imperceptibles *venas* azules, los labios entreabiertos por una sonrisa, como para emitir una canción.

70 Todos exclamaron:

—¡Aleluya! ¡Gloria! ¡Hosanna al rey de los Esculapios! ¡Fama eterna a los glóbulos de ácido arsenioso y a las duchas triunfales!

Y mientras Berta corrió a su retrete[30] a vestir sus más ricos brocados,[31] se enviaron presentes al viejo de las antiparras de
75 aros de carey, los guantes negros, la calva ilustre y del cruzado levitón. Y ahora, oíd vosotras, madres de las muchachas anémicas, cómo hay algo mejor que el arsénico y el fierro, para eso de encender la púrpura de las lindas *mejillas* virginales. Y sabréis, ¿cómo no?, que no fueron los glóbulos, no; no fueron las duchas,
80 no; no fue el farmacéutico, quien devolvió salud y vida a Berta, la niña de los ojos color de *aceituna*, alegre y fresca como una *rama* de durazno en flor, luminosa como un alba, gentil como la princesa de un cuento azul.

* * *

Así que Berta se vio en el carro del *hada*, le preguntó:

85 —¿Y adónde me llevas?

—Al palacio del sol.

---

[26] mineral de un verde esmeralda [27] cabellera, pelo [28] con descuido [29] tejidos/redes [30] habitación; *bedroom* [31] tejidos de seda

Y desde luego sintió la niña que sus manos se tornaban ardientes, y que su corazoncito le saltaba como henchido de sangre impetuosa.

90 —Oye —siguió *el hada*—, yo soy la buena *hada* de los sueños de las niñas adolescentes; yo soy la que curo a las cloróticas[32] con sólo llevarlas en mi carro de oro al palacio del sol, adonde vas tú. Mira, chiquita, cuida de no beber tanto el néctar de la danza, y de no desvanecerte en las primeras rápidas alegrías. Ya llega-
95 mos. Pronto volverás a tu morada. Un minuto en el palacio del sol deja en los cuerpos y en las almas años de fuego, niña mía.

En verdad estaban en un lindo palacio encantado, donde parecía sentirse el sol en el ambiente. ¡Oh, qué luz! ¡qué incendios! —Sintió Berta que se le llenaban los pulmones de aire de campo
100 y de mar, y las *venas* de fuego; sintió en el cerebro esparcimiento de armonía, y como que el alma se le ensanchaba, y como que se ponía más elástica y tersa su delicada carne de mujer. Luego vio, vio sueños reales, y oyó, oyó músicas embriagantes.[33] En vastas galerías deslumbradoras, llenas de claridades y de aromas, de
105 sederías[34] y de mármoles, vio un torbellino[35] de parejas, arrebatadas por las ondas invisibles y dominantes de un vals. Vio que otras tantas anémicas como ella, llegaban pálidas y entristecidas, respiraban aquel aire, y luego se arrojaban en brazos de jóvenes vigorosos[36] y esbeltos, cuyos bozos de oro y finos cabellos
110 brillaban a la luz; y danzaban, y danzaban, con ellos, en una ardiente estrechez, oyendo requiebros misteriosos que iban al alma, respirando de tanto en tanto como hálitos[37] impregnados de vainilla, de haba de Tonka,[38] de violeta, de canela, hasta que con fiebre, jadeantes, rendidas, como palomas fatigadas de un largo
115 vuelo, caían sobre cojines de seda, los senos palpitantes, las gargantas sonrosadas, y así soñando en cosas embriagadoras—. Y ella también cayó al remolino, al maelstrón[39] atrayente, y bailó, giró, pasó, entre los espasmos de un placer agitado; y recordaba entonces que no debía embriagarse tanto con el vino de la danza,
120 aunque no cesaba de mirar al hermoso compañero, con sus grandes ojos de mirada primaveral. Y él la arrastraba por las vastas galerías, ciñendo su talle, y hablándole al oído, en la lengua amorosa y rítmica de los vocablos apacibles, de las frases irisadas, y olorosas, de los períodos cristalinos y orientales.

---

[32] las anémicas [33] que emborracha [34] *silks* [35] multitud [36] de vigor/fuerza/energía [37] vapor/aliento [38] especie de frijol [39] remolino peligroso

125 Y entonces ella sintió que su cuerpo y su alma se llenaban de sol, de efluvios[40] poderosos y de vida. ¡No, no esperéis más!

* * *

El *hada* la volvió al jardín de su palacio, al jardín donde cortaba flores envueltas en una oleada de perfumes, que subía místicamente a las *ramas* trémulas,[41] para flotar como el alma
130 errante de los cálices muertos.

¡Así fue Berta a vestir sus más ricos brocados, para honra de los glóbulos y duchas triunfales, llevando rosas en las faldas y en las *mejillas*!

* * *

¡Madres de las muchachas anémicas! Os felicito por la victo-
135 ria de los arseniatos e hipofosfitos del señor doctor. Pero, en verdad os digo: es preciso, en provecho de las lindas *mejillas* virginales, abrir la puerta de su jaula a vuestras *avecitas* encantadoras, sobre todo, en el tiempo de la primavera, cuando hay ardor en las *venas* y en las savias, y mil átomos de sol abejean en los jardines
140 como un enjambre de oro sobre las rosas entreabiertas. Para vuestras cloróticas, el sol en los cuerpos y en las almas. Sí, al palacio del sol, de donde vuelven las niñas como Berta, la de los ojos color de *aceituna*, frescas como una *rama* de durazno en flor; luminosas como un alba, gentiles como la princesa de un cuento
145 azul.

[40] emanación/irradiación [41] que tiembla

V. Después de leer

A. Enumere en orden cronológico lo ocurrido en el cuento:

_____ El hada se le aparece a Berta y la lleva al Palacio del sol.
_____ Bajo el son de una música embriagante y mientras Berta bailaba, ella se entregaba al placer.
_____ Berta se sentía muy enferma. Berta tenía anemia.
_____ Berta pasa de niña a mujer.
_____ Berta se encuentra con otras chicas anémicas y chicos vigorosos.

B. Preguntas de comprensión

1. ¿Por qué no quiere Berta las muñecas? ¿Y los Nocturnos?
2. ¿Cuántos años tiene Berta?
3. ¿Qué problema tiene Berta?
4. ¿A quién llaman para que vea a Berta? Descríbalo.
5. ¿Qué le receta a Berta?
6. ¿Dónde estaba Berta cuando se le apareció el hada?
7. Describa a Berta cuando volvió del jardín?
8. ¿Qué es lo que la madre de Berta piensa que ha curado a su hija? ¿Qué es lo que en realidad, de acuerdo al narrador, curó a Berta?
9. ¿Adónde fue Berta con el hada?
10. ¿Qué le sucede a Berta en ese lugar?
11. ¿Qué le aconseja el narrador a las madres de las chicas anémicas?

C. Preguntas de análisis

1. ¿Qué es un "cuento azul"? ¿Y un príncipe azul? ¿Por qué Darío pone por título de su libro "*Azul...*"?
2. ¿Qué es un tabú? Y ¿por qué se considera el tema de la sexualidad como algo tabú?
3. ¿Por qué empieza Berta a entristecerse cuando cumple quince años? ¿Cuál es su verdadero problema?

4. Cuando Berta baja al jardín ve una estatua de un fauno. ¿Qué es un fauno? ¿Qué tiene de erótico la descripción de la estatua y de las flores alrededor?
5. Describa brevemente lo que Berta vivió en "El Palacio del Sol". ¿Por qué piensa usted que el autor utiliza una hada para transportar a Berta al palacio?
6. ¿Cuál es el mensaje específico que el narrador trata de presentar al lector en este cuento? ¿Por qué piensa usted que el narrador es tan cuidadoso con el lenguaje?
7. Si el niño lector no reconoce el tema de la sexualidad en este cuento, ¿de qué piensa que se trata?
8. ¿Qué otro título podría Ud. darle al cuento y por qué?
9. ¿Qué quiere decir el narrador cuando les advierte a las madres: "abrir las puertas de sus jaulas a vuestras avecitas encantadoras"?
10. ¿Por qué describe el narrador repetitivamente a Berta? ¿Por qué hay tantas descripciones de flores, colores y olores? ¿Por qué se asocia la sexualidad con la naturaleza?

VI. Sugerencias para los profesores

A. Este cuento se presta para una dramatización. El dejar correr la imaginación le dará al estudiante cierta libertad para idealizar las escenas e interpretarlas con cierta gracia y, a la misma vez, inocencia.
B. Haga un debate centrado en el consejo del narrador sobre la "liberación sexual". ¿Hay que proteger más a las mujeres/muchachas de los compromisos sexuales que a los hombres/muchachos?
C. Pregúnteles a los estudiantes qué otro final les hubiera gustado para el cuento.
D. Dibujen a Berta, al doctor, al jardín, al hada, y al palacio de acuerdo con las descripciones del texto.

VII. Más Recursos

Gullón, Ricardo. "Rubén Darío y el erotismo". *Papeles de Son Armadans.* 46 (1967): 143–158.

Jrade, Cathy L. *Modernismo, Modernity, and the Development of Spanish American Literature.* Austin, Texas: University of Texas Press, 1998.

Patiño Káram, Juan Pablo. "El erotismo en los cuentos de *Azul...* de Darío como propuesta vital". *Espéculo: Revista de Estudios Literarios.* 31 (2005): (no pagination). http://www.ucm.es/info/especulo/numero31/azulrd.html

Juana de Ibarbourou:
Poesía para niños

I. La autora

Juana de Ibarbourou (1892–1979), reconocida poeta uruguaya, fue bautizada con el nombre de Juana Fernández Morales. A los veinte años se casó con el capitán Lucas Ibarbourou y adoptó el apellido de su esposo para la firma de sus obras. En 1929 fue proclamada "Juana de América" en una ceremonia en el Palacio Legislativo de Uruguay. Su temática poética se caracteriza por la exaltación sentimental de la entrega amorosa, la maternidad, la belleza física, la naturaleza, y el erotismo. Vivió en Montevideo con su familia hasta el momento de su muerte.

Sus primeros poemas se publicaron principalmente en el periódico *La Razón,* en Montevideo, la capital de Uruguay. Comenzó su carrera literaria con los poemarios *Lenguas de diamante* (1919), *El cántaro fresco* (1920), y *Raíz salvaje* (1922), los cuales muestran la influencia del **Modernismo** en el uso de imágenes coloridas que apelan a los sentidos. Con el tiempo, sin embargo, su poesía se fue alejando de la influencia modernista. En *La rosa de los vientos* (1930), por ejemplo, experimentó con el **vanguardismo** y el uso de imágenes **surrealistas**. En 1953, publicó la primera edición de sus *Obras completas*, donde incluye dos libros inéditos, además de otros poemarios publicados anteriormente. Ibarbourou fue presidenta de la Sociedad Uruguaya de Escritores en 1950, y cinco años más tarde su obra fue premiada por el Instituto de Cultura Hispánica de Madrid. En 1959 se le otorgó el Gran Premio Nacional de Literatura. La obra en prosa de Ibarbourou estuvo dirigida primordialmente al público infantil, y de ella podemos destacar *Epistolario* (1927) y *Chico Carlo* (1944), un libro de cuentos autobiográficos en el que la autora recuerda diferentes episodios de su niñez.

II. El contexto

Cuando hablamos de Juana de Ibarbourou pensamos en el tema de la pasión. El poema "Retorno" nos habla de una tarde de pasión en el campo y la poeta es bien específica en cuanto a los detalles que describen la situación, aunque la disfraza delicadamente con palabras tomadas de la naturaleza. Cada frase emana pasión y sensualidad; por ejemplo: "en el moño una rosa prendida", "su boca teñida de color mora", "balanceando la cántara". Por otro lado, en el poema "La hora" encontramos ejemplos como: "tómame ahora", "Oh amante", "la carne olorosa". Estos poemas no fueron originalmente escritos para niños, pero sí recopilados más tarde para este público. La autora, como ya hemos dicho, se paseó entre el **Modernismo**, lo mítico, y el **Vanguardismo** con un estilo único, suave y fresco. Asimismo, Ibarbourou hace uso del ***carpe diem*** (exhortación poética a disfrutar y aprovecharse del momento presente) y de imágenes tales como la luz, la sombra, el frío, y la noche. Podríamos añadir también que el **feminismo** de su poesía se refleja en el uso de imágenes tomadas de la naturaleza y el erotismo.

III. Antes de leer

A. Palabras útiles

1. enagua (f.) — prenda interior femenina que se lleva debajo de la falda, en algunos países de Latinoamérica es un sinónimo de "falda"; *underskirt or skirt*
2. crujiente (adj.) — textura de tostada, que hace ruido; *crunchy*
3. alocado (adj.) — disperso, sin juicio; *scattered, crazy, from* "loco"

4. cita (f.) — momento, hora, fecha y lugar indicado para encontrarse con otra persona; *date, appointment*
5. dalias (f.) — especie de flor; *dahlia*
6. sombrío (adj.) — oscuro; *dark, shadowy, from* "sombras"
7. anochecer — oscurecerse de noche (anochezca: subjuntivo de anochecer); *to get dark*
8. repicar — tener o sonar repetidamente las campanas como en señal de regocijo*; to ring*
9. sandalia (f.) — zapato ligero y muy abierto; *sandal*
10. sonámbulo (adj.) — persona que camina mientras está dormida; *sleep walking*

B. Actividades de vocabulario

Actividad 1: Divida las palabras en sílabas —cuidado con los diptongos— y busque un sinónimo para cada una de ellas (trate de definir cada palabra con una o dos palabras.)

1. crujiente
2. sonámbula
3. sombrío
4. enagua
5. alocado
6. cita
7. dalia
8. repicar
9. sandalia
10. anochecer

Actividad 2: Complete las oraciones.

a. anochezca b. sandalias c. repica d. dalias e. sombría

1. Para ir a la playa me puse mis ___________.
2. En el jardín de mi casa crecen unas __________ muy coloridas.
3. La casa se notaba muy ______________, como si nadie viviera en ella.
4. Debo llegar antes que ______________ porque no me gusta la oscuridad.
5. Desde mi casa puedo escuchar cuando____________ la campana de la iglesia.

Actividad 3: Busque el antónimo (opuesto).

1. Retornar

   a. volver b. regresar c. venir d. irse

2. Llena

   a. completa b. vacía c. saturada d. cargada

3. Verdad

   a. mentira b. veracidad c. exactitud d. certeza

4. Luz

   a. candela b. fuego c. oscuridad d. alumbrado

5. Sube

   a. baja b. arriba c. trepa d. eleva

C. Expectativas

1. Discuta los posibles significados del título "Retorno", tomando en cuenta que es un poema sobre el amor.
2. ¿Cuáles son los posibles significados del título "La hora"? Ya sabemos que es un poema de amor, pero ¿qué otro tema indica el título?
3. Basado en el ejercicio de dividir palabras en sílabas, cuente las sílabas de cada verso del poema. Analice la rima también.

IV. Los textos

RETORNO

Con la cántara[1] llena de agua,
y la boca de moras teñida,[2]
y *crujiente* de espinas[3] la *enagua,*
y en el moño[4] una rosa prendida,

5 de la fuente retorno, abismada[5]
en el dulce evocar[6] de la *cita.*
Y se hermana[7] la tarde dorada
con la luz que en mis ojos palpita.

Una extraña fragancia me enerva,[8]
10 y en verdad yo no sé si es que sube
del jugoso frescor de la hierba,
o se eleva de mi alma a la nube.

Y, despierta *sonámbula,* sigo
balanceando mi cántara llena,
15 entre el aro *alocado* del trigo
y el temblor de los tallos de avena.

---

[1] vasija que se utiliza para cargar agua; *pitcher* [2] pintadas, manchadas; *stained* [3] abrojos; *thorns* [4] cabello recogido hacia arriba; *hair up in a bun* [5] sumergida en su pensamiento; *profound meditation* [6] traer recuerdos a la memoria; *to recall* [7] hacerse pareja; *to pair up —the golden light in the afternoon with the light in the speaker's eyes* [8] ponerse nervioso, irritado, sin fuerza; *to exasperate*

LA HORA

Tómame ahora que aun es temprano
20 y que llevo *dalias* nuevas en la mano.

Tómame ahora que aun es *sombría*
esta taciturna[9] cabellera mía.

Ahora que tengo la carne olorosa
y los ojos limpios y la piel de rosa.

25 Ahora que calza mi planta[10] ligera
la sandalia viva de la primavera.

Ahora que mis labios *repica* la risa
como una campana sacudida[11] aprisa.

Después..., ¡ah, yo sé
30 que ya nada de eso más tarde tendré!

Que entonces inútil será tu deseo,
como ofrenda puesta sobre un mausoleo.[12]

Hoy, y no más tarde. Antes que *anochezca*
y se vuelva mustia[13] la corola[14] fresca.

35 Hoy, y no mañana. ¡Oh amante! ¿no ves
que la enredadera[15] crecerá ciprés?[16]

---

[9] opaca, tranquila; *taciturn, unruly* [10] planta del pie; *foot* [11] movida bruscamente; *shaken* [12] tumba [13] marchita, cambiada; *faded, old* [14] parte interna de la flor formada por el conjunto de pétalos, apertura redonda; *part inside the flower that holds the petals, round opening* [15] *vine, a plant that twists and turns around the support it grows on* [16] especie de árbol; *evergreen tree*

V. Después de leer

A. Preguntas de Comprensión:

1. ¿Qué trae la chica en la cántara en el poema "Retorno"?
2. ¿Por qué tiene espinas en su enagua?
3. ¿De dónde viene la chica?
4. ¿Cuándo (mañana/tarde) fue el encuentro?
5. ¿De qué color son sus ojos? ¿Cómo lo puede deducir?
6. ¿Qué significa la frase "despierta sonámbula"?
7. ¿Dónde está caminando la chica?
8. ¿Qué se entiende por ***carpe diem***?
9. ¿Qué edad pudiera tener esta joven en el poema "La hora"?
10. ¿Qué sucedería si este chico no la tomara ahora?

B. Preguntas de análisis:

1. En sus propias palabras, haga un resumen de lo que sucedió en los dos poemas.
2. ¿Qué significado simbólico puede tener la cántara llena de agua?
3. ¿Qué tipo de encuentro tuvo esta chica? ¿Qué sucedió en ese encuentro?
4. ¿Cómo podemos describir el momento que continúa viviendo esta chica después de la cita?
5. ¿Qué otros títulos le daría Ud. a los poemas?
6. Señale todos los símbolos de juventud versus vejez que encuentre en el segundo poema.
7. Identifique tres elementos de la naturaleza que se mencionan en los poemas.

VI. Sugerencias para los profesores

A. Varios estudiantes pueden memorizar y declamar estos poemas en frente de la clase para apreciar mejor el ritmo, la rima, y la musicalidad; pueden dramatizarlo (las grapas pueden ser las espinas, y el salón puede transformarse en naturaleza).

B. Pídales a los estudiantes que escriban su propio poema de amor. Tienen que incluir por lo menos dos referencias a la naturaleza.
C. Pídales a los estudiantes que dibujen la muchacha del poema "Retorno" basándose en las descripciones del poema.

VII. Más recursos:

Contreras Romo, María del Rocío. "El placer de la palabra o la palabra del placer, la poesía de Juana de Ibarbourou". *Espéculo: Revista de Estudios Literarios*. 22 (2002 Nov–2003 Feb): no pagination.

Irving, Evelyn U. "La literatura infantil de Juana de Ibarbourou". *Proceedings of the International Literature Conference: Homage to Agustini, Ibarbourou, Mistral, and Storni*. Ed. Marta Stiefel Ayala. Calexico: Institute for Border Studies, San Diego State University, 1991: 81–89.

Juan Ramón Jiménez:
Platero y yo

I. El autor

Juan Ramón Jiménez nació en 1881 en Moguer, un pequeño pueblo andaluz de España. Aunque el renombrado poeta se trasladó a Sevilla para estudiar derecho y pintura, poco después regresó a su pueblo natal, donde vivió de 1905 a 1912. Fue aquí donde, al término de sus estudios, escribió sus *Elegías puras* (1908) y *Poemas mágicos y dolientes* (1911), y también donde encontró la inspiración para escribir su famoso *Platero y yo*. Esta obra, que no se publicó hasta 1914, refleja el espíritu popular, el ambiente y el paisaje de un Moguer idealizado.

Las obras de Jiménez de esta primera época muestran la influencia del **Modernismo** por su énfasis en la belleza, los sentimientos, el amor y las emociones captados en una estructura perfecta. Sin embargo, es con la publicación de su aclamada obra *Diario de un poeta recién casado* (1917), cuando emerge el estilo por el que el escritor es mejor conocido: su lirismo y el tratamiento de lo esencial, lo que muchos críticos han llamado "la poesía pura" o, según Jiménez mismo, su "verso desnudo". Este estilo no sólo se percibe en su poesía, sino también en su prosa.

Debido a la inestabilidad política de España y a la guerra civil española (1936-1939), Jiménez y su esposa, Zenobia, se exilaron primero en los Estados Unidos, luego en Cuba y finalmente en Puerto Rico, donde residieron hasta su muerte. En el exilio, Jiménez trabajó como profesor, editor y crítico literario, al tiempo que prosiguió su labor creadora. Durante este período publicó, entre otras, la conocida colección *Españoles de tres mundos* (1942).

En 1956 se le otorgó El Premio Nobel de Literatura, pero debido a la grave enfermedad de su esposa, Jiménez no viajó a aceptar el prestigioso premio. Zenobia se murió sólo dos días después, y la salud de Jiménez pronto empezó a declinar. Murió en 1958, a la edad de 76 años.

II. El contexto

Con la publicación de *Platero y yo* en 1914, Jiménez ganó fama internacional, y su libro se convirtió en lectura obligatoria para los niños tanto de España como de otros países, y no sólo hispanohablantes sino de otras lenguas. Aunque el libro no fue concebido inicialmente para niños, según indica el mismo autor en el prólogo a su obra, lo cierto es que fue elegido como lectura recomendada para los niños por su temática, estilo e, indudablemente, por la inclusión de la figura del burro simpático. A pesar de las expectativas que tenemos de la literatura infantil de narrar historias felices, esta obra no ignora la tristeza. En el momento en que la escribe, Jiménez ya había experimentado el dolor de la muerte de su padre en 1900 e, inmediatamente después, el sufrimiento de dos estancias suyas en sanatorios de Francia y Madrid. Por ello, no nos sorprende que el libro no sea una sencilla historia de un pueblo idílico, sino un cuento "donde la alegría y la pena son gemelas", como el autor mismo nos advierte.

Las 138 viñetas que componen la obra recuerdan varios momentos que el narrador, ya adulto con sus propios niños, pasa en compañía de su burro, Platero. Los paseos que toman sirven de telón de fondo para las reflexiones y descripciones nostálgicas del yo narrador, y el burro funciona como un mecanismo narrativo que justifica los comentarios del narrador en voz alta. Esta voz narrativa a menudo pone a prueba sus ideas contándoselas tanto al burro como al lector; y nosotros, los lectores, nos encontramos como todos los niños, en la misma situación que el burro, escuchando sin hacer comentario alguno.

III. Antes de leer

A. Palabras útiles

1. acariciar — tocar algo o a alguien dulcemente; *to caress*
2. burro (m.) — asno; *donkey*
3. dejar — a. permitir que alguien haga algo, b. descontinuar algo con "de", dejar de hacer algo; *a. to let someone do something, b. to stop doing something*
4. lirio (m.) — una flor grande y bella de varios colores; *iris*
5. peludo (adj.) — una persona o un animal que tiene mucho pelo; *hairy (person) or furry (animal)*
6. pino (m.) — una especie de árbol alto con hojas en forma de aguja; *pine (tree)*
7. plata (f.) — un metal o color metálico que se usa en la joyería y la manufactura de monedas; *silver*
8. prado (m.) — tierra en la que se siembra pasto/césped; *field, meadow*
9. rendido (adj.) — muy cansado; *exhausted, also surrendered*
10. verja (f.) — barras o rejas que protegen una puerta, una ventana o un lugar; *railings or wrought-iron gate, or bars in window*

B. Actividades de vocabulario

Actividad 1: Llene los espacios en blanco del siguiente párrafo con la forma correcta de las palabras de la lista anterior. Es posible que no tenga que usar todas las palabras, o que use una palabra más de una vez.

Los sábados me gusta caminar al ____________ que está cerca de la casa de mi familia para disfrutar de la naturaleza. Normalmente, mi mamá me ____________ ir solo porque siempre hay otras personas que conocemos allá. En la primavera, los ____________ bonitos se abren con todos los colores del mundo y los ____________ altos se ven más verdes que nunca. En el mes de abril, el pequeño zoológico abre para que todos los niños visiten los animales. Aunque no es el animal más exótico, primero voy a visitar a mi ____________ favorito, que se llama Fiesta. Él es el mejor ____________ del zoo porque sonríe y hace sonidos cuando yo ____________ su cuerpo ____________. El día siempre pasa demasiado rápido, y la luna, color de ____________, empieza a brillar en el cielo. Aunque no quiero ____________ de jugar, siempre vuelvo a casa completamente ____________ después de un día fantástico.

Actividad 2: Ponga las palabras en orden alfabético y sepárelas en tres columnas: verbos, sustantivos, y adjetivos.

Actividad 3: El uso de los diminutivos

Los diminutivos son sufijos que se añaden al final de una palabra para expresar cariño o un tamaño *(size)* más pequeño. Por ejemplo, si tuviera un perro muy pequeño, podría llamarlo "perrito" o "perro pequeñito" para enfatizar su tamaño chico y el amor que Ud. siente por él.

En *Platero y yo*, los diminutivos que Jiménez usa con mayor frecuencia son -ito, -ico e -illo. En la siguiente tabla, mire los diminutivos de la primera columna. Después, rellene los espacios en blanco de la segunda columna con la palabra original.

Diminutivo:	**Palabra original:**
Ej. momentito	*Ej. momento*
1. banderita	1. ____________
2. bosquecillo	2. ____________
3. cochecillo	3. ____________
4. despacito	4. ____________
5. florecillas	5. ____________
6. gotita	6. ____________
7. nubecillas	7. ____________
8. toldillo *(awning)*	8. ____________
9. trotecillo *(a trot)*	9. ____________
10. veredilla *(path)*	10. ____________

C. Expectativas

1. Piense sólo en el título de este libro, *Platero y yo.* ¿Quién es "yo"? y ¿quién es "Platero"? Si pensamos sólo en el título, ¿de qué cree que tratará el cuento?
2. Ahora, mire la ilustración de las palabras que aparecen a continuación. En esta ilustración, las palabras grandes son las que aparecen con mayor frecuencia en el cuento; mientras que las más pequeñas aparecen sólo una o dos veces en el cuento. Después de estudiar esta ilustración, ¿ha aprendido Ud. algo sobre el cuento? ¿Quiénes son los protagonistas? ¿Cuáles son algunos de los posibles temas del cuento?

courtesy of www.wordle.net

3. Mientras lee *Platero y yo*, preste atención a los adjetivos que usa el autor. ¿Hay muchos adjetivos? ¿Juegan un papel importante en el cuento?

IV. El texto

I — PLATERO

Platero es pequeño, *peludo*, suave; tan blando por fuera,[1] que se diría todo de algodón,[2] que no lleva huesos.[3] Sólo los espejos de azabache[4] de sus ojos son duros cual[5] dos escarabajos[6] de cristal negros.

5 Lo *dejo* suelto,[7] y se va al *prado*, y *acaricia* tibiamente con su hocico,[8] rozándolas[9] apenas, las florecillas rosas, celestes y gualdas...[10] Lo llamo dulcemente: "¿Platero?", y viene a mí con un trotecillo[11] alegre que parece que se ríe, en no sé qué cascabeleo[12] ideal...

10 Come cuanto le doy. Le gustan las naranjas, mandarinas, las uvas moscateles,[13] todas de ámbar, los higos[14] morados, con su cristalina gotita de miel...

Es tierno y mimoso[15] igual que un niño, que una niña...; pero fuerte y seco por dentro, como de piedra. Cuando paseo sobre él, 15 los domingos, por las últimas callejas del pueblo, los hombres del campo, vestidos de limpio y despaciosos,[16] se quedan mirándolo:

—Tien'asero...[17]

Tiene acero. Acero y *plata* de luna, al mismo tiempo.

XLIII — AMISTAD

Nos entendemos bien. Yo lo *dejo* ir a su antojo,[18] y él me lleva 20 siempre adonde quiero.

Sabe Platero que, al llegar al *pino* de la Corona, me gusta acercarme[19] a su tronco y *acariciárselo*, y mirar el cielo al través

---

[1] "tan...fuera" significa que el pelo de Platero es muy suave; *"so soft on the outside"* [2] un tipo de tela; *cotton* [3] *bones* [4] como el color negro; *jet-black* [5] como [6] un insecto; *beetle* [7] el narrador permite que Platero ande libre; *loose* [8] una parte de la cara de un animal; *snout or muzzle* [9] *grazing or brushing (against) them* [10] del color amarillo [11] modo de andar saltando; *a small trot* [12] una risa *(laugh)* parecida a unas campanas *(bells)* [13] una variedad de uva muy dulce [14] una fruta; *fig* [15] "tierno" y "mimoso" son dos adjetivos para describir el cariño; *loving, affectionate* [16] *slow or sluggish* [17] Aquí, Jiménez imita el habla del pueblo; quiere decir "tiene acero", o que Platero es muy fuerte; *made of steel* [18] capricho; *whim* [19] llegar más cerca a algo; *to approach, draw near*

de su enorme y clara copa; sabe que me deleita la veredilla[20] que va, entre céspedes,[21] a la Fuente vieja; que es para mí una fiesta
25 ver el río desde la colina[22] de los *pinos*, evocadora, con su bosquecillo[23] alto, de parajes clásicos. Como me adormile,[24] seguro, sobre él, mi despertar se abre siempre a uno de tales amables espectáculos.

Yo trato a Platero cual si fuese un niño. Si el camino se torna
30 fragoso[25] y le pesa[26] un poco, me bajo para aliviarlo. Lo beso, lo engaño,[27] lo hago rabiar...[28] él comprende bien que lo quiero, y no me guarda rencor.[29] Es tan igual a mí, tan diferente a los demás, que he llegado a creer[30] que sueña mis propios sueños.

Platero se me ha *rendido* como una adolescente apasionada.
35 De nada protesta. Sé que soy su felicidad. Hasta huye[31] de los *burros* y de los hombres...

LXXVII — EL VERGEL[32]

Como hemos venido a la Capital, he querido que Platero vea El Vergel. . . Llegamos despacito, *verja* abajo, en la grata[33] sombra de las acacias[34] y de los plátanos, que están cargados todavía. El
40 paso de Platero resuena en las grandes losas[35] que abrillanta[36] el riego,[37] azules de cielo a techos y a techos blancas de flor caída que, con el agua, exhala un vago aroma dulce y fino.

¡Qué frescura y qué olor salen del jardín, que empapa[38] también el agua, por la sucesión de claros de yedra[39] goteante[40] de
45 la *verja*! Dentro, juegan los niños. Y entre su oleada blanca, pasa, chillón[41] y tintineador,[42] el cochecillo[43] del paseo, con sus

---

[20] un sendero; *path* [21] *lawn or grass* [22] una pequeñita montaña; *hill* [23] del sustantivo "bosque"; *little forest* [24] dormir por un ratito; *to doze or nap* [25] un poco peligroso; *rugged or dense* [26] del verbo "pesar"; *to be heavy* [27] "engañar"; *to trick or mislead* [28] del verbo "hacer rabiar"; *to annoy or torment* [29] frustración; *resentment* [30] "he...creer"; *I have come to believe* [31] desaparecer; *to flee or leave.* [32] un gran jardín con varias especies de flores y frutas; *a large fruit and/or flower garden* [33] agradable; *pleasant* [34] un árbol con flores amarillas que lleva el mismo nombre en inglés [35] un tipo de piedra; *stone; flagstone* [36] *to polish* [37] el agua; *irrigration, watering* [38] mojar; *to soak* [39] una planta que crece en las paredes; *ivy* [40] que cae o cuelga mucho; *dripping* [41] *shrill, high-pitched* [42] *clinking, jingling* [43] de la palabra "coche"; *a little car*

banderitas moradas y su toldillo[44] verde; el barco del avellanero,[45] todo engalanado[46] de granate[47] y oro, con las jarcias ensartadas[48] de cacahuetes[49] y su chimenea humeante; la niña de los globos,[50] con su gigantesco racimo[51] volador, azul, verde y rojo; el barquillero, *rendido* bajo su lata roja... En el cielo, por la masa de verdor tocado ya del mal del otoño, donde el ciprés y la palmera perduran,[52] mejor vistos, la luna amarillenta se va encendiendo, entre nubecillas rosas...

Ya en la puerta, y cuando voy a entrar en el vergel, me dice el hombre azul que lo guarda con su caña[53] amarilla y su gran reloj de *plata*:

—Er *burro* no puéntra, zeñó.[54]

—¿El *burro*? ¿Qué *burro*? —le digo yo, mirando más allá de Platero, olvidado, naturalmente, de su forma animal...

—¡Qué *burro* ha de zé, zeñó; qué *burro* ha de zéee...![55]

Entonces, ya en la realidad, como Platero «no puede entrar» por ser *burro*, yo, por ser hombre, no quiero entrar, y me voy de nuevo con él, *verja* arriba, *acariciándole* y hablándole de otra cosa...

CXXXV — MELANCOLÍA

Esta tarde he ido con los niños a visitar la sepultura[56] de Platero, que está en el huerto[57] de la Piña, al pie del *pino* redondo y paternal. En torno, abril había adornado la tierra húmeda de grandes *lirios* amarillos.

Cantaban los chamarices[58] allá arriba, en la cúpula[59] verde, toda pintada de cenit[60] azul, y su trino[61] menudo, florido y reidor,[62] se iba en el aire de oro de la tarde tibia, como un claro sueño de amor nuevo.

---

[44] *canopy or awning* [45] una avellana es un tipo de nuez *(hazelnut)*, así que el avellanero vende avellanas [46] adornar; *to embellish or adorn* [47] de color rojo oscuro; *maroon* [48] "jarcias ensartadas" significa *strings threaded (with something)* [49] un tipo de nuez; *peanut* [50] *balloons* [51] a *bunch or cluster (of the girl's balloons)* [52] como el verbo "durar"; *to endure, to last* [53] bastón; *cane* [54] otra vez, Jiménez imita el habla de los campesinos; quiere decir "El burro no puede entrar, señor". [55] o sea, "¡Qué burro ha de ser, señor; qué burro ha de ser...!"; *What donkey do you think I'm talking about, sir!* [56] tumba; *grave* [57] *orhcard* [58] un pequeño pájaro [59] el domo; *dome, cupola* [60] *zenith* [61] la canción del pájaro; *trill* [62] que se ríe; *merry, laughing*

75 Los niños, así que iban llegando, *dejaban* de gritar. Quietos y serios, sus ojos brillantes en mis ojos, me llenaban de preguntas ansiosas.

—¡Platero amigo! —le dije yo a la tierra—; si, como pienso, estás ahora en un *prado* del cielo y llevas sobre tu lomo[63] *peludo*
80 a los ángeles adolescentes, ¿me habrás, quizá, olvidado? Platero, dime: ¿te acuerdas aún de mí?[64]

Y, cual[65] contestando a mi pregunta, una leve mariposa[66] blanca, que antes no había visto, revolaba insistentemente, igual que un alma, de *lirio* en *lirio*...

---

[63] la espalda de un animal; *back* [64] *Do you still remember me?* [65] como
[66] *butterfly*

V. Después de leer

A. Preguntas de comprensión

1. ¿Qué le gusta comer a Platero?
2. ¿Con qué o quién se compara a Platero?
3. ¿Adónde van el narrador y Platero en la segunda viñeta? ¿Por qué?
4. ¿Cómo trata el narrador a Platero? Elabore.
5. ¿Le gusta jugar a Platero? ¿Cómo lo sabemos?
6. ¿Adónde van los dos en la tercera viñeta? ¿Qué es este lugar?
7. Nombre tres cosas o personas que Platero y el narrador ven en este lugar. Descríbalas.
8. ¿Entran los dos en el jardín? ¿Por qué?
9. ¿Cómo es el ambiente *(atmosphere)* en torno a la sepultura de Platero?
10. ¿Qué pregunta le hace el narrador a Platero en la quinta viñeta? ¿Cuál es el significado de esta pregunta?

B. Preguntas de análisis

1. Lea la primera viñeta otra vez pensando en la descripción de Platero. ¿Es obvio que Platero es un animal? ¿Por qué es importante que el autor no nos diga lo que es Platero? ¿Qué nos dice sobre la relación entre los dos?
2. En la primera viñeta, "Platero", el narrador dice que Platero "tiene acero. Acero y plata de luna, al mismo tiempo". ¿Qué quiere decir esta frase? Explique su respuesta. Vuelva a las notas al pie de la página si no recuerda el significado de algunas de las palabras.
3. El autor hace una descripción muy detallada del vergel en la tercera viñeta, "El Vergel". ¿Cómo se siente Ud. después de leer esta descripción? ¿Cuál es su función?
4. Al fin de "El Vergel", el narrador y Platero se marchan hablando de otras cosas. ¿Por qué quiere el narrador hablar a Platero de otras cosas? Piense en lo que sucedió en la viñeta.

5. Piense en el lugar donde Platero está enterrado *(buried)*. ¿Por qué es un lugar importante? Vuelva a examinar todas las viñetas. ¿Qué nos dice sobre la relación entre Platero y el narrador?
6. Al fin del cuento, una mariposa aparece cerca de la sepultura de Platero. ¿Tiene esta mariposa otro significado? Explique.

VI. Sugerencias para los profesores

A. Pídales a los estudiantes que vuelvan a la primera viñeta. Tienen que olvidar lo que saben de Platero y pensar otra vez en lo que es Platero. Póngalos a usar su imaginación para dar más sugerencias a la clase sobre el personaje de Platero. Basándose en la primera viñeta, ¿quién podría ser? Pida que respalden sus sugerencias.

B. Pídales que compartan sus recuerdos sobre una mascota de su familia, si es que han tenido alguna. Ponga a los estudiantes a describirla, y escriban en la pizarra los adjetivos que utilizan. Pregúnteles si trataban a la mascota como si fuera un miembro de la familia. ¿Qué adjetivos escogen? ¿Usan adjetivos que normalmente pertenecen a un animal o a un ser humano? Comparen su descripción con la manera como el narrador trata a Platero.

C. Pídales que subrayen todos los adjetivos en el cuento, reforzando su importancia dentro del mismo. Pregúnteles si conocen estos adjetivos. Después, como actividad para ampliar su propio vocabulario, escoja una cosa básica en la clase, como un dólar o una silla. De manera organizada, pida que cada estudiante utilice un adjetivo para describir este objeto, y escríbalo en la pizarra. Haga esto hasta que no quepan más palabras en la pizarra (quizás 40-50 adjetivos). Los estudiantes se asombrarán de ver que saben tantos adjetivos. Anímeles a usar estas palabras en su escritura.

VII. Más recursos

Clementa Millán, María. "*Platero y yo* o la falsa apariencia de un libro para niños". *Nueva Estafeta* 39.1 (1982): 72–75.

E. F. "Juan Ramón Jiménez: Vida y obra". *Revista Hispánica Moderna* 24.2 (1958): 105–08.

Jiménez, Juan Ramón, and Gertrude M. Walsh. *Platero y yo*. Boston: D.C. Heath & Co, 1922.

Knowlton, Edgar C. "Jiménez's *Platero y yo*". *Explicator* 40.1 (1981): 58–59.

Lolo, Eduardo. "Platero, tú, yo y ellos". *Círculo: Revista de Cultura* 34.1 (2005): 204–12.

Lolo, Eduardo. *Platero y nosotros*. Miami, FL: Alexandria Library, 2007.

Marcus, Leonard S. "The Beast of Burden and the Joyful Man of Words: Juan Ramón Jiménez's *Platero and I*". *The Lion and the Unicorn: A Critical Journal of Children's Literature* 4.2 (1980): 56–74.

Predmore, Michael P. "The Structure of *Platero y yo*". *PMLA* 85.1 (1970): 56–64.

Skyrme, Raymond. "Divining the Distant: The Poetics of *Platero y yo*". *Romance Quarterly* 47.4 (2000): 195–20.

Ullman, Pierre L. "La estructura epifánica de *Platero y yo*". *Crítica Hispánica* 9.1-2 (1987): 1–29.

Gabriela Mistral:
Poesía infantil

I. La autora

Lucila Godoy y Alcayaga nació en la pequeña ciudad de Vicuña, Chile, en 1889. Adoptó el seudónimo de Gabriela Mistral en 1914, nombre bajo el cual llegó a convertirse en una de las escritoras más célebres de Latinoamérica. A partir de los 16 años Mistral trabajó como maestra, una carrera que emprendió en las zonas rurales de su país y que, eventualmente, la llevó a la capital de Santiago. En esta época, la autora empezó a publicar artículos y sus primeros versos en los periódicos locales, y entró en contacto con el famoso Rubén Darío, quien la animó a publicar sus *Sonetos de la muerte* en 1914. Con esta colección de poemas, centrados en la profunda angustia que sentía la autora ante el suicidio de su prometido, Mistral comenzó a cobrar prestigio como poeta.

En 1922, el ministro de educación de México, José Vasconcelos, y el gobierno mexicano la invitaron a formar parte integral de un programa educativo de la Revolución Mexicana que Vasconcelos mismo dirigió. Mistral pasó dos años felices enseñando en las áreas rurales de México, y aquí publicó su poemario *Desolación* (1922), que incluye sus "Sonetos de la muerte", y *Ternura* (1924), un poemario dedicado a los niños y que también refleja el tema de la maternidad. Después de su estancia en México, Mistral ejerció las funciones de cónsul en los Estados Unidos y en varias ciudades de Europa: Madrid, Lisboa y Nápoles. Participó activamente en congresos y conferencias internacionales de maestros; fue invitada a varias universidades estadounidenses, y contribuyó como escritora en diferentes revistas literarias. Algunos de los artículos escritos en este período, como los famosos *Recados,* aparecieron en el poemario *Tala*, publicado en 1938.

Entre los premios que se le han otorgado a Mistral podemos mencionar el de la Legión de Honor de Francia; varios doctorados Honoris Causa de las Universidades de Guatemala y Florencia; la medalla Enrique José Varona de la Asociación Bibliográfica y Cultural de Cuba; el Premio Nacional de Literatura de Chile (1950); y el premio Nobel de Literatura (1945), el primero que recibe un escritor latinoamericano.

Después de habérsele diagnosticado un cáncer de páncreas, la poeta muere solo un año más tarde, en 1957, en Nueva York; y su último libro, *Poema de Chile*, apareció póstumamente en 1967.

II. El contexto

A lo largo de su vida, Gabriela Mistral se dedicó a los niños, a la educación y a los derechos de la mujer. Siempre mantuvo una íntima relación con su madre y su hermana mayor, especialmente después del abandono de su padre cuando Mistral tenía solo tres años. En 1903, Gabriela Mistral empezó a trabajar como maestra por todo Chile, publicando en estos años artículos como "La instrucción de la mujer", en el que defiende el derecho de la mujer a recibir una educación. Mistral nunca dejó de ser una defensora de la educación, trabajando hasta que logró ser, en 1921, la directora de una escuela para niñas en Santiago. Su experiencia como maestra en México sólo sirvió para destacar su entrega a la educación de los niños; y de 1922 a 1924 se dedicó de lleno a la reforma del sistema educativo del país.

Aunque Mistral nunca tuvo hijos propios, se aprecia la importancia del niño y de la madre en su poemario *Ternura* (1924), dedicado a los niños. La colección se centra en los recuerdos de la infancia y el amor de la madre; no obstante lo cual, en su poesía también se percibe la angustia de estar sola y el miedo de la mujer a la esterilidad.

III. Antes de leer

A. Palabras útiles

1. bajar — descender; *to descend or to go down*
2. besar — tocar a alguien con los labios; *to kiss*
3. beso (m.) — un toque con los labios; *a kiss*
4. caer — bajar o descender; *to drop or to fall*
5. charlar — hablar o platicar; *to chat*
6. charlador/a — que habla mucho; *chatty*
7. cubrir — tapar una cosa con otra; *to cover*
8. cubierto — tapado u oculto; *covered*
9. nido (m.) — lo que hacen los pájaros para poner sus huevos; *nest*
10. nieve (f.) — precipitación de agua helada; *snow*
11. nevado — cubierto de nieve, o blanco como la nieve; *snow-covered, or snowy-white color*
12. piececitos — el diminutivo de "pies"; *tiny feet*
13. tal vez — quizás; *maybe, perhaps*
14. volar — moverse en el aire; *to fly*

B. Actividades de vocabulario

Actividad 1: En las siguientes oraciones, reemplace la palabra subrayada con otra palabra de la lista del vocabulario anterior. No es necesario que la palabra sea un sinónimo, pero la oración no debe perder su sentido con la nueva palabra.

1. Cuando hay mucha lluvia siempre voy a jugar en el parque con mis amigos, y volvemos a casa con la ropa completamente mojada.

____

____

____

2. Cada fin de semana mi familia va a visitar a mis abuelos, y siempre tengo que darle a mi abuelita un gran abrazo.

3. Mis compañeros y yo nunca dejamos de hablar, aunque nuestra maestra de español nos pide que prestemos atención durante su clase.

4. "¿Podemos ir al cine esta noche?" le pregunté a mi mamá. "Pues, es posible, pero tienes que pedirle permiso a tu padre", ella me respondió.

5. Después de un largo invierno busco mi bicicleta porque quiero disfrutar del aire fresco de la primavera, pero ¡siempre está llena de polvo!

Actividad 2: Trabajando como clase, pida que un voluntario escoja una de las siguientes palabras y trate de dibujarla en la pizarra. Al estudiante que adivine la palabra —en español— le toca el siguiente turno.

- bajar o caer
- besar o beso
- nido
- piececitos
- volar

Actividad 3: Vosotros

En el poema "Piececitos", Mistral utiliza la segunda persona plural, "vosotros", para conjugar algunos verbos en el presente. El pronombre vosotros se usa en España, pero en Latinoamérica es más común usar "ustedes". Sin embargo, los dos pronombres, vosotros y ustedes, tienen el mismo significado en inglés: *you (plural).*

Aquí tenemos un repaso de cómo se conjugan los verbos en el presente con "vosotros". Complete los espacios en blanco con la forma correcta del mismo verbo usando "ustedes".

Infinitivo	vosotros	ustedes
dejar	dejáis	
marchar	marcháis	
pasar	pasáis	
poner	ponéis	
ser	sois	

C. Expectativas

1. La primera selección se llama "Miedo". Si la voz poética de este poema es una madre, ¿qué miedo piensa Ud. que tiene ella?
2. Mire la foto de abajo. ¿Cómo se siente Ud. al ver un par de piececitos? ¿Cómo los describiría? ¿Cómo relaciona su descripción con la que la voz poética nos da en "Piececitos"?

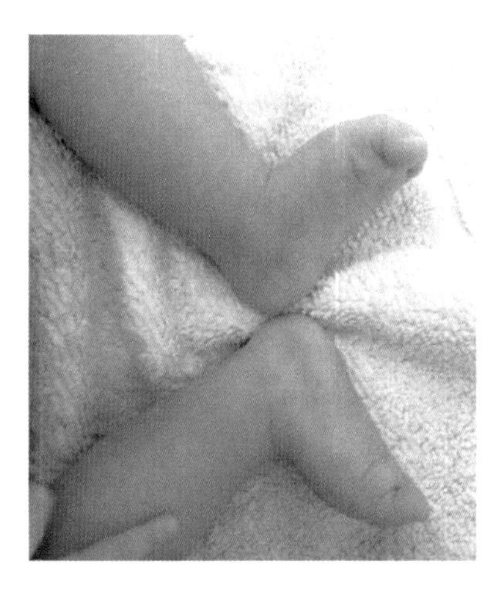

Courtesy of Gina Hofert

3. En el poema "Caricia", la palabra "beso" aparece cinco veces de diferentes maneras. Con esta información, ¿qué puede deducir Ud. del tema del poema? Vuelva a esta pregunta después de leer el poema a ver si su respuesta fue correcta o no.
4. Antes de leer "Mientras baja la nieve", piense en el color de la nieve. ¿Con qué se puede asociar este color? ¿Cómo se siente Ud. al ver la tierra cubierta de nieve?
5. Mientras Ud. lee los siguientes poemas, tenga en cuenta que es muy común ver una inversión en el orden de las palabras en el poema. Por ejemplo, en "Piececitos", Mistral invierte el orden del complemento directo y el verbo; es decir, ella pone el sustantivo antes del verbo en vez de después del verbo. Entonces, leemos en el poema la frase "una flor de luz viva/dejáis", en vez de: "Dejáis una flor de luz viva".

IV. Los textos

MIEDO

Yo no quiero que a mi niña
golondrina[1] me la vuelvan,[2]
se hunde[3] *volando* en el Cielo
y no *baja* hasta mi estera;[4]
5 en el alero[5] hace el *nido*
y mis manos no la peinan.[6]
¡Yo no quiero que a mi niña
golondrina me la vuelvan!

Yo no quiero que a mi niña
10 la vayan a hacer[7] princesa.
Con zapatitos de oro[8]
¿cómo juega en las praderas?[9]
Y cuando llegue la noche
a mi lado no se acuesta...[10]
15 ¡Yo no quiero que a mi niña
la vayan a hacer princesa!

Y menos quiero que un día
me la vayan a hacer reina.
La pondrían[11] en un trono[12]
20 a donde mis *pies* no llegan.
Cuando viniese[13] la noche
yo no podría[14] mecerla...[15]
¡Yo no quiero que a mi niña
me la vayan a hacer reina!

---

[1] una especie de ave; *swallow* [2] en el poema, se puede traducir "me la vuelvan", como *to turn into: "I don't want my little girl turned into a swallow"* [3] hundir = *to sink, here it is closer to "she loses herself in the heavens"* [4] una tela que cubre el suelo; *mat or rug* [5] *eave* [6] arreglar el cabello; *to brush (hair)* [7] "la vayan a hacer"; *they make her into* [8] "zapatitos de oro"; *little golden shoes* [9] una llanura con mucho césped; *meadow* [10] del verbo "acostarse", significa irse a dormir; *to go to bed* [11] del verbo "poner"; *they would put (her)* [12] donde se sientan los reyes y las reinas; *throne* [13] el imperfecto de subjuntivo del verbo "venir"; *would come* [14] del verbo "poder"; *would not be able to* [15] mover a un bebé lentamente; *to rock*

PIECECITOS

Piececitos de niño
azulosos[16] de frío,
¡cómo os[17] ven y no os *cubren*
Dios mío!

5 ¡*Piececitos* heridos[18]
por los guijarros[19] todos,
ultrajados[20] de *nieves*
y lodos![21]

El hombre, ciego,[22] ignora
10 que por donde os pasáis,
una flor de luz viva
dejáis[23]

que allí donde ponéis
la plantita[24] sangrante,[25]
15 el nardo[26] nace más
fragante.

Sed,[27] puesto que[28] marcháis
por los caminos rectos,[29]
heroicos como sois
20 perfectos.

Piececitos de niño,
dos joyitas sufrientes,
¡cómo pasan sin veros[30]
las gentes!

---

[16] como el color azul; *bluish* [17] "os" es el pronombre personal para "vosotros"; *How can they see you and not cover you!* [18] lastimados; *wounded or bruised* [19] piedras pequeñas; *pebbles or stones* [20] normalmente, ofendido por las palabras de alguien; *insulted or abused* [21] barro; *mud* [22] sin visión; *blind* [23] depositar algo; *you leave (something) behind* [24] parte del pie; *sole of foot* [25] que está sangrando; *bleeding* [26] una flor blanca olorosa [27] el mandato del verbo "ser". Mistral quiere decir "sed heroicos"; *be heroic* [28] "puesto que" aquí significa "porque"; *since* [29] en una línea; *straight* [30] el infinitivo del verbo "ver" + "os"; *seeing you*

CARICIA[31]

Madre, madre, tú me *besas*;
pero yo te *beso* más.
Como el agua en los cristales
son mis *besos* en tu faz.[32]

5 Te he *besado* tanto,[33] tanto,
que de mí *cubierta* estás
y el enjambre[34] de mis *besos*
no te deja ya mirar...

Si la abeja[35] se entra al lirio,[36]
10 no se siente su aletear.[37]
Cuando tú al hijito escondes
no se le oye el respirar...[38]

Yo te miro, yo te miro
sin cansarme de mirar,
15 y qué lindo niño veo
a tus ojos asomar...[39]

El estanque[40] copia todo
lo que tú mirando estás;
pero tú en los ojos copias
20 a tu niño y nada más.

Los ojitos que me diste[41]
yo los tengo que gastar[42]
en seguirte[43] por los valles
por el cielo y por el mar...

---

[31] un gesto suave de cariño; *caress* [32] cara [33] mucho; *so much* [34] una multitud de algo, normalmente las abejas; *swarm* [35] el insecto que chupa el polen de las flores; *bee* [36] una flor; *iris* [37] el movimiento de las alas; *flutter of wings* [38] *breathing* [39] *the narrator (a child) sees himself reflected in the mother's eyes* [40] depósito de agua; *pond* [41] el pasado del verbo "dar"; *you gave (me)* [42] aquí, "gastar" significa "usar"; *I have to use them* [43] perseguirte; *following you*

MIENTRAS BAJA LA NIEVE

Ha *bajado* la *nieve*, divina criatura,
el valle a conocer.
Ha *bajado* la *nieve*, mejor que las estrellas.
¡Mirémosla *caer*!

5 Viene calla-callando,[44] *cae* y *cae* a las puertas
y llama sin llamar.
Así llega la Virgen,[45] y así llegan los sueños.
¡Mirémosla llegar!

Ella deshace el *nido* grande que está en los cielos
10 y ella lo hace *volar*.
Plumas *caen* al valle, plumas a la llanada,[46]
plumas al olivar.[47]

Tal vez rompió, *cayendo* y *cayendo*, el mensaje
de Dios Nuestro Señor,[48]
15 *tal vez* era su manto,[49] *tal vez* era su imagen,
tal vez no más su amor.

---

[44] que no hace ningún sonido; *keeping quiet* [45] la Virgen María de la Biblia; *the virgin Mary* [46] un campo llano; *plain, field* [47] *olive grove* [48] *God our father* [49] capa; *cloak*

EL RUEGO[50] DEL LIBRO

He aquí,[51] niña mía,
que me han hecho tu amigo;
he aquí cada día
conversarás conmigo.

5 Ponme una ropa oscura,
la ropa de labor,
trátame con dulzura,
cual si fuera[52] una flor.

No me eches manchas[53] sobre
10 la *nieve* del semblante;[54]
no pienses que recobre[55]
su lámina[56] brillante.

Gozarás,[57] cuando veas
qué hermoso me conservo.
15 Sufrirás, si me afeas,[58]
del daño de tu siervo.[59]

Verás cuando oigas locas
historias infantiles,
qué *charladoras* bocas
20 son mis hojas sutiles.[60]

Mi saber[61] es liviano,[62]
mi saber no es profundo.
Niña, me das la mano
y yo te muestro el mundo.

---

[50] petición; *plea or request* [51] aquí estoy; *here I am* [52] "cual si fuera"; *as if I were* [53] una marca de suciedad; *spot, stain* [54] normalmente, la cara de una persona, pero aquí, del libro; *cover (of the book)* [55] *recover* [56] hoja [57] disfrutarás; *you will enjoy* [58] poner feo; *to make (someone) look ugly* [59] esclavo; *slave* [60] "sutiles" puede decir finas y/o inteligentes; *delicate and/or sharp (intelligent)* [61] aquí, "saber" es un sustantivo que significa lo que uno sabe; *knowledge* [62] fácil, de poca importancia; *frivolous, easy to understand*

25 Yo te presento un hada[63]
y te *charlo* del sol,
de la rosa encarnada,[64]
prima del arrebol;[65]

de la patria[66] gloriosa,
30 de las almas de luz,
de la vida armoniosa
del maestro Jesús.

Mis hojitas *nevadas*
piden solo un favor:
35 de tus manos rosadas[67]
un poquito de amor.

---

[63] *fairy* [64] rojo [65] rojo como el color de las nubes al atardecer [66] lugar de nacimiento; *homeland* [67] de color rosa; *rosy, pink*

V. Después de leer

A. Preguntas de comprensión

1. Según la voz poética de "Miedo", ¿qué le pasará a la niña si se hace golondrina?
2. ¿Por qué no quiere la voz poética que su niña se convierta en princesa o en reina?
3. Al principio de "Piececitos", ¿cómo describe la voz poética los piececitos del niño? ¿Cómo son físicamente?
4. ¿Quién ignora los piececitos, y por qué debe fijarse *(notice)* más en ellos?
5. ¿Quién es la voz poética de "Caricia", y a quién está hablando? ¿Cómo se siente la voz poética en este poema?
6. ¿Qué metáfora usa la voz poética cuando habla de los besos? Es decir, ¿a qué se compara el beso?
7. ¿Cómo llega la nieve a la tierra? Describa el viaje de la nieve desde el cielo hasta el suelo.
8. Hay algunas referencias bíblicas en "Mientras baja la nieve". ¿Cuáles son? Pensando en estas referencias, ¿qué representa la nieve?
9. ¿Quién habla en "El ruego del libro"? ¿Por qué es extraño que ésta sea la voz poética?
10. ¿Qué pide el libro de la niña? ¿Qué puede ofrecerle el libro a ella?

B. Preguntas de análisis

1. Después de leer "Miedo", y según Ud., ¿cuál es el verdadero miedo de la voz poética? ¿Por qué se siente ella así? ¿Cree que éste es un miedo común para las madres y/o los padres?
2. Piense en la descripción de los piececitos de los niños y en la gente del mundo que los ignora. En un sentido amplio, ¿qué representan los piececitos? ¿Qué crítica hace Mistral del mundo con esta comparación?
3. Haga una comparación entre los poemas "Miedo" y "Caricia". ¿Cuáles son sus semejanzas? ¿Qué los diferencia?

4. En el glosario de términos literarios, busque la definición de uno de los siguientes tropos o figuras literarias: anáfora, aliteración, metáfora, símil, o paradoja. Después, busque un ejemplo del término que Ud. eligió en "Mientras baja la nieve" y explique cómo contribuye al sentido del poema.
5. En "El ruego del libro", Mistral emplea la técnica de la personificación o prosopopeya; o sea, ella da características humanas al libro. ¿Por qué sentimos como si el libro fuera un ser humano? Busque palabras y frases que demuestran la personificación del libro.

VI. Sugerencias para los profesores

A. En "Caricia", la voz poética, el niño, se da cuenta del amor que su madre siente por él cuando se ve a sí mismo en los ojos de la madre. A veces, no tenemos que expresar el amor con palabras. Pida que los estudiantes piensen en la posibilidad de expresar el amor sin palabras. ¿Dónde han visto este tipo de amor? ¿Cómo fue expresado? Recuérdeles que el amor no tiene que ser exclusivamente un sentimiento entre personas. Mencione otros tipos de amor que se puede sentir.

B. Repase con los estudiantes la definición de "metáfora". ¿Cómo se distingue una metáfora de un símil? Hágales buscar la variedad de metáforas que Mistral crea en "Mientras baja la nieve". En este poema, ¿qué es la nieve? Después de esta discusión, pídales a los estudiantes que escojan un tema que tiene que ver con su vida diaria y que creen sus propias metáforas relacionadas con el tema. Por ejemplo, si quieren hablar de su familia, ¿cómo describirían a los miembros de su familia recurriendo al uso de metáforas?

C. Normalmente, pensamos en el amor y la amistad como sentimientos que experimenta exclusivamente el ser humano. Sin embargo, en "El ruego del libro", es el libro, una cosa, el que habla y expresa estas emociones. Haga que los estudiantes tomen la perspectiva de una cosa inanimada que suelen utilizar diariamente, como sus zapatos favoritos. ¿Qué emociones podría sentir esta cosa?

¿Cómo se sentirá esta cosa hacia ellos, el mundo u otras cosas?

VII. Más recursos

Agosín, Marjorie, ed. *Gabriela Mistral: The Audacious Traveler*. Athens: Ohio University Press, 2003.

Centro Virtual Cervantes. *Gabriela Mistral*. Instituto Cervantes (España), 2003-2010. <http://cvc.cervantes.es/actcult/mistral/>

Facultad de Filosofía y Humanidades. *Gabriela Mistral*. La Universidad de Chile. <www.gabrielamistral.uchile.cl/>

Gazarian, Marie-Lise. "Gabriela Mistral como educadora". *Revista Hispánica Moderna* 34.3 (1968): 647–60.

Horan, Elizabeth. "Gabriela Mistral: Language is the Only Homeland". *A Dream of Light & Shadow: Portraits of Latin American Women Writers*. Ed. Marjorie Agosín. Albuquerque: University of New Mexico Press, 1995: 119–42.

Marchant, Elizabeth A. "The Professional Outsider: Gabriela Mistral on Motherhood and Nation". *Latin American Literary Review* 27.53 (1999): 49–66.

Miller, Nicola. "Recasting the Role of the Intellectual: Chilean Poet Gabriela Mistral". *Feminist Review* 79 (2005): 134–49.

Mistral, Gabriela. *Poesías completas*. Santiago, Chile: Editorial Andrés Bello, 2004.

José Martí:
"La muñeca negra"

I. El autor

José Julián Martí Pérez nació en La Habana, Cuba, el 28 de enero de 1853, de padres españoles. Debemos señalar que en la segunda mitad del siglo XIX Cuba todavía seguía bajo el control colonial de España.

Además de poeta, novelista, cuentista, ensayista y periodista, Martí fue también pintor y político. Publicó sus primeros escritos políticos en 1869 en un periódico fundado por él, *El Diablo Cojuelo*. A los diecisiete años, el gobierno español lo encarceló por traición, y como resultado de esta horrible experiencia publicó *El presidio político en Cuba* (1871). Luego, fue exiliado en España, donde estudió derecho y se graduó de la Universidad de Zaragoza. Después de su graduación, se trasladó a la Ciudad de México, donde empezó su carrera literaria. En 1876, debido a su oposición al régimen militar mexicano, se vio obligado a vivir en Guatemala, pero aquí también se vio envuelto en problemas políticos con el gobierno local y tuvo que abandonar el país. En 1877 regresó secretamente a Cuba, y en 1878 pudo regresar abiertamente a su patria bajo una amnistía general. Su actividad política contra las autoridades españolas le ocasionó un nuevo exilio, y esta vez se fue a Nueva York; después de un año allí, decidió ir a vivir a Venezuela. Martí, que quería establecerse en este país, participó activamente en la vida literaria de Caracas, pero por su oposición política al dictador Guzmán Blanco (1870–1888) se vio forzado a abandonar el país. Regresó a Nueva York donde, en 1889, fundó su famosa revista para niños, *La edad de oro*, y escribió la mayor parte de su obra literaria a favor de la causa independentista. En

1895, y en defensa de esta causa, Martí escribió el *Manifiesto de Montecristi*, y con ese mismo propósito se unió a un grupo de exiliados revolucionarios cubanos. El 19 de mayo de este mismo año, Martí murió en una de las primeras batallas de los independistas cubanos contra las tropas españolas.

II. El contexto

En 1878, al término de la Guerra de los Diez Años (la primera guerra de independencia entre españoles y cubanos), las partes firmantes del Pacto de Zanjón autorizaron la liberación de todos los esclavos que lucharon en la guerra; pero los esclavos que no participaron en la lucha permanecieron como esclavos por casi diez años más. En 1880, las cortes españolas dictaron una ley que permitía a los dueños de esclavos un patronato de ocho años, lo que significaba que los esclavos tenían que trabajar sin compensación por ocho años más. Finalmente, el 7 de octubre de 1886, se abolió la esclavitud en Cuba.

Desgraciadamente, la abolición de la esclavitud no trajo armonía racial inmediatamente, y el racismo persistió por mucho tiempo. En 1887, sólo el 11% de los afrocubanos de todas las edades podían leer o escribir. No se les permitía tener un asiento en los teatros, y muchos restaurantes y hoteles les negaban el servicio. Asimismo, aunque una ley de 1880 obligó a las municipalidades a crear escuelas que integraran las distintas razas, muchas de ellas simplemente se negaron a cumplir con la ley o formaron escuelas segregadas. Un ejemplo más de esta discriminación se refleja en la política de los oficiales españoles de quitar los títulos de "don" y "doña", que se mantuvieron como señal de respeto para nombrar a los blancos, de los documentos oficiales y de no permitir que los afrocubanos portaran carné de identidad.

Desde muy joven, Jose Martí creía en la igualdad de todos los seres humanos y le horrorizaba el tratamiento de los esclavos africanos en Cuba. Más tarde, tanto en su activismo político como en sus escritos, Martí siempre defendió los derechos y la igualdad de las personas de color.

Durante su estancia en Nueva York, Martí decidió crear una revista mensual para niños: *La edad de oro*. Su intención (que él mismo explica en el prefacio) era escribir para todos los niños americanos ofreciéndoles artículos y cuentos que abarcaran todos los campos, desde las ciencias hasta las humanidades. Quería no sólo enseñarles y entretenerles con una "publicación mensual de recreo e instrucción", como dice la portada, sino también fomentar la creación de una identidad común, continental y hemisférica. Dejó de publicar la revista después de cuatro ejemplares cuando el brasileño A. Da Costa Gómez le retiró su apoyo financiero al negarse Martí a incluir instrucción religiosa en la misma.

El cuento que nos ocupa, "La muñeca negra", se publicó en el cuarto número de *La edad de oro* en octubre de 1889. En este cuento en particular, Martí toca los temas del racismo, la comprensión, y la empatía, temas que reflejan su posición como abolicionista y creyente en la igualdad de todos los seres humanos. Sin embargo, este cuento también revela la influencia del mundo de aquella época en las percepciones y prejuicios de Martí.

III. Antes de leer

A. Palabras útiles

1. alborotado — desordenado, revuelto; *messed up, tousled*
2. almohada (f.) — el cojín sobre que una persona pone la cabeza cuando duerme; *pillow*
3. criada (f.) — una mujer que trabaja en una casa como empleada doméstica; *maid*
4. encender — prender; *to light, to switch on*
5. esconderse — refugiarse; *to hide*
6. pegar — golpear; *to hit*
7. picar — irritar; *to itch*
8. tropezar — chocar con algo y casi caerse; *to trip*
9. ramo (m.) — un grupo de flores que se usa para decorar; *bouquet*
10. retrato (m.) — un dibujo o una pintura de una persona; *portrait*

B. Actividades de vocabulario

Actividad 1: Complete la tabla utilizando el vocabulario de la lista.

	casi caerse al chocar con algo
encender	
	el cojín sobre el que una persona pone la cabeza cuando duerme
picar	
	desordenado, revuelto
esconderse	
	una persona que trabaja en una casa como empleada doméstica
ramo	
	un dibujo o una pintura de una persona
pegar	

Actividad 2: Llene los espacios con la forma y palabra adecuadas de la lista de vocabulario.

1. Cuando alguien me insulta, quiero ______________ le, pero no debo.
2. Este suéter de lana me ______________ muchísimo, voy a ponerme uno de algodón.
3. No duermo muy bien si no tengo una buena ____________________ .
4. Está muy oscuro en este cuarto, ¿puedes ___________ la luz?
5. La pobre chica ____________________ con las escaleras y casi se cae.
6. Para nuestro aniversario, mi esposo me trajo un ___________ de rosas.
7. Manuela trabaja como __________________. Ella limpia y cocina para una familia.
8. Cuando Jaime tenía cinco años, un artista pintó un ______________ de él.
9. Como hacía tanto viento, el pelo de Rosario estaba muy ______________.
10. Como Alejandro no quería que sus padres lo vieran, él _______________________ detrás del sofá.

C. Expectativas

1. ¿Tenía Ud. un juguete favorito cuando era niño/a? ¿Por qué era su juguete favorito? ¿Lo tiene todavía?
2. Estudie los dibujos en el siguiente texto. Según Ud. ¿cómo le parece la niña en los dibujos?

IV. El texto

LA MUÑECA NEGRA

De puntillas,[1] de puntillas, para no despertar a Piedad, entran en el cuarto de dormir el padre y la madre. Vienen riéndose, como dos muchachones. Vienen de la mano, como dos muchachos. El padre viene detrás, como si fuera a *tropezar* con todo. La madre no *tropieza*; porque conoce el camino. ¡Trabaja mucho el padre, para comprar todo lo de la casa, y no puede ver a su hija cuando quiere! A veces, allá en el trabajo, se ríe solo, o se pone de repente como triste, o se le ve en la cara como una luz; y es que está pensando en su hija; se le cae la pluma de la mano cuando piensa así, pero en seguida empieza a escribir, y escribe tan de prisa, tan de prisa, que es como si la pluma fuera volando. Y le hace muchos rasgos[2] a la letra, y las *oes* le salen grandes como un sol y las *ges* largas como un sable,[3] y las *eles* están debajo de la línea, como si se fueran a clavar[4] en el papel, y las *eses* caen al fin de la palabra, como una hoja de palma; ¡tiene que ver lo que escribe el padre cuando ha pensado mucho en la niña! Él dice que siempre que le llega por la ventana el olor de las flores del jardín, piensa en ella. O a veces, cuando está trabajando cosas de números, o poniendo un libro sueco en español, la ve venir, venir despacio, como en una nube, y se le sienta[5] al lado, le quita la plu-

ma, para que repose un poco, le da un beso en la frente, le tira de la barba rubia, le *esconde* el tintero:[6] es sueño no más, no más que sueño, como esos que se tienen sin dormir, en que ve unos vestidos muy bonitos, o un caballo vivo de cola[7] muy larga, o un
25 cochecito, con cuatro chivos[8] blancos, o una sortija[9] con la piedra azul; sueño es no más, pero dice el padre que es como si lo hubiera visto, y que después tiene más fuerza y escribe mejor. Y la niña se va, se va despacio por el aire, que parece de luz todo; se va como una nube.

30 Hoy el padre no trabajó mucho, porque tuvo que ir a una tienda; ¿a que iría el padre a una tienda? y dicen que por la puerta de atrás entró una caja grande; ¿que vendrá en la caja? ¡a saber lo que vendrá! mañana hace ocho años que nació Piedad. La *criada* fue al jardín y se pinchó[10] el dedo por cierto, por querer coger,
35 para un *ramo* que hizo, una flor muy hermosa. La madre a todo dice que sí, y se puso el vestido nuevo, y le abrió la jaula[11] al canario. El cocinero está haciendo un pastel, y recortando en figura de flores los nabos[12] y las zanahorias, y le devolvió a la lavandera el gorro, porque tenía una mancha[13] que no se veía apenas,[14] pero,
40 "¡hoy, hoy, señora lavandera, el gorro ha de estar sin mancha!" Piedad no sabía, no sabía. Ella sí vio que la casa estaba como el primer día de sol, cuando se va ya la nieve, y les salen las hojas a los árboles. Todos sus juguetes se los dieron aquella noche, todos. Y el padre llegó muy temprano del trabajo, a tiempo de ver a su
45 hija dormida. La madre lo abrazó cuando lo vio entrar; ¡y lo abrazó de veras! Mañana cumple Piedad ocho años.

El cuarto está a media luz, una luz como la de las estrellas, que viene de la lámpara de velar,[16] con su bombillo[16] de color de ópalo. Pero se ve, hundida en la *almohada*, la cabecita rubia. Por
50 la ventana entra la brisa, y parece que juegan, las mariposas que no se ven, con el cabello dorado. Le da en el cabello la luz. Y la madre y el padre vienen andando, de puntillas. ¡Al suelo, el toca-

---

[5] *she sits beside him* [6] un frasco que contiene tinta; *inkwell* [7] mata de pelo largo que el caballo tiene en la parte posterior de su cuerpo; *tail* [8] cabra joven; *kid, young goat* [9] anillo; *ring* [10] *pricked* [11] *cage* [12] un vegetal que crece en la tierra; *turnip* [13] suciedad; *stain* [14] no se podía ver mucho; *could hardly see* [15] lámpara que se usa por la noche; *night light* [16] se usa en las lámparas para conducir la luz; *bulb*

dor de jugar![17] ¡Este padre ciego, que *tropieza* con todo! Pero la niña no se ha despertado. La luz le da en la mano ahora; parece
55 una rosa la mano. A la cama no se puede llegar; porque están alrededor todos los juguetes, en mesas y sillas. En una silla está el baúl[18] que le mandó en Pascuas[19] la abuela, lleno de almendras y de mazapanes;[20] boca abajo[21] está el baúl, como si lo hubieran sacudido,[22] a ver si caía alguna almendra de un rincón, o si anda-
60 ban *escondidas* por la cerradura[23] algunas migajas[24] de mazapán; ¡eso es, de seguro, que las muñecas tenían hambre! En otra silla está la loza,[25] mucha loza y muy fina, y en cada plato una fruta pintada; un plato tiene una cereza, y otro un higo,[26] y otro una uva; da en el plato ahora la luz, en el plato del higo, y se ven co-
65 mo chispas[27] de estrellas; ¿cómo habrá venido esta estrella a los platos? "¡Es azúcar!" dijo el pícaro padre. "¡Eso es de seguro!" dice la madre: "eso es que estuvieron las muñecas golosas[28] comiéndose el azúcar". El costurero[29] está en otra silla, y muy abierto, como de quien ha trabajado de verdad; el dedal[30] está machucado[31]
70 ¡de tanto coser! cortó la modista[32] mucho, porque del calicó que le dio la madre no queda más que un redondel[33] con el borde[34] de picos, y el suelo está por allí lleno de recortes,[35] que le salieron mal a la modista, y allí está la chambra[36] empezada a coser, con la aguja[37] clavada, junto a una gota[38] de sangre. Pero la sala, y el
75 gran juego, está en el velador,[39] al lado de la cama. El rincón, allá contra la pared, es el cuarto de dormir de las muñequitas de loza, con su cama de la madre, de colcha[40] de flores, y al lado una muñeca de traje rosado, en una silla roja; el tocador está entre la

---

[17] *The child's vanity/dress-up table falls to the floor!* [18] caja grande donde se pueden guardar cosas; *trunk* [19] día festivo cristiano en que se celebra la resurrección de Jesucristo; *Easter* [20] un tipo de nuez y unos dulces; *almonds and marzipan* [21] *upside down* [22] agitado; *shaken* [23] una cosa que cierra la puerta; *lock* [24] restos diminutos de una comida; *crumbs* [25] platos muy delicados y elegantes; *china* [26] fruta morada que es pequeña y muy dulce; *fig* [27] *sparks* [28] les gustan los dulces; *sweet-toothed* [29] caja en que se guardan las cosas usadas para coser; *sewing box* [30] herramienta de coser que protege el dedo; *thimble* [31] *crushed* [32] persona que cose ropa; *dressmaker* [33] círculo [34] edge [35] pedazos pequeños de tela que no se usan después de cortarla; *clippings* [36] blusa blanca y corta [37] instrumento fino de coser; *needle* [38] cantidad pequeña de un líquido; *drop* [39] mesita que se pone al lado de la cama; *nightstand* [40] cobija que se extiende sobre toda la cama; *bedspread*

cama y la cuna,[41] con su muñequita de trapo,[42] tapada hasta la
80 nariz, y el mosquitero[43] encima; la mesa del tocador es una cajita
de cartón castaño, y el espejo es de los buenos, de los que vende
la señora pobre de la dulcería, a dos por un centavo. La sala está
delante del velador, y tiene en medio una mesa, con el pie hecho
de un carretel de hilo,[44] y lo de arriba de una concha de nácar,[45]
85 con una jarra mexicana en medio, de las que traen los muñecos
aguadores de México; y alrededor unos papelitos doblados, que
son los libros. El piano es de madera, con las teclas[46] pintadas; y
no tiene banqueta de tornillo,[47] que eso es poco lujo, sino una de
espaldar, hecha de la caja de una *sortija*, con lo de abajo forrado[48]
90 de azul; y la tapa cosida por un lado, para la espalda, y forrada
de rosa; y encima un encaje.[49] Hay visitas, por supuesto, y son de
pelo de veras, con ropones de seda lila de cuartos blancos, y zapatos dorados; y se sientan sin doblarse, con los pies en el asiento; y
la señora mayor, la que trae gorra color de oro, y está en el sofá,
95 tiene su levantapiés,[50] porque del sofá se resbala; y el levantapiés
es una cajita de paja[51] japonesa, puesta boca abajo; en un sillón
blanco están sentadas juntas, con los brazos muy tiesos,[52] dos
hermanas de loza. Hay un cuadro[53] en la sala, que tiene detrás,
para que no se caiga, un pomo de olor;[54] y es una niña de sombre-
100 ro colorado, que trae en los brazos un cordero.[55] En el pilar de la
cama,[56] del lado del velador, está una medalla de bronce, de una
fiesta que hubo con las cintas francesas; en su gran moña[57] de los
tres colores está adornando la sala el medallón, con el *retrato* de
un francés muy hermoso,[58] que vino de Francia a pelear porque
105 los hombres fueran libres, y otro *retrato* del que inventó el para-
rrayos,[59] con la cara de abuelo que tenía cuando pasó el mar para
pedir a los reyes de Europa que lo ayudaran a hacer libre su tierra;[60] ésa es la sala, y el gran juego de Piedad. Y en la *almohada*,

---

[41] cama en la que un bebé duerme; *crib* [42] *ragdoll* [43] cortina de tela que impide el paso a los mosquitos; *mosquito net* [44] *spool of thread* [45] *shell of mother-of-pearl* [46] *keys of a piano* [47] silla sin brazos que gira; *swiveling stool* [48] *covered, lined* [49] *lace* [50] mueble en el que descansan los pies; *ottoman* [51] *straw* [52] que no son flexibles; *stiff* [53] pintura; *painting* [54] una botella de perfume; *glass bottle of perfume or cologne* [55] una oveja joven; *lamb* [56] *bed post* [57] cinta grande; *ribbon* [58] este retrato es de Lafayette (1754–1834) [59] barra que conduce los relámpagos; *lightning rod* [60] este retrato es de Benjamin Franklin (1706–1790)

durmiendo en su brazo, y con la boca desteñida[61] de los besos, es-
110 tá su muñeca negra.

Los pájaros del jardín la despertaron por la mañanita. Parece que se saludan los pájaros, y la convidan[62] a volar. Un pájaro llama, y otro pájaro responde. En la casa hay algo, porque los pájaros se ponen así cuando el cocinero anda por la cocina saliendo
115 y entrando, con el delantal[63] volándole por las piernas, y la olla[64] de plata en las dos manos, oliendo a leche quemada y a vino dulce. En la casa hay algo: porque si no, ¿para qué está ahí, al pie de la cama, su vestidito nuevo, el vestidito color de perla, y la cinta lila que compraron ayer, y las medias de encaje? "Yo te digo,
120 Leonor, que aquí pasa algo. Dímelo tú, Leonor, tú que estuviste ayer en el cuarto de mamá, cuando yo fui a paseo. ¡Mamá mala, que no te dejó ir conmigo, porque dice que te he puesto[65] muy fea con tantos besos, y que no tienes pelo, porque te he peinado mucho! La verdad, Leonor; tú no tienes mucho pelo; pero yo te quie-
125 ro así, sin pelo, Leonor; tus ojos son los que quiero yo, porque con los ojos me dices que me quieres; te quiero mucho, porque no te quieren: ¡a ver! ¡sentada aquí en mis rodillas, que te quiero peinar! las niñas buenas se peinan en cuanto se levantan; ¡a ver, los zapatos, que ese lazo no está bien hecho!; y los dientes, déjame

---

[61] *faded* [62] invitan [63] prenda de vestir que se lleva cuando se cocina para proteger la ropa; *apron* [64] utensilio en el que se cocinan las sopas; *pot* [65] *I have made you*

130 ver los dientes; las uñas;[66] ¡Leonor, esas uñas no están limpias! Vamos, Leonor, dime[67] la verdad; oye, oye a los pájaros que parece que tienen baile; dime, Leonor, ¿qué pasa en esta casa?" Y a Piedad se le cayó el peine de la mano, cuando le tenía ya una trenza hecha a Leonor; y la otra estaba toda *alborotada*. Lo que
135 pasaba, allí lo veía ella. Por la puerta venía la procesión. La primera era la *criada* con el delantal de rizos[68] de los días de fiesta, y la cofia[69] de servir la mesa en los días de visita; traía el chocolate, el chocolate con crema, lo mismo que el día de Año Nuevo, y los panes dulces en una cesta de plata; luego venía la madre, con
140 un *ramo* de flores blancas y azules; ¡ni una flor colorada en el *ramo*, ni una flor amarilla!; y luego venía la lavandera, con el gorro[70] blanco que el cocinero no se quiso poner, y un estandarte[71] que el cocinero le hizo, con un diario[72] y un bastón;[73] y decía en el estandarte, debajo de una corona de pensamientos: "¡Hoy cumple
145 Piedad ocho años!" Y la besaron, y la vistieron con el traje color de perla, y la llevaron, con el estandarte detrás, a la sala de los libros de su padre, que tenía muy peinada su barba rubia, como si se la hubieran peinado muy despacio, y redondeándole las puntas, y poniendo cada hebra[74] en su lugar. A cada momento se
150 asomaba[75] a la puerta, a ver si Piedad venía; escribía, y se ponía a silbar;[76] abría un libro, y se quedaba mirando a un *retrato*, a un *retrato* que tenía siempre en su mesa, y era como Piedad, una Piedad de vestido largo. Y cuando oyó ruido de pasos, y un vocerrón[77] que venía tocando música en un cucurucho[78] de papel
155 ¿quién sabe lo que sacó de una caja grande? y se fue a la puerta con una mano en la espalda; y con el otro brazo cargó a su hija. Luego dijo que sintió como que en el pecho se le abría una flor, y como que se le encendía en la cabeza un palacio, con colgaduras azules de flecos[79] de oro, y mucha gente con alas;[80] luego dijo todo
160 eso, pero entonces, nada se le oyó decir. Hasta que Piedad dio un salto en sus brazos, y se le quiso subir por el hombro, porque en un espejo había visto lo que llevaba en la otra mano el padre. "¡Es como el sol el pelo, mamá, lo mismo que el sol! ¡ya la vi, ya la vi, tiene el vestido rosado! ¡dile que me la dé, mamá: si es de pe-

---

[66] *fingernails* [67] mandato de decir; *tell me* [68] tipo de tela; *terrycloth* [69] cosa que se lleva en la cabeza; *cap* [70] *another type of cap* [71] hoja grande de papel en que hay un mensaje; *banner* [72] periódico [73] *cane* [74] *strand* [75] *peaked* (*out the door*) [76] *whistle* [77] vozarrón, aumentativo de "voz" [78] cono; *cone* [79] *fringe* [80] *wings*

165 to[81] verde, de peto de terciopelo,[82] ¡como las mías son las medias, de encaje como las mías!" Y el padre se sentó con ella en el sillón, y le puso en los brazos la muñeca de seda[83] y porcelana. Echó a correr Piedad, como si buscase a alguien". ¿Y yo me quedo hoy en casa por mi niña", le dijo su padre, "y mi niña me deja solo?" Ella
170 *escondió* la cabecita en el pecho de su padre bueno. Y en mucho, mucho tiempo, no la levantó, aunque ¡de veras! le *picaba* la barba.

Hubo paseo por el jardín, y almuerzo con un vino de espuma[84] debajo de la parra,[85] y el padre estaba muy conversador, cogién-
175 dole a cada momento la mano a su mamá, y la madre estaba como más alta, y hablaba poco, y era como música todo lo que hablaba. Piedad le llevó al cocinero una dalia roja, y se la prendió en el pecho del delantal; y a la lavandera le hizo una corona de claveles;[86] y a la *criada* le llenó los bolsillos de flores de naranjo,
180 y le puso en el pelo una flor, con sus dos hojas verdes. Y luego, con mucho cuidado, hizo un *ramo* de no me olvides.[87] "¿Para quién es ese *ramo*, Piedad?" "No sé, no sé para quién es; ¡quien sabe si es para alguien!" Y lo puso a la orilla[88] de la acequia,[89] donde corría como un cristal el agua. Un secreto le dijo a su ma-
185 dre, y luego le dijo: "¡Déjame ir!" Pero le dijo "caprichosa"[90] su madre: "¿y tu muñeca de seda, no te gusta? mírale la cara, que es muy linda; y no le has visto los ojos azules". Piedad sí se los había visto; y la tuvo sentada en la mesa después de comer, mirándola sin reírse; y la estuvo enseñando a andar en el jardín. Los
190 ojos era lo que miraba ella; y le tocaba en el lado del corazón: "¡Pero, muñeca, háblame, háblame!" Y la muñeca de seda no le hablaba. "¿Con que no te ha gustado la muñeca que te compré, con sus medias de encaje y su cara de porcelana y su pelo fino?" "Sí, mi papá, sí me ha gustado mucho. Vamos, señora muñeca,
195 vamos a pasear. Usted querrá coches, y lacayos,[91] y querrá dulce de castañas, señora muñeca. Vamos, vamos a pasear". Pero en cuanto estuvo Piedad donde no la veían, dejó a la muñeca en un tronco, de cara contra el árbol. Y se sentó sola, a pensar, sin levantar la cabeza, con la cara entre las dos manecitas. De pronto

---

[81] parte superior del vestido [82] un tipo de tela suave y grueso; *velvet* [83] un tipo de tela elegante y suave; *silk* [84] *bubbly wine* [85] planta de la que crecen las uvas; *grapevine* [86] *carnations* [87] *forget-me-nots* [88] lado de un río; *bank* [89] canal por el que se conduce el agua; *irrigation channel* [90] *capricious, obstinate* [91] sirvientes masculinos; *footmen*

200 echó a[92] correr, de miedo de que se hubiese llevado el agua el *ramo* de no me olvides.

—¡Pero, criada, llévame pronto![93]

—¿Piedad, que es eso de criada? ¡Tú nunca le dices criada así, como para ofenderla!

205 —No, mamá, no; es que tengo mucho sueño; estoy muerta de sueño. Mira, me parece que es un monte la barba de papá; y el pastel de la mesa me da vueltas, vueltas alrededor, y se están riendo de mí las banderitas;[94] y me parece que están bailando en el aire las flores de la zanahoria; estoy muerta de sueño; ¡adiós, 210 mi madre! mañana me levanto muy tempranito; tú, papá, me despiertas antes de salir; yo te quiero ver siempre antes de que te vayas a trabajar; ¡oh, las zanahorias! ¡estoy muerta de sueño! ¡Ay, mamá, no me mates el *ramo*! ¡mira, ya me mataste mi flor!

—¿Conque se enoja mi hija porque le doy un abrazo?

215 —¡Pégame, mi mamá! ¡papá, pégame tú! es que tengo mucho sueño.

Y Piedad salió de la sala de los libros, con la criada que le llevaba la muñeca de seda.

—¡Qué de prisa va la niña, que se va a caer! ¿Quién espera a 220 la niña?

—¡Quién sabe quién me espera!

[92] empezó a; *began to* [93] *take me away now!* [94] diminutivo de bandera

Y no habló con la *criada*; no le dijo que le contase el cuento de la niña jorobadita[95] que se volvió[96] una flor; un juguete no más le pidió, y lo puso a los pies de la cama; y le acarició a la *criada* la
225 mano, y se quedó dormida. *Encendió* la *criada* la lámpara de velar, con su bombillo de ópalo; salió de puntillas; cerró la puerta con mucho cuidado. Y en cuanto estuvo cerrada la puerta, relucieron[97] dos ojitos en el borde de la sábana; se alzó[98] de repente la cubierta rubia; de rodillas en la cama, le dio toda la luz a la lám-
230 para de velar; y se echó sobre el juguete que puso a los pies, sobre la muñeca negra. La besó, la abrazó, se la apretó[99] contra el corazón: "Ven, pobrecita, ven, que esos malos te dejaron aquí sola; tú no estás fea, no, aunque no tengas más que una trenza; la fea es ésa, la que han traído hoy, la de los ojos que no hablan;
235 dime, Leonor, dime, ¿tú pensaste en mí? mira el *ramo* que te traje, un *ramo* de no me olvides, de los más lindos del jardín; ¡así, en el pecho! ¡ésta es mi muñeca linda! ¿y no has llorado? ¡te dejaron tan sola! ¡no me mires así, porque voy a llorar yo! ¡no, tú no tienes frío! ¡aquí conmigo, en mi *almohada*, verás como te calientas!
240 ¡y me quitaron, para que no me hiciera daño, el dulce que te traía! ¡así, así, bien arropadita![100] ¡a ver, mi beso, antes de dormirte! ¡ahora, la lámpara baja! ¡y a dormir, abrazadas las dos! ¡te quiero, porque no te quieren!"

---

[95] *hunch-backed* [96] que se convirtió; *who became* [97] brillaron; *shone* [98] se levantó [99] *squeezed* [100] vestida; *clothed, nice and warm, wrapped up*

V. Después de leer

A. Preguntas de comprensión

1. ¿Con qué sueña el padre cuando está en su trabajo? ¿Cuál es su trabajo?
2. ¿Por qué están todos ocupados en la casa?
3. Describa el cuarto de Piedad. ¿Con qué juega ella?
4. ¿Cuándo se despierta Piedad y por qué?
5. ¿Por qué no le permitió la madre a Piedad que llevara su muñeca Leonor de paseo?
6. ¿Quiénes vienen al cuarto de Piedad?
7. ¿Cómo se da cuenta Piedad de la muñeca nueva que le ha comprado su padre?
8. Describa la relación entre los padres de Piedad.
9. ¿Por qué dice la madre que Piedad es "caprichosa"?
10. ¿Por qué deja Piedad la muñeca de seda "de cara contra el árbol?"
11. ¿Por qué dice Piedad que tiene mucho sueño y que está cansada?
12. ¿Por qué prefiere Piedad la muñeca negra?

B. Preguntas de análisis

1. ¿Por qué piensa Ud. que el autor pasa tanto tiempo comentando sobre el padre y su trabajo?
2. Considerando que Cuba no ganó su independencia de España hasta 1898, ¿qué significado político revelan los retratos de Lafayette y Benjamín Franklin?
3. ¿Por qué no hay flores coloradas ni amarillas en el ramo?
4. ¿De quién es el retrato de la oficina del padre en el que aparece alguien como Piedad?
5. ¿Por qué es significativo que Piedad le traiga un ramo de no me olvides a Leonor?
6. Compare la apariencia de las dos muñecas con la de Piedad. ¿Qué revelan estas descripciones sobre el estándar de belleza de la época?
7. ¿A quién representa la muñeca de seda en la historia de Cuba?

8. Si la muñeca negra representa a los afrocubanos, ¿qué interpretación sugiere el cuento sobre el trato que recibían en la Cuba de esa época?
9. ¿Cuál es el mensaje principal de este cuento?
10. ¿Piensa Ud. que las lecciones que el cuento nos enseña son relevantes aún hoy en día?

VI. Sugerencias para los profesores

A. Pídales a los estudiantes que traigan fotos de una persona que representa el ideal de la belleza en la actualidad. Prepare ejemplos de modelos de belleza de otras culturas que son diferentes a los nuestros, y facilite una discusión sobre el origen y la subjetividad de los modelos de belleza.
B. Ponga a los estudiantes a escribir sobre un juguete favorito, que lo describan en detalle, y que expliquen cómo lo consiguieron (comprado, regalado, encontrado) y qué lo hace tan especial.

VII. Otros recursos

Cerezal, Fernando. "Enseñar con ternura y sabiduría: Las concepciones pedagógicas de José Martí". *CIEFL Bulletin*. Vol. 7 Nos. 1 & 2 (June–Dec. 1995): 59–76.

González, Ann. "In the Beginning: José Martí and *La edad de* oro". *Resistance and Survival: Children's Narrative from Central America and the Caribbean*. Tucson: University of Arizona Press, 2009: 14–30.

La página de José Martí. http://www.josemarti.org/

Kirk, John M. *José Martí: Mentor of the Cuban Nation*. Gainesville, FL: Board of Regents of the State of Florida, 1983.

Martí, José. *La edad de oro*. Ciudad de la Habana: Editorial Gente Nueva, 1981.

Joaquín Gutiérrez: *Cocorí*

I. El autor

Courtesy of Editorial Legado

Joaquín Gutiérrez Mangel nació el 30 de marzo de 1918 en Puerto Limón, Costa Rica, y perteneció a la generación de escritores costarricenses de la década de los 40. Además de escritor renombrado, fue también cronista de guerra en Vietnam, campeón nacional de ajedrez, y traductor. Gutiérrez vivió en Chile con su esposa hasta 1973, año en que el ejército derrocó al gobierno de Salvador Allende. Gutiérrez simpatizaba con la izquierda y vivió su vida de acuerdo con sus creencias políticas y su fe en la justicia social.

Su obra más popular fue una novela para niños, *Cocorí*, publicada en 1947; pero también escribió varias novelas para adultos en las que destacan personajes de origen caribeño. De estas últimas vale la pena mencionar: *Manglar* (1947), *Puerto Limón* (1950), *La hoja de aire* (1968), *Murámonos Federico* (1973), y *Te acordás, hermano* (1978), por la cual recibió el premio *Casa de las Américas*. Gutiérrez recibió el Doctorado *Honoris Causa* de la Universidad de Costa Rica en 1992, y murió en el año 2000 a la edad de 82 años.

II. El contexto

Joaquín Gutiérrez publicó *Cocorí* en 1947. Esta novela, hasta muy recientemente, formaba parte de la lista de lecturas obligatorias en las escuelas de Costa Rica. La enorme popularidad alcanzada por la obra hizo que fuera traducida a once lenguas diferentes, incluso al braille, y que su venta haya superado los 750.000 ejemplares.

Cocorí cuenta la historia de un niño afrocaribeño que vive en Limón, Costa Rica, una provincia con una gran población de descendientes africanos. Debemos aclarar que, históricamente hablando, muchos de ellos vinieron a Costa Rica de Jamaica en la primera mitad del siglo XX para trabajar en la vía férrea que conecta Puerto Limón con San José. El gobierno de Costa Rica no reconoció a los afrocaribeños como ciudadanos hasta 1948 y, además, limitó su movimiento en el país a la provincia de Limón. Debido a esto, la población afrocaribeña se estableció firmemente en esta provincia y permaneció allí incluso después de ser abolida la prohibición de viajar.

A pesar de la enorme popularidad de *Cocorí*, en el año 2000 surgió una controversia sobre los elementos racistas de la novela, y Gutiérrez se defendió alegando que él considera al personaje de Cocorí como su propio hijo. No obstante, cabe decir que el mismo autor sustituyó una línea de la primera edición donde la muchacha blanca compara a Cocorí con un mono con una descripción menos ofensiva en subsecuentes ediciones. En el año 2000, la corte suprema de Costa Rica determinó que no había elementos racistas en el libro, pero el entonces presidente, Abel Pacheco, sustituyó la lista de lecturas obligatorias con una lista de lecturas sugeridas para así tratar de calmar al público. Sin embargo, algunos críticos de esta medida opinaron que ahora los estudiantes no iban a leer obras de escritores costarricenses porque éstas tenían que competir con otras de la literatura universal. Sin lugar a dudas, uno de los elementos más preocupantes de la obra son los dibujos de Hugo Díaz, incluidos en la edición de *Cocorí* publicada en 1983, en la que los afrocaribeños aparecen como figuras estereotipadas.

III. Antes de leer

A. Vocabulario útil

1. arrancar — sacar, jalar; *to pull out*
2. asombrado (adj.) — sentir sorpresa; *surprised*
3. cargado (adj.) — lleno; *full*
4. cuerda (f.) — soga, un objeto usado para atar cosas; *rope*
5. emprender — empezar, embarcar; *to begin, to set out*
6. mejilla (f.) — cachete, la parte de la cara directamente debajo de los ojos; *cheek*
7. portarse — forma de actuar de una manera; *to behave*
8. remordimiento (m.) — pena, vergüenza; *remorse*
9. saltar — brincar; *to jump*
10. sombra (f.) — un espacio oscuro; *shadow*

B. Actividades de vocabulario

Actividad 1: Complete el crucigrama según las siguientes pistas basándose en la lista de vocabulario.

Horizontal:
1. pena
3. brincar
4. lleno
7. actuar de una manera
8. empezar

Vertical:
2. cachete
3. oscuridad
5. sorprendido
6. sacar, jalar
9. soga

Actividad 2: Llene los espacios con la forma y la palabra adecuadas de la lista de vocabulario.

1. Cuando Elisa vio el problema que ella creó, empezó a sentir ____________________.
2. Cuando Natalia vio a su amiga en el parque, la besó en la ____________________.
3. Los niños siempre ________________ a la cuerda en la calle.
4. El camión llegó al mercado _______________ de frutas y verduras.
5. Antes de plantar flores, Marco tiene que ________________ las malas hierbas.
6. La hija de Bernarda ________________ bien en la escuela; siempre escucha a la maestra.
7. Necesito una ______________ para atar el colchón (*mattress*) al techo del carro.
8. Cuando Gilberto entró en la casa y vio la fiesta sorpresa, se sintió ___________.
9. Nina va a ____________________su viaje el martes que viene.
10. En el sótano hay muchas ______________ porque no hay mucha luz.

C. Expectativas

1. Estudie los dibujos. ¿Contienen estereotipos? ¿Cuáles son?
2. ¿Piensa Ud. que una persona tiene el derecho de representar una cultura que no es la suya en sus obras?
3. Cocorí fue un indígena que peleó valientemente contra los españoles. Dada esta información, el título de la novela, y los dibujos, ¿de qué piensa Ud. que se trata esta novela?

IV. El texto

EN EL BARCO VIENE UNA ROSA

Dibujos de Hugo Díaz

En el agua tranquila de la poza,[1] las copas[2] de los árboles se reflejaban reproduciendo una selva[3] submarina.

Cocorí se agachó[4] para beber en el hueco[5] de las manos y se detuvo *asombrado* al ver subir del fondo[6] del agua un rostro[7]
5 obscuro como el caimito,[8] con el pelo en pequeñas motas[9] apretadas. Los ojos de porcelana de Cocorí tenían enfrente otro par de ojos que lo miraban *asustados*. Pestañeó,[10] también pestañearon. Hizo una morisqueta[11] y el negrito del agua le contestó con otra idéntica.

10 Dio una palmada[12] en el agua y su retrato se quebró[13] en multitud de fragmentos. Estaba muy contento Cocorí y su risa descubrió sus encías[14] rosadas como papayas. Por primera vez se había atrevido a penetrar entre los árboles milena-

---

[1] charco; *puddle* [2] parte superior de un árbol; *tops* [3] bosque tropical; *jungle* [4] *crouched* [5] vacío; *hollow* [6] *bottom* [7] cara; *face* [8] una fruta morada que crece en zonas tropicales [9] *locks, naps* [10] cerró y abrió sus ojos rápidamente; *blinked* [11] hizo una cara rara; *made a face* [12] le pegó al agua con la mano abierta; *slapped* [13] se rompió; *was broken* [14] *gums*

rios[15] de la selva y, lleno de curiosidad y excitación, vivía una
15 aventura magnífica. Ya mamá Drusila debía estar impaciente:

—Cocorí, anda a traerme leña[16] —le había dicho.

Pero recogiendo una rama[17] por aquí y otra por allá se había ido adentrando[18] en el bosque, y regresó.

20 Cruzó los primeros matorrales[19] en los límites de la selva. Se apresuró, receloso,[20] porque el sol comenzaba a ocultarse en el horizonte y se iniciaba el concierto nocturno.

—*Croá,*[21] *croá, qué susto*[22] *me da.*

El sapo le gritaba desde su pantano,[23] y el grillo[24] interve-
25 nía con su voz en falsete:

—*Cri,*[25] *cri, cri, apúrate, Cocorí.*

Las ramas se alargaban como garras[26] para atraparlo y veía *sombras* pavorosas[27] por todas partes. Y cuando un búho[28] abrió su ojo redondo y le gritó:

30 —*Estucurú,*[29] *¿qué buscas tú?,*

Cocorí *arrancó* despavorido a todo lo que le daban las piernas. Corriendo cruzó frente al rancho del Campesino.[30] Un olor a pescado frito le alegró las narices.

—Adiós, Cocorí, ¿a dónde vas tan ligero?[31]

35 Pero no tenía ánimo[32] de contestar y no se detuvo hasta que se encontró a salvo[33] junto a mamá Drusila. Aferrado[34] a sus faldas se sintió tranquilo, porque las mamás pueden defender a sus negritos de la montaña, del hambre, del jaguar o del relámpago.[35]

40 Por eso no protestó del pellizco[36] de la negra que le decía:

—¿Dónde has estado?

---

[15] antiguos; *ancient* [16] pedazos de madera para quemar; *firewood* [17] *branch* [18] *had gone deep into* [19] grupos de arbustos; *thickets* [20] *he hurried apprehensively* [21] el sonido del sapo [22] miedo; *fright* [23] ciénaga; *swamp* [24] insecto; *cricket* [25] sonido del grillo [26] *The branches lengthened like claws* [27] espantosas; *terrifying* [28] ave que sólo aparece por la noche; *owl* [29] sonido del búho [30] persona que vive en el campo; *farmer* [31] rápido [32] no tenía ganas; *he didn't feel like* [33] seguro; *safe* [34] *clinging* [35] *lightning* [36] *pinch (culturally aceptable way to punish a child rather than spanking)*

Cocorí no le contestó, lleno de *remordimientos*, porque siempre le había prohibido que se aventurara en el bosque. Además, a mamá Drusila era mejor dejarla que se serenara[37]
45 sola.

Después de la comida Cocorí salió a la playa. La selva, a sus espaldas, elevaba su mole tenebrosa[38] y casi impenetrable. De ella salían, a veces, impresionantes mensajeros[39] que ponían sobresaltos[40] en el corazón del Negrito. El afelpado[41]
50 Jaguar aparecía en los linderos[42] de la playa en acecho[43] de doña Tortuga, que se hacía un ovillo, atrincherada en su caparazón,[44] y a veces don Zorro, en rápida visita, secuestraba las más tiernas aves del corral.

El mar, enfrente, era también dueño y señor de innumera-
55 bles secretos que aguijoneaban[45] la imaginación de Cocorí. Por eso corrió hacia el círculo de pescadores, que, a la luz de la luna, referían sus aventuras heroicas en el mar y en la selva.

Acuclillado[46] en el ruedo de hombres escuchó una vez más al Pescador Viejo —sus barbas blancas bailaban con los vientos sa-
60 linos—[47] contar de los hombres rubios que vivían al otro lado

---

[37] se tranquilizara; *calm down* [38] oscura; *dark, gloomy* [39] *messengers* [40] *starts, frights* [41] suave; *plush* [42] límites; *boundaries* [43] en espera; *in wait* [44] *made herself into a ball hunched within her shell* [45] manejaban; *drove* [46] *squatting* [47] salado; *salty*

del mar, de la dentellada fugaz del tiburón,[48] de las anguilas[49] eléctricas y de la iguana acorazada[50] con su lengua de siete palmos.[51]

—Dime, Pescador —preguntó el Negrito—: ¿quién es más
65 fuerte, el Caimán o la Serpiente Bocaracá?

El Viejo se rascó[52] las barbas, dubitativo,[53] guiñó un ojo y, por último, respondió:

—Todo depende. Si el Caimán la muerde primero, gana el Caimán; pero si la Serpiente lo aprisiona entre sus anillos[54]
70 y comienza a destrozarlo con su abrazo. . . ¡adiós Caimán!

La conversación se alargó hasta que los párpados[55] de Cocorí comenzaron a pesarle[56] y a duras penas[57] se fue trastabillando[58] de sueño hasta su casa. Lo último que escuchó fue la canción de cuna[59] de mamá Drusila:

75 —*Duérmete, negrito, cara de moronga,*[60] *que si no te duermes te lleva candonga.*[61]

Al alba,[62] Cocorí *saltó* de su hamaca. El canto del gallo corría por el caserío:[63]

—*Quiquiriquí,*[64] *ya estoy aquí.*

80 Se lavó la cara con el agua fresca de la tinaja de barro[65] y se encaminó a ordeñar[66] las cabras.[67] Pero al salir a la playa, comprendió que sucedía algo inusitado.[68] Los hombres del pueblo gesticulaban exaltadamente frente al mar. Con el sol matutino[69] sus *sombras* se prolongaban enormes por los arena-
85 les[70] y venían a lamer[71] las piernas de Cocorí. Algunos lanzaban[72] sus sombreros al aire y la algazara[73] crecía por momentos. El viento trajo los gritos:

—Un barco.

—Que viene un barco.

90 —Llegan los hombres rubios.

---

[48] *the quick bites of a shark* [49] peces largos; *eels* [50] *armor-plated* [51] *hand span* [52] *scratched* [53] con indecisión; *doubtful* [54] *coils* [55] *eyelids* [56] *became heavy* [57] con gran dificultad [58] *staggering* [59] *lullaby* [60] salchicha del color de la sangre [61] figura que asusta, monstruo; *monster* [62] amanecer; *dawn* [63] casa de campo; *country house* [64] sonido del gallo [65] *earthenware jar* [66] *to milk* [67] *goats* [68] raro; *unusual* [69] de la mañana; *morning* [70] áreas de tierra arenosa; *sandy earth* [71] *to lick* [72] tirar; *threw* [73] mezcla de ruidos fuertes; *racket, uproar*

El corazón del Negrito dio un vuelco.[74] Se olvidó de la cabra y la dejó tranquila triscando[75] la mata de orégano. Se precipitó hacia[76] el mar y pronto compartía la excitación de los demás.

El Pescador Viejo sentenció:[77]

—Hacía veinte lunas que no venía ninguno.

Los ojos de Cocorí quedaron prendados[78] del mar inmenso que centelleaba[79] asperjado[80] de diamantes. Una lejana[81] columna de humo[82] delgado se elevaba[83] en el horizonte.

Tenía una vaga idea de los barcos. En las noches de luna había preguntado:

—¿Cómo son los barcos?

—Grandes, como todas las casas del pueblo juntas —le habían respondido—. Comen fuego y echan a correr bufando.[84] —Pero nunca había visto ninguno. Por fin resolvería un misterio.

Los pescadores comenzaron a empujar[85] sus botes al agua *cargados* con frutas olorosas y multicolores: caimitos, papayas, piñas, plátanos. Adornaron las bordas[86] con rojas flores y desde lo alto del mástil[87] colgaron largas guirnaldas[88] de orquídeas.

Cocorí se coló por[89] entre las piernas de los mayores y, encogiéndose[90] lo más posible para pasar inadvertido,[91] se acomodó[92] en una lancha.

Poco después todos bogaban[93] bajo el sol ardiente.

El casco del barco relucía[94] sobre las aguas. Con sus banderas multicolores y la gran chimenea pintada de blanco que arrojaba[95] una gruesa columna de humo, infundía[96] en Cocorí una temerosa[97] fascinación. Los ojos querían *saltársele*.

Ya más cerca, vieron a los hombres acodados[98] en la borda. Eran como los que describía el Viejo Pescador. El contramaestre,[99] con su cabellera roja revuelta[100] por el viento, hizo gritar al Negrito:

—Miren, se le está quemando el pelo.

---

[74] *turned* [75] *frolicking, nipping* [76] *he rushed towards* [77] declaró [78] *were captivated* [79] brillaba; *sparkled* [80] *sprinkled* [81] de lejos; *far off* [82] *smoke* [83] *was rising* [84] *snorting* [85] *to push* [86] *rails* [87] *mast* [88] *garlands* [89] *slipped through* [90] *shrinking* [91] no observado; *unnoticed* [92] *settled himself* [93] remaban; *rowed* [94] brillaba; *shone* [95] despedía; *sent off* [96] inspiraba; *inspired* [97] recelosa; *fearful* [98] *leaning on elbows* [99] *boatswain* [100] desordenada; *tousled*

Los negros se rieron alegres mientras recogían[101] las sogas[102] para aproximarse[103] al barco. Cocorí se apoderó[104] de una y, agarrándose[105] con pies y manos, trepó[106] ágilmente hasta el puente.[107] Cuando de un *salto* cayó sobre la cubierta,[108] un grito lo sorprendió:

—Mamá, ¡mira qué raro!

Cocorí buscó alrededor. ¿De qué hablarían? Hasta que se dio cuenta de que hablaban de él y la cara se le puso morada como una berenjena.[109]

Miró enfurruñado[110] a la niña, pero el *asombro* le disipó el mal humor.

"Es linda —pensó— como un lirio de agua".

Suave y rosa, con ojos como rodajas[111] de cielo y un puñado de bucles[112] de sol y miel, la niña se acercaba poco a poco.

—Pero si es un niño, como yo... —y se abalanzó hacia él—. ¡Pero está todo tiznado![113]

Pasó un dedito[114] curioso por la *mejilla* de Cocorí.

—¡Oh mamá, no se le sale el hollín![115] —y los ojos celestes[116] reflejaban desconcierto.

El Negrito estaba como clavado[117] en su sitio, aunque tenía unos deseos frenéticos[118] de desaparecer. Hubiera querido

---

[101] *took hold of* [102] cuerdas [103] acercarse; *get closer to* [104] se adueñó; *seized* [105] *clinching* [106] subió; *climbed* [107] *gun deck* [108] *deck* [109] vegetal morado; *eggplant* [110] *sulkily* [111] rebanadas; *slices* [112] *handful of ringlets* [113] lleno de cenizas (*ashes*); *the boy has soot on his face* [114] diminutivo de dedo [115] suciedad; *soot* [116] azul; *in Costa Rica, eyes are either "claros" or "celestes" for blue* [117] *rooted* [118] enloquecidos; *frantic*

145 lanzarse de zambullida[119] al agua, pero no le obedecían las piernas. Su desconcierto[120] creció cuando la mamá se acercó a mirarlo, y de un *salto* alcanzó la *cuerda* y se deslizó[121] hasta la lancha. La niña, desde la borda, lo buscaba con la vista entre las flores y frutas, pero Cocorí, escondido debajo del asien-
150 to, sólo asomaba de vez en cuando un ojo todavía *cargado* de turbación.[122]

De vuelta a la playa, la comezón de la inquietud le recorría[123] el cuerpo. ¡*Se había portado* tan tonto! Con gusto se tiraría[124] los pelos, se daría de puñetes,[125] gritaría. ¿La había
155 enojado? Y el pesar agolpaba las lágrimas a los ojos de Cocorí.

Por fin tuvo una idea.

Corrió a lo largo de la playa recogiendo el tornasol de las conchas,[126] los caracoles nacarados,[127] las estrellas de mar y los arbolits de coral, *saltando* entre las rocas con riesgo de resba-
160 lar[128] y darse un peligroso chapuzón.[129]

Con todos sus tesoros esperó el momento en que una lancha partió[130] *cargada* de cocos hacia el barco y repitió la travesía.[131] Cuando las obscuras manitas, rebosantes[132] de reflejos, depositaron el cargamento[133] de luces en su falda, la niña gritó
165 jubilosa:

—¡Qué lindos caracoles! Este parece un trompo,[134] ése una estrella, aquél un pájaro —y con *saltos* de alegría corría a mostrarlos a todos los tripulantes.[135]

—Escucha —le dijo Cocorí, acercándole un enorme caracol a
170 la oreja— el canto del mar.

Y la niña, embelesada,[136] oyó un lejano fragor[137] de tempestad.

Cocorí era feliz. La niña le hablaba, le sonreía encantada. Arrastrado[138] por su alegría, comenzó a contarle las mil y
175 una historias del Pescador. Le habló del maligno don Tiburón, de las flores carnosas[139] como frutas y de los monos turbulentos y traviesos.

A la niña se le llenaron de luz los ojos celestes:

---

[119] *to dive* [120] confusión [121] *slid* [122] vergüenza; *embarrassment* [123] atravesaba; *a twinge of worry ran through* [124] se sacaría; *pull out* [125] *blows from his fists* [126] *shells* [127] *shells of mother-of-pearl* [128] deslizarse; *slipping* [129] *to go for a dangerous swim* [130] salió; *departed* [131] viaje; *trip* [132] *overflowing with* [133] *cargo* [134] *spinning top* [135] *crew members* [136] hechizada; *spellbound* [137] ruido; *clamor* [138] convencido; *won over* [139] *fleshy*

—¿Hay monos?
180 —¡Uf!, muchísimos.
—¿Y viven cerca?
Cocorí, disimulando[140] su ignorancia en los secretos de la selva, señaló con su dedito hacia las copas de los cedros:[141]
—Allí vive la tribu de los Tities.
185 —¡Ay, cómo quisiera tener uno! ¿Es muy difícil atraparlo?
Por la mente del Negrito pasaron fugazmente[142] las prohibiciones de mamá Drusila, los ruidos que había escuchado la tarde anterior, el miedo al Tigre y a la Serpiente. Pero la niña tenía tanta ilusión en los ojos, que todo lo olvidó.
190 —Yo te traeré uno —le prometió impulsivo.
Ella le lanzó los brazos al cuello y le dio un sonoro[143] beso en la *mejilla*. Después le dijo, entre exclamaciones de alegría:
—Yo también quiero regalarte algo.
Y rápido corrió hacia su camarote.[144] Cocorí se quedó pen-
195 sando en la temeridad[145] de su ofrecimiento, cuando la vio reaparecer. Entre sus manos traía una Rosa. Parecía hecha de cristal palpitante, con los estambres[146] como hilos de luz y rodeada de una aureola[147] de fragancia.
Para Cocorí era algo mágico. Retrocedió[148] unos pasos
200 *asombrado*. El sólo conocía las grandes flores carnosas de su trópico. Esta flor era distinta. Jamás podría cerrar sus pétalos para comerse una abeja[149] como lo hacían las flores de la manigua.[150] Su perfume no tenía ese aroma hipnótico de las orquídeas. Era un color leve[151] como una gasa transparente
205 que envolvió[152] a Cocorí en su nube.
Miró a la niña atónito[153] y volvió a ver la Rosa.
"En el país de los hombres rubios —pensó el Negrito—, las niñas y las flores son iguales".
Y con su Rosa apretada[154] contra el pecho, celoso[155] del
210 viento que quería arrebatársela,[156] Cocorí *emprendió* el regreso hacia la costa.
Esa noche la flor iluminó la choza[157] de mamá Drusila.

---

[140] escondiendo; *hiding* [141] tipo de árbol; *cedars* [142] *fleetingly* [143] ruidoso; *noisy* [144] cabina; *cabin* [145] *recklessness* [146] *stamens; the part of the flower that carries the pollen* [147] *aura* [148] se movió atrás; *he stepped back* [149] *bee* [150] selva; *jungle* [151] no pesado; *light* [152] *wrapped up* [153] asombrado; *amazed* [154] *tight* [155] *jealous* [156] *take it away from him* [157] casa muy pequeña; *hut*

V. Después de leer

A. Preguntas de comprensión

1. ¿De qué se asombra Cocorí cuando se detiene a beber agua de la poza?
2. ¿Qué ha hecho Cocorí por primera vez?
3. ¿Por qué se asusta Cocorí cuando está en la selva?
4. ¿Por qué está Cocorí lleno de remordimientos?
5. ¿Qué historias cuenta el Pescador Viejo?
6. ¿Qué trabajo tiene Cocorí por la mañana?
7. ¿Qué acontecimiento interrumpe la rutina diaria del pueblo?
8. ¿Qué les llevan los pescadores a los hombres rubios?
9. ¿Cómo llega Cocorí al barco de los hombres rubios?
10. ¿Por qué piensa Cocorí que el pelo de uno de los marineros se le está quemando?
11. ¿Cómo explica la niña el color negro de la piel de Cocorí al principio?
12. ¿Por qué está Cocorí disgustado cuando regresa del barco?
13. ¿Qué le trae Cocorí a la niña?
14. ¿Qué le promete hacer Cocorí a la niña?
15. ¿Qué le da la niña a Cocorí?

B. Preguntas de análisis

1. ¿Por qué piensa Ud. que Cocorí no se reconoce en la poza?
2. Compare y contraste la reacción de Cocorí y la niña cuando se conocen. ¿Cómo se describen?
3. Basándose en el contexto, ¿cómo se puede interpretar la reacción de Cocorí después de su primer encuentro con la niña rubia?
4. ¿Qué significado le da a la rosa?
5. ¿Cómo interpreta el viaje de Cocorí dentro de la selva?

VI. Sugerencias para los profesores

A. Pídales a los estudiantes que traigan objetos que representan su cultura y que expliquen su significado.
B. Debatan en clase las acusaciones de racismo que ha recibido el libro.

VII. Otros Recursos

González, Ann. "The Debate Over Racism: Joaquín Gutiérrez and *Cocorí*". *Resistance and Survival: Children's Narrative from Central America and the Caribbean*. Tucson: The University of Arizona Press, 2009: 64–79.

Gutiérrez, Joaquín. *Cocorí*. Santiago de Chile: Editorial Rapa-Nui, S.A., 1947; 2nd. Ed. San José, Costa Rica, 1995.

"Joaquín Gutiérrez Mangel". *Ministerio de Cultura y Juventud*. 08 May 2010. http://www.mcjdcr.go.cr/magon/joaquin_gutierrez_1975.html.

Káñina: Revista de Artes y Letras de la Universidad de Costa Rica. (2004): 28. (Este número completo está dedicado a la controversia política).

Sección Tres

Los Grupos Sociales:
La política y la ideología

Desde la conquista del Nuevo Mundo, la disparidad socioeconómica entre los invasores europeos y los indígenas ha sido enorme. Durante la colonia, y aun después, en la época de la post-independencia, estas diferencias siguieron agudizándose entre los ricos y los pobres, los **terratenientes** y aquellos sin tierra, los **ladinos** (no indios) y los indígenas, al igual que entre otros grupos inmigrantes marginalizados. El hecho de que no hay una clase media significativa enfatiza las diferencias entre los ricos y los pobres, y hace aún más visibles y pronunciados los problemas socioeconómicos resultantes.

Las inequidades van más allá del poder adquisitivo y los estándares de vida, llegando a formar parte de la identidad social de los varios grupos. Este estatus social se caracteriza por una serie de estereotipos provenientes de la conquista que se reflejan en la dicotomía entre la civilización y la barbarie esbozada por Domingo Faustino Sarmiento a mediados del siglo XIX. Esta división entre los supuestos ricos, cosmopolitas urbanos, educados, y civilizados, por un lado, y los campesinos o indígenas salvajes, ignorantes, e incultos, por el otro, ha servido de justificación ética y moral para apoyar sistemas políticos, legales y socioeconómicos por todo el continente, sistemas que niegan los derechos políticos, legales y hasta humanos a las masas, la gente que José Martí llamaba "los hombres naturales", (los **mestizos** e indígenas). Estos sistemas políticos, que incluyen a una minoría de privilegiados y excluyen a los demás, se basan sobretodo en el racismo, y dejan a los grupos **subalternos** (los otros) sin acceso al poder o sin una voz para protestar por su situación.

Aunque normalmente no asociamos el tema político con la literatura infantil, tenemos que entender que los autores hispanoamericanos han participado desde un principio en la política de su región. Por lo tanto, en estas latitudes nunca ha existido una separación clara entre el oficio del escritor y el oficio del político. Históricamente, en Latinoamérica han sido los escritores e intelectuales los que, no sólo en la literatura para adultos sino también en la literatura infantil, han denunciado las situaciones deplorables en las que viven los grupos marginalizados. Carlos Fuentes, reconocido autor mexicano, insiste en que el escritor tiene el deber de hablar por los que no pueden hablar por sí mismos. Asimismo, arguye que la literatura latinoamericana, desde su inicio, ha ofrecido la posibilidad de reescribir la historia y ofrecer versiones alternativas de la "historia oficial". Las posiciones políticas, entonces, se quiera o no, se encuentran intercaladas en la literatura.

Lo interesante es ver cómo España también incluye temas referentes a problemas socio-políticos en su literatura para niños. Juan Ramón Jiménez en *Platero y yo*, uno de los libros favoritos dentro del **canon** de la literatura infantil del mundo hispanoparlante, menciona frecuentemente a los niños pobres que salen a jugar sucios y hambrientos. Ana María Matute, asimismo, una afamada escritora española, es otra voz que muestra la situación desesperada de los pobres no sólo en su obra para adultos, sino en sus cuentos para niños también. Al parecer, una gran parte de la literatura infantil escrita en español, tanto en España como en Latinoamérica, tiene como objetivos el de concientizar al niño sobre los problemas de la inequidad socioeconómica y el de facilitarle el desarrollo de su responsabilidad social.

Este tema, el de concientizar a la gente sobre los problemas sociales, es un aspecto de la literatura infantil escrita en español que difiere considerablemente de la literatura dirigida a los niños angloparlantes. Por lo general, la literatura en inglés tiene finales felices, y trata de crear ambientes seguros y placenteros para los niños lectores. Sin embargo, la literatura infantil de Latinoamérica le recuerda constantemente al niño de la gente que no tiene ni siquiera suficiente para comer. Mientras que la literatura infantil norteamericana quizá les recuerda a sus niños lectores de la pobreza en la India o África, ésta se presenta casi siempre como un problema lejano o una situación de los "otros" más que un problema que viven ellos mismos a diario. Los escritores de Latinoamérica, por otro lado, no sólo incluyen el hambre como uno de sus temas principales, sino que además describen los barrios pobres de sus propias ciudades. Los cuentos infantiles del nicaragüense Clemente Guido, *Papitó, contame un cuento* (1996), por ejemplo, abundan en referencias específicas a lugares conocidos por sus pequeños lectores, como barrios en los que se sufre la pobreza extrema. Asimismo, el punto de partida de muchos cuentos en español es el hambre; y al no tener nada que comer, el protagonista se ve en la necesidad de salir a buscar comida. Esta búsqueda, que da origen a las aventuras del personaje principal, la vemos desde el *Lazarillo de Tormes* (1554) y la **literatura picaresca** española del siglo XVI.

Además, y de acuerdo con la crítica literaria contemporánea y los estudios lingüísticos, sabemos que el mismo lenguaje incorpora y refleja dentro de sí una determinada ideología. Obras que aparentemente carecen de un tema político pueden revelar una perspectiva cultural y los valores de un escritor; es decir, pueden revelar la ideología que subyace a todo lo escrito. Por ejemplo, hay estudios de obras escritas por autores ingleses que demuestran una velada ideología de superioridad británica con respecto a los habitantes de sus colonias de la India y de África. Otros estudios sobre obras norteamericanas revelan cómo subyace, de forma implícita, una ideología racista y machista en la literatura infantil de los Estados Unidos.

Así que, de cualquier libro, incluso de la literatura infantil, podemos hacer una lectura de tipo sociopolítico aunque el autor tome una supuesta posición neutral o relate una historia que no parece tener ni fondo ni dimensión políticos. Podemos decir que casi siempre, si no siempre, existe, por un lado, un cuento que el autor quiere contar y, por otro, una o varias historias que cuenta sin querer o sin darse cuenta. Mientras que el joven lector, probablemente, no capta la totalidad de los significados de lo que lee, nosotros, los adultos, no podemos leer con similar ingenuidad.

Nuestra meta es llegar a ser lectores más sofisticados con una perspectiva crítica más amplia, y esto en definitiva, requiere que, perdamos nuestra inocencia. Tenemos que estar atentos, sea con una obra literaria escrita para un público adulto o una obra escrita para niños, a todos los trucos y manipulaciones que utiliza el escritor para construir su relato, y a todos los mensajes, tanto explícitos como implícitos, que se usan para exponer la red de significados asociados con cualquier texto. Por lo tanto, una de las múltiples áreas que debemos explorar y analizar en todo discurso, aún en el de la literatura infantil más sencilla, es la del contexto sociopolítico e ideológico que subyace en la obra.

Los autores de los cuentos y poemas que se incluyen en esta sección cuentan una historia doble, una que entretiene al niño, y otra que refleja una situación sociopolítica determinada. En el cuento del peruano César Vallejo, que presentamos a continuación, la historia empieza cuando una familia indígena se muda del campo a la ciudad para mejorar su desesperante situación económica. El niño indígena de pronto se encuentra rodeado de nuevas circunstancias en las que su mundo está controlado por los blancos, ricos y poderosos. La aparente objetividad y neutralidad de la descripción de los hechos disimula una condenación implícita del sistema desigual que percibe tanto el niño como el adulto. El cuento provoca reacciones de enojo e indignación en los lectores que esperan el éxito del protagonista. Se sienten defraudados por un final trágico donde nada cambia y las injusticias continúan de generación en generación. Claramente, el autor busca desarrollar una **conciencia social** en el niño, es decir, una sensibilidad hacia los problemas del "otro".

La segunda obra es una breve pieza teatral escrita por la conocida poeta argentina Alfonsina Storni. El drama muestra a un niño pobre y hambriento cuyos únicos momentos de felicidad ocurren mientras sueña. Su vida es tan dolorosa que podría concluirse que lo mejor sería que durmiera para siempre. El poema que sigue, del colombiano Rafael Pombo, conocido por su lírica infantil, requiere que el niño tome conciencia de que la pobreza existe para poder reconocer la **ironía** de la obra. La voz poética aparentemente simpatiza con "la pobre viejecita", pero sus descripciones indican que la mujer no es nada pobre; al contrario, tiene gran cantidad de pertenencias; nunca está satisfecha con lo que tiene, y siempre se queja de todo. Por lo tanto, es necesario que el niño lector tenga cierto nivel de sofisticación para entender el sarcasmo del autor. Aunque las palabras de la voz poética simpatizan con "la pobre viejecita", el tono cómico e irónico desafía y contradice esta falsa simpatía. Al final, terminamos riéndonos de esta vieja tonta que no se da cuenta de los beneficios que tiene y que debería gozar.

"El medio pollito", de la puertorriqueña Rosario Ferré, requiere un conocimiento básico de la historia y de la situación política de la isla para entender de lleno las ramificaciones políticas del cuento. Puerto Rico es un Estado Libre Asociado de los Estados Unidos; es decir, Puerto Rico ni es un país completamente independiente, ni es un estado más de los Estados Unidos. En otras palabras, existe como "el medio pollito", como un país al que siempre le falta la mitad de su ser. Además del tema histórico-político, también vemos una vez más el hambre del pueblo como el factor que motiva la acción.

"La abeja haragana", el cuento de Horacio Quiroga, contiene varios puntos que se pueden entender desde una perspectiva sociopolítica, aunque superficialmente parece ser una sencilla fábula que enseña el valor del trabajo. Al exigir el trabajo diario de una abeja haragana (perezosa), las otras abejas refuerzan la importancia del trabajo de cada miembro de una sociedad para mejorar el bienestar de la comunidad. Quiroga, al enfatizar tanto la fecha en este cuento, sutilmente alude al momento histórico en el que Vladimir Lenin anuncia el nuevo sistema político de Rusia después de la revolución de 1914. Sin embargo, dados los comentarios que hace la abeja sobre la inteligencia, no queda claro si Quiroga está a favor o en contra de dicho sistema. Por tanto, hay que leer esta parte del cuento con mucho cuidado.

La inclusión del cuento del salvadoreño Manlio Argueta nos sirve para presentar otra perspectiva sobre la necesidad de trabajar con los demás para resolver los problemas de la comunidad. "Los perros mágicos" describe en forma de **mito** y **alegoría** la situación desventajosa del campesino/indígena de Centroamérica. Se dice en El Salvador que el gobierno y la economía nacional están controlados por catorce familias ricas y todopoderosas. En el cuento seleccionado, Don Tonio y sus trece hermanos constituyen la referencia alegórica a este control. La resistencia contra este sistema de opresión viene representada por los "cadejos", perros con ojos rojos que ayudan y protegen a la gente. Pero la ayuda de los cadejos no es suficiente para resistir la opresión de Don Tonio y sus hermanos. Para enfrentarse a la opresión, se necesitan todos los poderes mágicos que existen dentro del folclore salvadoreño. Y así, cuando los cadejos están a punto de perder su lucha contra el ejército que protege los intereses de los ricos, aparecen unas figuras naturales de la tradición oral indígena para ayudarlos. Estas figuras vienen representadas por los volcanes, los cuales son, a su vez, los abuelos de la gente. Este conjunto de valores, —familia, naturaleza, y magia—, es lo único que tiene suficiente fuerza para derrotar al ejército y resolver el conflicto entre Don Tonio y los trabajadores.

Por último, presentamos un poema de Nicolás Guillén, un poeta cubano que anticipó y celebró posteriormente la Revolución

Cubana de 1959. Guillén hace un verdadero esfuerzo para integrar las raíces históricas de la isla en su poesía y mostrar que el cubano es una combinación de razas y etnias provenientes de África y de Europa. Incluso postula que es esta combinación de influencias raciales y sociales de ambos continentes lo que mejor describe y determina la identidad cubana. Al inscribir los sonidos de la música afro caribeña en su poesía, Guillén enfatiza el sonido de la interculturalidad, el sonido del habla cubana, y el ritmo de los tambores y del baile. La poesía que Guillén escribe exclusivamente para menores incorpora las mismas características que tiene su poesía para adultos: el amor a la patria, el orgullo de la identidad cubana, el reconocimiento de la dolorosa historia que Cuba ha sufrido, y la alegría de la esperanza de crecer en una sociedad justa e igualitaria, una de las promesas de la Revolución. En el poema que se incluye a continuación, Guillén establece una *metáfora*, o comparación, entre "el barco de papel" y la isla de Cuba. Menciona los productos principales del país (el azúcar y el chocolate) y enfatiza la oposición de los colores/razas (blanco y negro). Cuenta la historia del país a través de la repetición, la aliteración, la consonancia y la asonancia en una forma que todos los niños pueden entender y apreciar.

César Vallejo:
"Paco Yunque"

I. El autor

César Vallejo nació en 1893 en el seno de una familia, con sangre española e indígena, que vivía en los Andes, en el norte de Perú. Vallejo, uno de los poetas más importantes y conocidos de Suramérica, rompió con la poesía tradicional para escribir una poesía nueva o **vanguardista**. Aunque sólo publicó tres poemarios durante su vida, cada obra se considera revolucionaria e innovadora. Sus primeros libros de poemas, *Los heraldos negros* (1919) y *Trilce* (1922), anticiparon los movimientos surrealista y vanguardista de las décadas de 1920 y de 1930, y su obra atrajo la atención del mundo a la producción poética de Latinoamérica. En 1923 Vallejo emigró a Europa, donde se quedó hasta su muerte en 1938.

Vallejo era, políticamente hablando, socialista: realizó tres viajes a la Unión Soviética, y al final de su vida luchó con los Republicanos en la Guerra Civil Española (1936-1939), defendiendo la causa socialista contra el fascismo de los franquistas. De esta experiencia nació su último libro de poesía, *España, aparta de mí este cáliz* (1937), en el que representa la Guerra Civil como una lucha metafórica entre las fuerzas del bien y del mal. Su país natal, el sufrimiento de los pobres, y los problemas cotidianos de la gente fueron temas constantes en su poesía y cuentos, a los que sumaba siempre un lenguaje muy rico basado en la tradición oral y coloquial de su región. Además de poesía, Vallejo escribió varias obras de teatro, una novela que cae dentro del realismo social, *El tungsteno* (1931), sobre la opresión de los mineros de Perú, numerosos ensayos para varios periódicos, y un cuento para niños, "Paco Yunque" (1930). Otro libro de poesía, *Poemas humanos* (1939), fue publicado póstumamente.

II. El contexto

El mensaje de "Paco Yunque", de carácter social y económico, lo podemos deducir de un dibujo que se adjuntó al cuento original, donde se observa a una serie de hombres de diversos tamaños formando una fila (en orden decreciente) de izquierda a derecha. En esta fila, el más grande (el primero) le va jalando la oreja al segundo, éste al tercero, y así sucesivamente, hasta llegar al más pequeñito, que por su humilde condición física (tiene poco tamaño y fuerza) ya no tiene a quién jalarle la oreja. Este último es un miembro del pueblo, el pobre que sufre de manera inevitable el maltrato de los más grandes y los más fuertes, en este caso los ricos.

"Paco Yunque" fue rechazado por los críticos cuando se publicó en España en 1930 por ser demasiado violento para los niños. No obstante lo cual, desde su publicación en los años sesenta en Perú, ha sido incluido en las lecturas obligatorias para estudiantes de primaria

III. Antes de Leer

A. Palabras útiles

1. paso (m.) — movimiento sucesivo de ambos pies al andar; *footstep*
2. gerente (m.) — director de una compañía; *manager*
3. alcalde (m.) — posición política, la persona encargada de gobernar una ciudad; *mayor*
4. colocar — posicionar, poner; *to place or to put*
5. sitio (m.) — lugar; *place or site*
6. trapo (m.) — un pedazo viejo de tela; *rag*
7. ponerse a — comenzar a, empezar a; *to begin to do something*
8. mentir — no decir la verdad; *to lie*; una mentira; *a lie*

9. puño (m.) — mano cerrada; golpe con la mano cerrada; *fist*
10. soltar — dejar ir o escapar; *to let go, to free*; suelto (adjetivo); *free*
11. echarse a — comenzar de repente a + verbo; empezar a + verbo con fuerza; *to begin to do something suddenly; with* reír — *to burst out laughing*
12. pegar — golpear; *to hit*
13. bulla (f.) -- ruido; *noise*

B. Actividades de vocabulario

Actividad 1: Empareje las palabras y frases de la columna de la izquierda con las de la derecha.

a. echarse a correr	_____Encargado político de un pueblo
b. mentir	_____Jefe de una compañía
c. colocar en su sitio	_____No decir la verdad
d. gerente	_____Se usa para limpiar el piso
e. pegarle a alguien	_____Ponerse a andar rápido
f. bulla	_____Poner un pie en frente del otro al caminar
g. pasos	_____Poner en su lugar
h. trapo	_____Dejar en libertad
i. soltar	_____Darle un puño a alguien
j. alcalde	_____Ruido
k. suelto	_____Libre

Actividad 2: Haga una frase con los siguientes pares de palabras. Pongan ejemplos en la pizarra.

a. Pegar/puños
b. Mentir/echarse a
c. Alcalde/soltar
d. Colocar/trapo
e. Gerente/echarse a

C. Expectativas

1. Recuerde la época en que asistía a la escuela primaria y escriba las respuestas a las siguientes preguntas. Al

terminar, con un(a) compañero(a), comparta sus respuestas.

a. ¿Se acuerda de alguna persona que lo/la intimidaba en la escuela?
b. ¿Cómo era esa persona?
c. ¿Por qué cree Ud. que se comportaba así? ¿Qué cosas quiere una persona de ese tipo?
d. ¿Cambian estas personas cuando llegan a la edad adulta o siguen por el mismo camino?
e. ¿Hay grupos (el KKK, las pandillas) que usan la intimidación para conseguir lo que quieren? Dé otros ejemplos.
f. ¿Hay gobiernos y países que funcionan a base de amenazas e intimidación? Dé ejemplos de una ideología política que funciona de esta forma.

2. César Vallejo escribió muchos poemas sobre el sufrimiento del pueblo de su país. Lea el siguiente fragmento de su poema *Los Heraldos Negros*. En grupos, hablen de sus reacciones al poema y del tratamiento que hace el poeta del sufrimiento.

Fragmento de *Los Heraldos Negros*

Hay golpes en la vida, tan fuertes... ¡Yo no sé!
Golpes como del odio de Dios; como si ante ellos,
la resaca[1] de todo lo sufrido
se empozara[2] en el alma... ¡Yo no sé!

...

Y el hombre... Pobre... ¡pobre! Vuelve los ojos, como
cuando por sobre el hombro nos llama una palmada;[3]
vuelve los ojos locos, y todo lo vivido
se empoza, como un charco[4] de culpa, en la mirada.

Hay golpes en la vida, tan fuertes... ¡Yo no sé!

a. ¿En qué le hace pensar este poema? ¿Por qué?

---

[1] *undertow* [2] *could pool together; could form a well* [3] *when someone pats your shoulder* [4] *puddle*

b. ¿Qué quiere decir Vallejo con el poema?
c. ¿Hay esperanza en el poema? Elabore.
d. ¿Ha sufrido Ud. algún golpe en la vida? ¿Cómo lo ha resuelto?
e. Fíjese en la metáfora del agua. ¿Cómo funciona?

IV. El texto

PACO YUNQUE

Primera parte

Sonaron unos *pasos* de carrera[1] en el patio y apareció a la puerta del salón Humberto, el hijo del señor Dorian Grieve, un inglés, patrón[2] de los Yunque, *gerente* de los ferrocarriles de la "Peruvian Corporation" y *alcalde* del pueblo. Precisamente a Paco
5 Yunque le habían hecho venir del campo para que acompañase al colegio[3] a Humberto y para que jugara con él, pues ambos tenían la misma edad. Sólo que Humberto acostumbraba venir tarde al colegio y esta vez, por ser la primera, la señora Grieve le había dicho a la madre de Paco:
10 —Lleve usted ya a Paco al colegio. No sirve que llegue tarde el primer día. Desde mañana, esperará a que Humberto se levante y los llevará usted juntos a los dos.

El profesor, al ver a Humberto Grieve, le dijo:

—¿Hoy otra vez tarde?

15 Humberto, con gran desenfado,[4] respondió:

—Me he quedado dormido.

—Bueno —dijo el profesor—. Que ésta sea la última vez. Pase a sentarse.

Humberto Grieve buscó con la mirada donde estaba Paco
20 Yunque. Al dar con él,[5] se le acercó y le dijo imperiosamente:

—Ven a mi carpeta[6] conmigo.

Paco Fariña le dijo a Humberto Grieve:

—No. Porque el señor[7] lo ha puesto aquí.

—¿Y a ti qué te importa? —le increpó[8] Grieve violentamente,
25 arrastrando[9] a Yunque por su brazo a su carpeta.

—¡Señor! —gritó entonces Fariña—, Grieve se está llevando a Paco Yunque a su carpeta.

El profesor cesó de escribir y preguntó con voz enérgica:

—¡Vamos a ver! ¡Silencio! ¿Qué pasa ahí?

30 Fariña volvió a decir:

—Grieve se ha llevado a su carpeta a Paco Yunque.

---

[1] *Running* [2] jefe, dueño de negocios [3] aquí, la escuela primaria [4] muy francamente, sin pena ni culpa [5] al verlo; *upon finding him* [6] tapete en el que están sentados los niños en las escuelas [7] el profesor [8] insultó [9] tomándolo por

Humberto Grieve, instalado ya en su carpeta con Paco Yunque, le dijo al profesor:

—Sí, señor. Porque Paco Yunque es mi muchacho.[10] Por eso.

35 El profesor lo sabía eso perfectamente y le dijo a Humberto Grieve:

—Muy bien. Pero yo lo he *colocado* con Paco Fariña, para que atienda mejor las explicaciones.

Déjelo que vuelva a su *sitio*.

40 Todos los alumnos miraban en silencio al profesor, a Humberto Grieve y a PacoYunque.

Fariña fue y tomó a Paco Yunque por la mano y quiso volverlo a traer a su carpeta, pero Grieve tomó a Yunque por el otro brazo y no le dejó moverse.

45 El profesor le dijo otra vez a Grieve:

—¡Grieve! ¿Qué es eso?

Humberto Grieve, colorado de cólera,[11] dijo:

—No, señor. Yo quiero que Yunque se quede conmigo.

—¡Déjelo, le he dicho!

50 —No, señor.

—¿Cómo?

—No.

El profesor estaba indignado y repetía, amenazador:[12]

—¡Grieve! ¡Grieve!

55 Humberto Grieve tenía bajos los ojos y sujetaba[13] fuertemente por el brazo a Paco Yunque, el cual estaba aturdido[14] y se dejaba jalar[15] como *un trapo* por Fariña y por Grieve. Paco Yunque tenía ahora más miedo a Humberto que al profesor, que a todos los demás niños y que al colegio entero. ¿Por qué Paco Yunque le
60 tenía tanto miedo a Humberto Grieve? Porque este Humberto Grieve solía[16] *pegar*le a Paco Yunque.

El profesor se acercó a Paco Yunque, le tomó por el brazo y le condujo a la carpeta de Fariña. Grieve *se puso a* llorar, pataleando[17] furiosamente en su banco.

65 De nuevo se oyeron *pasos* en el patio y otro alumno, Antonio Geldres, —hijo de un albañil—[18] apareció a la puerta del salón. El profesor le dijo:

---

[10] término de insulto que se usa en Perú con los indios sirvientes, como si fuera su esclavo [11] enojo [12] *threateningly* [13] cogía [14] no sabía qué hacer [15] tirar; *he let himself be pulled, jerked* [16] tenía el hábito de; *would often* [17] dando patadas; *kicking* [18] un trabajo en la construcción que consiste en poner ladrillos o loza; *bricklayer; also lays tile*

70 —¿Por qué llega usted tarde?
—Porque fui a comprar pan para el desayuno.
—¿Y por qué no fue usted más temprano?
—Porque estuve alzando[19] a mi hermanito y mamá está enferma y papá se fue a su trabajo.
—Bueno —dijo el profesor, muy serio—. Párese ahí... Y, además tiene usted una hora de reclusión.[20]

75 Le señaló un rincón,[21] cerca de la pizarra de ejercicios.

Paco Fariña se levantó entonces y dijo:

—Grieve también ha llegado tarde, señor.

—*Miente*, señor —respondió rápidamente Humberto Grieve—. Yo no he llegado tarde.

80 Todos los demás alumnos dijeron en coro:

—¡Sí, señor! ¡Sí, señor! ¡Grieve ha llegado tarde!

—¡Psch! ¡Silencio! —dijo, malhumorado, el profesor y todos los niños se callaron.

El profesor se paseaba pensativo.

85 Fariña le decía a Yunque en secreto:

—Grieve ha llegado tarde y no lo castigan. Porque su papá tiene plata.[22] Todos los días llega tarde. ¿Tú vives en su casa? ¿Cierto que eres su muchacho?

Yunque respondió:

90 —Yo vivo con mi mamá...

—¿En la casa de Humberto Grieve?

—Es una casa muy bonita. Ahí está la patrona y el patrón. Ahí está mi mamá. Yo estoy con mi mamá.

Humberto Grieve, desde su banco del otro lado del salón, mi-95 raba con cólera a Paco Yunque y le enseñaba *los puños*, porque se dejó llevar a la carpeta de Paco Fariña.

Paco Yunque no sabía qué hacer. Le *pegaría* otra vez el niño Humberto porque no se quedó con él en su carpeta. Cuando saldría del colegio, el niño Humberto le daría un empujón[23] en el pe-100 cho y una patada en la pierna. El niño Humberto era malo y *pegaba* pronto, a cada rato. En la calle. En el corredor también. Y en la escalera. Y también en la cocina, delante de su mamá y delante de la patrona. Ahora le va a *pegar*, porque estaba enseñan-

[19] levantando en brazos, cuidando [20] castigo, que debe separarse de la clase y pararse en un rincón [21] *corner* [22] dinero [23] *shove, push*

do los *puñetes*[24] y le miraba con ojos blancos. Yunque le dijo a
105 Fariña.

—Me voy a la carpeta del niño Humberto.

Y Paco Fariña le decía:

—No vayas. No seas zonzo.[25] El señor te va a castigar.

Fariña volteó a ver a Grieve y este Grieve le enseñó también
110 a él *los puños*, refunfuñando[26] no sé qué cosas a escondidas del profesor.

—¡Señor! —gritó Fariña—. Ahí, ese Grieve me está enseñando los *puñetes*.

El profesor dijo:

115 —¡Psch! ¡Psch! ¡Silencio!... Vamos a ver... Vamos a hablar hoy de los peces, y después, vamos a hacer todos un ejercicio escrito en una hoja de cuaderno, y después me los dan para verlos. Quiero ver quién hace el mejor ejercicio, para que su nombre sea inscrito en el Cuaderno de Honor del Colegio, como el mejor
120 alumno del primer año. ¿Me han oído bien? Vamos a hacer lo mismo que hicimos la semana pasada. Exactamente lo mismo. Hay que atender bien a la clase. Hay que copiar bien el ejercicio que voy a escribir después en la pizarra. ¿Me han entendido bien?

125 Los alumnos respondieron en coro:

—Sí, señor.

—Muy bien —dijo el profesor—. ¡Vamos a ver!...Vamos a hablar ahora de los peces.

Varios niños quisieron hablar. El profesor le dijo a uno de los
130 Zúmiga que hablase.

—Señor —dijo Zúmiga—. Había en la playa mucha arena. Un día nos metimos[27] entre la arena y encontramos un pez medio vivo y lo llevamos a mi casa. Pero se murió en el camino...

Humberto Grieve dijo:

135 —Señor: yo he cogido muchos peces y los he llevado a mi casa y los he *soltado* en mi salón y no se mueren nunca.

El profesor preguntó:

—¿Pero los deja usted en alguna vasija[28] con agua?

—No, señor. Están *sueltos*, entre los muebles.

140 Todos los niños *se echaron* a reír.

Un chico, flacucho[29] y pálido, dijo:

---

[24] de la palabra *puños*; *making fists at someone* [25] tonto [26] murmurando de mala gana; *grumbling* [27] pusimos; *got into* [28] *container* [29] muy flaco

—*Mentira*, señor. Porque el pez se muere pronto, cuando lo sacan del agua.

—No, señor —decía Humberto Grieve—. Porque en mi salón
145 no se mueren. Porque mi salón es muy elegante. Porque mi papá me dijo que trajera peces y podía dejarlos *sueltos* entre las sillas.

Paco Fariña se moría de risa. Los Zúmiga también. El chico rubio y gordo, de chaqueta blanca y el otro, de cara redonda y chaqueta verde, se reían ruidosamente. ¡Qué Grieve tan diverti-
150 do! ¡Los peces en su salón! ¡Entre los muebles! ¡Cómo si fuesen pájaros! Era una gran *mentira* que contaba Grieve. Todos los chicos exclamaban a la vez, reventando de risa:[30]

—¡Ja! ¡Ja! ¡Ja! ¡Ja! ¡Ja! ¡*Miente*, señor! ¡Ja!¡Ja!¡Ja! ¡*Mentira*! ¡*Mentira*!...

155 Humberto Grieve se enojó porque no le creían lo que contaba. Todos se burlaban[31] de lo que había dicho. Pero Grieve recordaba que trajo dos peces pequeños a su casa y los *soltó* en su salón y ahí estuvieron varios días. Los movió y no se movían. No estaba seguro si vivieron muchos días o murieron pronto. Grieve, de to-
160 dos modos, quería que le creyesen lo que decía. En medio de las risas de todos, le dijo a uno de los Zúmiga:

—¡Claro! Porque mi papá tiene mucha plata. Y me ha dicho que va hacer llevar a mi casa a todos los peces del mar. Para mí. Para que juegue con ellos en mi salón grande.

165 El profesor dijo en alta voz:

—¡Bueno! ¡Bueno! ¡Silencio! Grieve no se acuerda bien, seguramente. Porque los peces mueren cuando...

Los niños añadieron en coro:

—... Se les saca del agua.

170 —Eso es —dijo el profesor.

El niño flacucho y pálido dijo:

—Porque los peces tienen sus mamás en el agua y *sacándolos* se quedan sin mamás.

—¡No! ¡No! ¡No! —dijo el profesor—. Los peces mueren fuera
175 del agua, porque no pueden *respirar*. Ellos toman el aire que hay en el agua, y cuando salen, no pueden absorber el aire que hay afuera.

—Porque ya están como muertos —dijo un niño.

Humberto Grieve dijo:

---

[30] *dying of laughter* [31] *made fun of*

180 —Mi papá puede darles aire en mi casa, porque tiene bastante plata para comprar todo.

El chico vestido de verde dijo:

—Mi papá también tiene plata.

—Mi papá también —dijo otro chico.

185 Todos los niños dijeron que sus padres tenían mucho dinero. Paco Yunque no decía nada y estaba pensando en los peces que morían fuera del agua.

Fariña le dijo a Paco Yunque:

—Y tú, ¿tu papá no tiene plata?

190 Paco Yunque reflexionó y se acordó haberle visto una vez a su mamá con unas pesetas en la mano. Yunque le dijo a Fariña:

—Mi mamá tiene también mucha plata.

—¿Cuánto? —le preguntó Fariña.

—Como cuatro pesetas.

195 Paco Fariña dijo al profesor en alta voz:

—Paco Yunque dice que su mamá tiene también mucha plata.

—¡*Mentira,* señor! —respondió Humberto Grieve—. Paco Yunque *miente,* porque su mamá es la sirvienta de mi mamá y no 200 tiene nada.

El profesor tomó la tiza y escribió en la pizarra, dando la espalda[32] a los niños.

Humberto Grieve, aprovechando de que no le veía el profesor, dio un salto y le jaló[33] de los pelos a Yunque, volviéndose a la ca-205 rrera a su carpeta. Yunque se puso a llorar.

—¿Qué es eso? —dijo el profesor, volviéndose a ver lo que pasaba.

Paco Fariña dijo:

—Grieve le ha tirado de los pelos, señor.

210 —No, señor —dijo Grieve—. Yo no he sido. Yo no me he movido de mi *sitio.*

—¡Bueno! ¡Bueno! —dijo el profesor—. ¡Silencio! ¡Cállese, Paco Yunque! ¡Silencio!

Siguió escribiendo en la pizarra, y después preguntó a Grieve:

215 —Si se le saca del agua, ¿qué sucede con el pez?

—Va a vivir en mi salón. —contestó Grieve.

---

[32] *turning his back on* [33] tiró

Otra vez se reían de Grieve todos los niños. Este Grieve no sabía nada. No pensaba más que en su casa y en su salón y en su papá y en su plata. Siempre estaba diciendo tonterías.

220 —Vamos a ver, usted, Paco Yunque —dijo el profesor—. ¿Qué pasa con el pez, si le saca del agua?

Paco Yunque medio llorando todavía por el jalón[34] de pelos que le dio Grieve, repitió de una tirada lo que dijo el profesor:

—Los peces mueren fuera del agua porque les falta aire.

225 —¡Eso es! —decía el profesor—. Muy bien.

Volvió a escribir en la pizarra.

Humberto Grieve aprovechó otra vez de que no podía verle el profesor y fue a darle un *puñetazo* a Paco Fariña en la boca y regresó de un salto a su carpeta. Fariña, en vez de llorar como Paco

230 Yunque, dijo a grandes voces al profesor:

—¡Señor! Acaba de *pegar*me Humberto Grieve.

—¡Sí, señor! ¡Sí, señor! —decían todos los niños a la vez.

Una *bulla* tremenda había en el salón.

El profesor dio un *puñetazo* en su pupitre y dijo:

235 —¡Silencio!

El salón se sumió[35] en un silencio completo y cada alumno estaba en su carpeta, serio y derecho, mirando ansiosamente al profesor. ¡Las cosas de este Humberto Grieve! ¡Ya ven lo que estaba pasando por su cuenta! ¡Ahora habrá que ver lo que iba a

240 hacer el profesor, que estaba colorado de cólera! ¡Y todo por culpa de Humberto Grieve!

—¿Qué desorden era ése? —preguntó el profesor a Paco Fariña.

Paco Fariña, con los ojos brillantes de rabia,[36] decía:

245 —Humberto Grieve me ha *pegado* un *puñetazo* en la cara, sin que yo le haga nada.

—¿Verdad, Grieve?

—No, señor —dijo Humberto Grieve—. Yo no le he *pegado*.

El profesor miró a todos los alumnos sin saber a qué atener-

250 se.[37] ¿Quién de los dos decía la verdad? ¿Fariña o Grieve?

—¿Quién lo ha visto? —preguntó el profesor a Fariña.

—¡Todos, señor! Paco Yunque también lo ha visto.

—¿Es verdad lo que dice Fariña? —le preguntó el profesor a Yunque.

---

[34] *from* "jalar" (*to pull*) [35] se llenó; *filled with, became engulfed in* [36] cólera, enojo [37] *without knowing who to believe, (literally, who to stick with)*

Paco Yunque miró a Humberto Grieve y no se atrevió a responder, porque si decía que sí, el niño Humberto le pegaría a la salida. Yunque no dijo nada y bajó la cabeza.

Fariña dijo:

—Yunque no dice nada, señor, porque Humberto Grieve le *pega*, porque es su muchacho y vive en su casa.

El profesor preguntó a otros alumnos:

—¿Quién otro ha visto lo que dice Fariña?

Todos los niños respondieron a una voz:

—¡Yo, señor! ¡Yo, señor! ¡Yo, señor!

El profesor volvió a preguntar a Grieve:

—Entonces ¿Es cierto, Grieve, que le ha *pegado* usted a Fariña?

—No, señor. Yo no le he *pegado*.

—¡Cuidado con *mentir*, Grieve! Un niño decente como usted, no debe *mentir*.

—¡No, señor! No le he *pegado*.

—Bueno. Yo creo en lo que usted dice. Yo sé que usted no *miente* nunca. Bueno. Pero tenga usted cuidado en adelante.

El profesor se puso a pasear, pensativo, y todos los alumnos seguían circunspectos[38] y derechos en sus bancos.

Paco Fariña gruñía[39] a media voz y como queriendo llorar:

—No le castigan porque su papá es rico. Le voy a decir a mi mamá...

El profesor le oyó y se plantó enojado delante de Fariña y le dijo en alta voz:

—¿Qué está usted diciendo? Humberto Grieve es un buen alumno. No *miente* nunca. No molesta a nadie. Por eso no lo castigo. Aquí todos los niños son iguales, los hijos de ricos y los hijos de pobres. Yo los castigo, aunque sean hijos de ricos. Como usted vuelva a decir lo que está diciendo del padre de Grieve, le pondré dos horas de reclusión. ¿Me ha oído usted?

Paco Fariña estaba agachado. Paco Yunque también. Los dos sabían que era Humberto Grieve quien les había *pegado* y que era un gran *mentiroso*.

El profesor fue a la pizarra y siguió escribiendo.

Paco Fariña le preguntaba a Paco Yunque:

—¿Por qué no le dijiste al señor que me ha *pegado* Humberto Grieve?

---

[38] serios [39] *grumbled*

—Porque el niño Humberto me *pega.*

295 —¿Y por qué no se lo dices a tu mamá?

—Porque si le digo a mi mamá, también me *pega* y la patrona se enoja.

Mientras el profesor escribía en la pizarra, Humberto Grieve se puso a llenar de dibujos su cuaderno.

300 Paco Yunque estaba pensando en su mamá. Después se acordó de la patrona y del niño Humberto. ¿Le *pegaría* al volver a la casa? Yunque miraba a los otros niños y éstos no le *pegaban* a Yunque, ni a Fariña, ni a nadie. Tampoco lo querían agarrar a Yunque en las otras carpetas, como quiso hacerlo el niño Hum-305 berto. ¿Por qué el niño Humberto era así con él? Yunque se lo diría ahora a su mamá y si el niño Humberto le pegaba, se lo diría al profesor. Pero el profesor no le hacía nada al niño Humberto. Entonces, se lo diría a Paco Fariña. Le preguntó a Paco Fariña:

—¿A ti también te *pega* el niño Humberto?

310 —¿A mí? ¡Qué me va a *pegar* a mí! ¡Le *pego* un *puñetazo* en el hocico[40] y le echo sangre! ¡Vas a ver! ¡Cómo me haga alguna cosa! ¡Déjalo y verás! ¡Y se lo diré a mi mamá! ¡Y vendrá mi papá y *le pegará* a Grieve y a su papá también, y a todos!

Paco Yunque le oía asustado a Paco Fariña lo que decía. ¿Cier-315 to sería que le *pegaría* al niño Humberto? ¿Y que su papá vendría a *pegar*le al señor Grieve? Paco Yunque no quería creerlo, porque al niño Humberto no le *pegaba* nadie. Si Fariña le *pegaba*, vendría el patrón y le *pegaría* a Fariña y también al papá de Fariña. Le pegaría el patrón a todos. Porque todos le tenían miedo. Porque el 320 señor Grieve hablaba muy serio y estaba mandando siempre. Y venían a su casa señores y señoras que le tenían miedo y obedecían siempre al patrón y la patrona. En buena cuenta, el señor Grieve podía más[41] que el profesor y más que todos.

Paco Yunque miró al profesor, que escribía en la pizarra. 325 ¿Quién era el profesor? ¿Por qué era tan serio y daba tanto miedo? Yunque seguía mirándolo. No era el profesor igual a su papá ni al señor Grieve. Más bien se parecía a otros señores que venían a la casa y hablaban con el patrón. Tenía un pescuezo[42] colorado y su nariz parecía moco de pavo.[43] Sus zapatos hacían 330 rissss-rissssss-risssss, cuando caminaba mucho.

---

[40] nariz de un animal; *snout* [41] poder más; *to be more powerful* [42] cuello [43] barba de gallo; *wattle*

Yunque empezó a fastidiarse.[44] ¿A qué hora se iría a su casa? Pero el niño Humberto le iba a dar una patada, a la salida del colegio. Y la mamá de Paco Yunque le diría al niño Humberto: "No, niño. No le pegue usted a Paquito. No sea usted malo". Y nada
335 más le diría. Pero Paco tendría colorada la pierna de la patada del niño Humberto. Y Paco se pondría a llorar. Porque al niño Humberto nadie le hacía nada. Y porque el patrón y la patrona le querían mucho al niño Humberto, pero Paco Yunque tenía pena porque el niño Humberto le pegaba mucho. Todos, todos, todos le
340 tenían miedo al niño Humberto y a sus papás. Todos. Todos. Todos. El profesor también. La cocinera. Su hija. La mamá de Paco. El Venancio, con su mandil.[45] La María que lava las bacinicas.[46] Quebró[47] ayer una bacinica en tres pedazos grandes. ¿Le *pegaría* también el patrón al papá de Paco Yunque? ¡Qué cosa fea esto del
345 patrón y del niño Humberto! Paco Yunque quería llorar.

[44] molestarse [45] delantal; *apron* [46] *toilets* [47] rompió

V. Después de Leer

A. Preguntas de comprensión

1. ¿Quién es Dorian Grieve? ¿Cómo se comporta con los otros? Use hechos específicos del cuento para justificar sus respuestas.
2. Describa la relación entre este pueblo y el señor Grieve.
3. ¿Qué tipo de relación existe entre Humberto Grieve y Paco Yunque?
4. ¿Dónde vivió Paco Yunque antes de venir a la casa de los Grieve?
5. ¿Cómo es Humberto Grieve? ¿Qué tonterías dice él? ¿Por qué las dice?
6. ¿Cómo trata Humberto a los otros estudiantes? ¿Por qué los trata de esta manera?
7. ¿Cómo les cae Humberto a los otros estudiantes? ¿Cómo sabemos?
8. ¿Cómo es el profesor? ¿Qué tipo de persona es? ¿Qué cosas injustas hace él? ¿Por qué actúa así?
9. ¿Por qué parece que Paco Fariña tiene menos miedo que Paco Yunque? ¿Es Fariña siempre realista en lo que dice del mundo en que vive?
10. ¿Qué sugiere la frase "¡Qué cosa fea esto del patrón y del niño Humberto!"?

B. Preguntas de análisis

1. ¿Por qué hablan tanto de pegar y de quién puede pegarle a quién?
2. ¿Esta situación está basada en experiencias individuales o en problemas estructurales de la sociedad? Explique su respuesta.
3. ¿Qué quiere decir "Desde mañana, esperará a que Humberto se levante y los llevará usted juntos a los dos". ¿Qué tipo de relación tienen la mamá de Humberto y su hijo? ¿Y la mamá de Humberto y la mamá de Paco Yunque?
4. ¿Qué significa: "Paco Yunque no decía nada y estaba pensando en los peces que morían fuera del agua"?

¿Podemos decir que el pez funciona como una **metáfora** de Paco Yunque? Explique.

5. ¿Por qué es irónico que el profesor diga: "Aquí todos los niños son iguales, los hijos de ricos y los hijos de pobres"?

VI. Sugerencias para los profesores

A. Los estudiantes pueden "jugar a estar en la escuela". El profesor puede ser el chiquito malo y el estudiante que tiene el papel de profesor puede tratar de resolver varios problemas. La clase puede hablar sobre la conducta del profesor, y si resolvió bien o mal la situación.
B. Hagan comparaciones entre la situación social/étnica de Perú y la situación racial de los EE.UU.

VII. Otros recursos

Forgues, Roland. "Para una lectura de 'Paco Yunque' de Cesar Vallejo". *Lexis: Revista de lingüistica y literatura*, 1978; 2: 223–39.

Cortázar, Alejandro. "La hermenéutica de la desesperanza en Los *heraldos negros* de Cesar Vallejo". *Palabra y el hombre: Revista de la Universidad Veracruzana*, 2006 Jan-Mar; 137: 23–32.

Alfonsina Storni: *Teatro infantil*

I. La autora

Alfonsina Storni nació en Sala Capriasca, Suiza, el 29 de mayo de 1892. Sus padres vivieron en esta localidad por unos años porque su padre trabajaba en la industria cervecera. En ese tiempo, Storni aprendió a hablar el italiano y después de que el negocio de su padre fracasó, la familia regresó a la Argentina. Una vez aquí, se establecieron en Rosario, donde abrieron una taberna en la que Storni trabajaba. En 1907 se hizo miembro de una compañía de teatro con la que viajó por todo el país actuando en varias obras teatrales. Posteriormente, Storni terminó sus estudios de maestra de escuela primaria en Rosario; empezó a trabajar para revistas como *Mundo Rosario* y *Monos y Monedas,* y también escribió para el periódico *Mundo Argentino.* Unos años después, Storni se trasladó a Buenos Aires para gozar del anonimato que ofrecía una ciudad más grande donde, en 1912, tuvo un hijo ilegítimo.

En 1916 publicó su primer poemario, *La inquietud del rosal*, y su segundo libro de poemas, *Languidez* (1920), ganó el Premio Nacional de Literatura. Viajó a Montevideo, Uruguay, donde conoció a otros escritores, como Juana de Ibarbourou y Horacio Quiroga. Más tarde, hizo varias visitas a Europa. Su poesía temprana refleja una perspectiva feminista y realista, pero después de sus viajes a Europa su estilo se volvió más lírico y erótico, como se puede notar en *Mundo de siete pozos* (1934) y *Mascarilla y trébol* (1938). Storni escribió muy poco para niños, pero en 1950 se publicó una colección de sus obras de teatro infantil.

En 1938, un año y medio después del suicidio de su amigo Quiroga, y después de recibir el diagnóstico de cáncer de mama, Storni escribió su último poema, "Voy a dormir", y lo mandó al periódico *La Nación*. El 25 de octubre de 1938 Storni se fue de su cuarto y caminó a la playa de La Perla en Mar del Plata, Argentina, donde dos días después unos trabajadores encontraron su cuerpo. Hay dos versiones de su muerte. Una que dice que ella saltó de un rompeolas (*breakwater*), y la otra que caminó lentamente en el mar hasta que murió ahogada.

II. El contexto

Entre los años 1880 y 1892 Argentina experimentó un gran progreso económico, y se situó entre uno de los diez países más ricos del mundo gracias a una economía basada en la exportación de productos agrícolas. Desde el punto de vista político, los intereses conservadores dominaron la política nacional en un país que carecía de un gobierno democrático. En el año 1912, el Presidente Roque Sáenz Peña promulgó el sufragio varonil y la votación secreta. Éstos y otros cambios en el gobierno permitieron que en 1916 los radicales, en vez de los conservadores, ganaran en las primeras elecciones libres. Hipólito Yrigoyen fue elegido presidente y llevó a cabo muchas reformas, tanto sociales como económicas, para ayudar a los pobres. En 1930 Yrigoyen fue derrocado y el país vivió otra década de dominio conservador.

III. Antes de leer

A. Palabras útiles

1. el enano (m.) — una persona de estatura anormalmente baja; *little person, dwarf, midget*
2. la armónica (f.) — un instrumento que se toca con la boca; *harmonica*
3. un ramo (m.) (de flores) — flores que se llevan juntas en la mano; *bouquet*
4. la canasta (f.) — la cesta; *basket*
5. el bastón (m.) — vara que se usa para ayudarse a caminar; *walking stick, cane*

6. hacerle cosquillas — tocar a alguien para hacerle reír; *to tickle*
7. acariciar — tocar a alguien suavemente; *to caress*
8. huir — escaparse, correr; *to flee, to run away*
9. el lobo (m.) — un animal salvaje parecido a un perro; *wolf*

B. Actividades de vocabulario

Actividad 1: Complete las siguientes oraciones con la palabra apropiada de la lista anterior de vocabulario.

1. Catalina siempre toca la __________________ para que las otras personas bailen.
2. La novia lleva un __________________ de flores durante su boda.
3. El viejo usa un ______________ para apoyarse al caminar.
4. La madre le _________________ a su niño para hacerle reír.
5. El padre _____________ a su niña cuando ella necesita afecto.
6. Los niños __________________ de su mamá cuando han hecho una travesura.
7. En el cuento "Caperucita roja" el ___________ trata de comerse a la niña.
8. La niña lleva una __________________ llena de comida a su abuela.
9. Una persona de estatura anormalmente baja es un ________________.

Actividad 2: Complete el crucigrama.

Horizontal

2. cesto
4. tocar a alguien para hacerle reír
7. conjunto de flores
8. persona de estatura muy baja
9. palo para ayudarse a caminar

Vertical

1. tocar suavemente
3. escaparse
5. instrumento que se toca con la boca
6. animal salvaje parecido a un perro

C. Expectativas

1. Piense en el significado del título de la siguiente lectura. ¿De qué se tratará el mimodrama? ¿Qué piensa Ud. que es un mimodrama?
2. Mire la lista de los personajes. ¿Reconoce a alguno de ellos? ¿Qué papeles cree que representan en el mimodrama?

IV. El texto

UN SUEÑO EN EL CAMINO

Mimodrama

<u>Personajes</u>

Niño
Carlitos Chaplín (Charlie Chaplin)
Caperucita Roja (Red Riding Hood)
5 Trifón (Jiggs)[1]
Sisebuta (Maggie)
Pinocho (Pinocchio)
Cenicienta (Cinderella)
El Gigante
10 *El Enano*

<u>Decoración</u>

Nieve de fantasía
Armónica
Ramos de flores
15 *Bastón*
Unas frutas
Una canasta
Un pequeño zapato plástico

<u>Vestuario</u>

20 Para el chico, ropa de pobreza y para los demás, ropa que refleja sus nombres

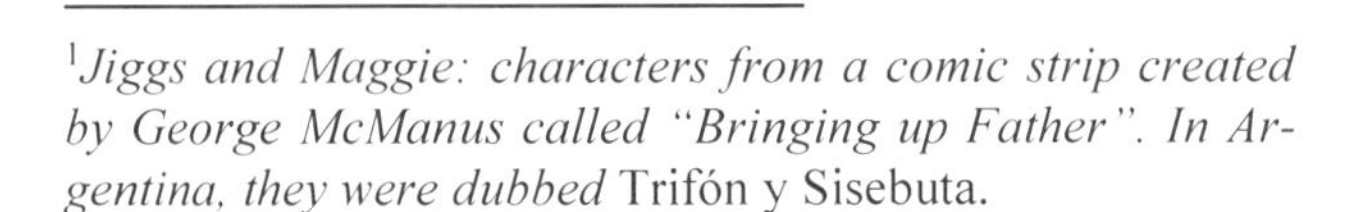
[1]*Jiggs and Maggie: characters from a comic strip created by George McManus called "Bringing up Father". In Argentina, they were dubbed* Trifón y Sisebuta.

Escena

Un niño muy pobre está durmiendo en mitad de un camino. Entra Carlitos Chaplín y *le hace cosquillas* con el *bastón*; el niño
25 sonríe[2] y entonces Carlitos le hace toda clase de piruetas;[3] por fin le pone su galera[4] en la cabeza y va a sentarse en una piedra del camino. Viene Caperucita Roja con flores en las manos y su *canasta* con comida; se sienta al lado del niño, la *acaricia*, se saca un abriguito[5] que lleva y lo tapa.[6] Ve luego a Carlitos Chaplín y
30 se va a conversar con él. Entra Trifón *huyendo* de Sisebuta; se acerca[7] al niño, se queja[8] con gestos de que Sisebuta lo maltrata.[9] Sisebuta quiere pegarle a Trifón y al niño; interviene Carlitos, pacificándolos, y Caperucita los invita a comer frutas. Luego llega corriendo Pinocho, tocando una *armónica*. Se sienta al lado
35 del niño y le entona un motivo[10] popular; pone en la mano del niño la *armónica* y va a juntarse con los demás que lo llaman e invitan a comer frutas. (Mientras comen, Sisebuta se empeña[11] en que Trifón no coma). Entra Cenicienta triste, con su zapatito de raso[12] y su gran cabellera rubia; danza alrededor del niño un bai-
40 le melancólico, para verla danzar se le acercan todos y quedan[13] junto al niño. Entonces vienen el gigante y *el enano* tomados de la mano.[14] Al verles llegar todos se regocijan[15] y haciendo una ronda[16] cantan la canción que se detalla al pie, alrededor del dormido, que se agita en sueños. Cuando terminan su canto cada
45 uno recoge lo que regaló al niño y *huyen*. El niño se despierta; los busca inútilmente; hace gestos de que ha soñado. Busca a su alrededor algo para comer y no encuentra nada; revisa una bolsita que tiene a su lado y hace señas de que está vacía. Se tiende en el suelo y vuelve a quedarse dormido. La nieve cae sobre él.

---

[2] *smiles* [3] *stunts, movements, dance steps* [4] *top hat* [5] abrigo [6] pone el abrigo encima del niño [7] se aproxima; *approaches* [8] se lamenta; *complains* [9] *mistreats* [10] canción, melodía; *motif, theme* [11] insiste [12] *satin* [13] permanecen; *stay, remain* [14] *hand in hand* [15] se divierten; *rejoice* [16] *a round — a kind of song*

50 (Todo el cuadro debe acompañarse constantemente de una música delicada. La canción, cuya letra va al pie, debe cantarse a media voz.)

Estamos aquí—
Pinocho el glotón,
55 Carlitos el bueno,
y el gordo Trifón.

El gnomo pequeño,
el gran gigantón,
y la Cenicienta,
60 que el príncipe amó.

También Sisebuta,
hasta aquí llegó,
y bailamos todos
a tu alrededor.

65 Despierta, despierta,
la noche llegó,
están las estrellas,
la luna se alzó...[17]

No te quedes solo,
70 que *el lobo* se vio,
síguenos, nos vamos—
pobre niño. . . ¡adiós!. . .

[17] se levantó

V. Después de leer

A. Preguntas de comprensión

1. ¿Quiénes aparecen en el sueño del niño?
2. ¿Qué le regalan al niño?
3. ¿Qué lleva Caperucita Roja en su canasta?
4. ¿Quién toca la armónica?
5. ¿Qué hacen todos los amigos alrededor del niño?
6. ¿Cómo sabe el público que se trata de un sueño?
7. ¿Qué busca el niño cuando se despierta?
8. ¿Qué hace el niño cuando no encuentra nada?

B. Preguntas de análisis

1. Compare los papeles tradicionales de los personajes de los cuentos de hadas y sus papeles en el sueño del niño.
2. ¿Qué puede representar el sueño del niño?
3. ¿Qué pueden representar los personajes de los cuentos de hadas en el sueño?
4. ¿Qué simbolizan las frutas en el sueño?
5. ¿Qué simboliza el lobo?

VI. Sugerencias para los profesores

A. Actúe el mimodrama en la clase.
B. Dibuje su personaje favorito.
C. Haga un Photostory usando Microsoft Photostory en grupos. Los estudiantes pueden crear su propia versión de "Un sueño en el camino" usando Microsoft Photostory en grupos. Los estudiantes sacan fotos y pueden ponerlas en Photostory. Luego, pueden añadir su voz a las fotos (las diapositivas; *slides*) para contar su propia versión.

   http://www.microsoft.com/windowsxp/using/digitalphotography/PhotoStory/default.mspx
D. Modernice el mimodrama. Los estudiantes pueden reescribir el guión y la canción, y los estudiantes a

los que les guste tocar instrumentos pueden trabajar en la canción.

E. Investigue los otros personajes. Elija uno y haga una presentación sobre el mismo. Por ejemplo, mire un videoclip de Charles Chaplin.

VII. Más recursos

"Alfonsina Storni". *Biblioteca Virtual Miguel de Cervantes*. 18 de abril de 2010. www.cervantesvirtual.com/bib_autor/Alfonsina/index. shtml

Cypess, Sandra M. "La dramaturgia femenina y su contexto sociocultural". *Latin American Theatre Review* (summer 1980): 63-68.

Rafael Pombo:
"La pobre viejecita"

I. El autor

Rafael Pombo nació en Bogotá, Colombia, el 7 de noviembre de 1833. Aunque cultivó la poesía, su puesto en la literatura se debe a su contribución en el campo de la literatura infantil. Asistió a una escuela militar, donde estudió matemáticas e ingeniería. Después de servir en el ejército fue a Washington, DC, en un puesto diplomático. Luego trabajó como traductor para D. Appleton & Company en Nueva York, donde tradujo canciones infantiles de la tradición anglosajona al español. Este trabajo le sirvió como inspiración para sus *Cuentos pintados para niños* (1854) y *Cuentos morales para niños formales* (1854). Después de diecisiete años en los Estados Unidos, Pombo regresó a Colombia, donde trabajó como periodista y traductor. El 20 de agosto de 1905 Pombo ganó el premio al mejor poeta de Colombia. Sus protagonistas más famosos son: Michín, Juan Chunguero, Pastorcita, La Pobre Viejecita, Simón el Bobito, El Gato Bandido, y El Renacuajo Paseador. Murió el 12 de mayo de 1912.

II. El contexto

Durante la vida de Pombo, Colombia sufrió muchos cambios y pasó por varias guerras civiles. En el año 1830, los territorios que actualmente forman Ecuador y Venezuela se separaron de Colombia. Durante este período, también, el nombre del país cambió muchas veces: de Cundinamarca a Nueva Granada, a Confederación Granadina, a Estados Unidos de Colombia, y, finalmente, al de República de Colombia, nombre con el que se conoce hoy. El poema que hemos seleccionado, "La pobre viejecita", fue publicado en 1901 durante el transcurso de la Guerra de los Mil Días, una de las guerras civiles que vivió el país. En 1903, después de terminar otra de las guerras civiles (1899 — 1902), y con el apoyo de los Estados Unidos, el Departamento de Panamá se separó de Colombia y se estableció como país independiente.

III. Antes de leer

A. Palabras útiles

1. el caldo (m.) — sopa; *broth*
2. encontrar — descubrir; *to find*
3. los criados (m.) — los sirvientes; *servants*
4. la huerta (f.) — el jardín; *garden*
5. espantar — asustar; *to scare, to frighten*
6. quejarse — lamentarse; *to complain*
7. los cojines (m.) — almohadones; *cushions*
8. el colchón (m.) — parte de la cama; *mattress*
9. antiparras (f.) — anteojos; *glasses*
10. peluquín (m.) (peluca) — pelo falso; *wig*
11. gozar — disfrutar; *to enjoy*

B. Actividades de vocabulario

Actividad 1: Empareje las palabras de ambas columnas en base de la lista de palabras útiles y sus sinónimos.

Columna 1	Columna 2
1. espantar	A. cama
2. gozar	B. disfrutar
3. el caldo	C. los sirvientes
4. la huerta	D. anteojos
5. los cojines	E. lamentarse
6. antiparras	F. almohadones
7. quejarse	G. pelo falso

8. el colchón	H. descubrir
9. el peluquín	I. el jardín
10. los criados	J. la sopa
11. encontrar	K. asustar

Actividad 2: ¿Qué palabra es? Si fueras a mandar un texto por teléfono, ¿qué palabra representarían estos números? (0 es el espacio)

1. 37726827
2. 35022536
3. 520483785
4. 56702654637
5. 2684727727
6. 78352773
7. 3502652466
8. 73587846
9. 56702742367
10. 362668727

C. Expectativas

1. Ojee el poema. ¿Dónde tiene lugar?
2. Mire la siguiente imagen. ¿Qué palabras aparecen más grandes y cuáles más pequeñas? ¿Puede adivinar de qué se trata el poema? ¿Qué temas cree que trata?

Cortesía de *http://www.wordle.net/*

IV. El texto

LA POBRE VIEJECITA

http://upload.wikimedia.org/wikipedia/en/f/f9/Pobreviejecita.jpg

Érase[1] una viejecita
sin nadita[2] que comer
sino[3] carnes, frutas, dulces,
tortas, huevos, pan y pez.
5 Bebía *caldo*, chocolate,
leche, vino, té y café,
y la pobre no *encontraba*
qué comer ni qué beber.

Y esta vieja no tenía
10 ni un ranchito[4] en que vivir
fuera de[5] una casa grande
con su *huerta* y su jardín.

Nadie, nadie la cuidaba
sino Andrés y Juan Gil
15 y ocho *criados* y dos pajes[6]
de librea[7] y corbatín.[8]

---

[1] *There once was* [2] *diminutive of* "nada" [3] *except* [4] casa pequeña [5] *besides* [6] *pages* [7] el uniforme de los criados/pajes [8] *bow tie*

Nunca tuvo en qué sentarse
sino sillas y sofás
con banquitos y *cojines*
20 y resorte[9] al espaldar.[10]

Ni otra cama que una grande
más dorada que un altar,
con *colchón* de blanda pluma,[11]
mucha seda[12] y mucho olán.[13]

25 Y esta pobre viejecita
cada año, hasta su fin,
tuvo un año más de vieja
y uno menos que vivir.

Y al mirarse en el espejo
30 la *espantaba* siempre allí
otra vieja de *antiparras*,
papalina[14] y *peluquín*.

Y esta pobre viejecita
no tenía que vestir
35 sino trajes de mil cortes
y de telas[15] mil y mil.

Y a no ser por sus zapatos,
chanclas,[16] botas y escarpín,[17]
descalcita[18] por el suelo
40 anduviera la infeliz.

Apetito nunca tuvo
acabando de comer,
ni *gozó* salud completa
cuando no se hallaba[19] bien.

---

[9] *springs of padded furniture* [10] *back rest* [11] *feather* [12] *silk* [13] *frill* [14] una gorra que tiene un trozo de tela para cubrir las orejas [15] *fabrics* [16] sandalias [17] *pointed shoe* [18] *barefoot, diminutive of* "descalza" [19] no estaba, no se sentía

45 Se murió del mal de arrugas,[20]
ya encorvada[21] como un tres,
y jamás volvió a[22] *quejarse*
ni de hambre ni de sed.

Y esta pobre viejecita
50 al morir no dejó más
que onzas,[23] joyas, tierras, casas,
ocho gatos y un turpial.[24]

Duerma en paz, y Dios permita
que logremos[25] *disfrutar*
55 las pobrezas de esa pobre
y morir del mismo mal.

---

[20] *wrinkles* [21] *bent* [22] volver a hacer algo; *to do something again* [23] moneda antigua [24] ave nacional de Venezuela [25] *to achieve or attain*

V. Después de leer

A. Preguntas de comprensión

1. ¿Dónde vive la viejecita?
2. ¿Qué tiene en su casa?
3. ¿Qué mascotas tiene?
4. ¿Tiene criados? ¿Cuántos?
5. ¿Qué pasa cuando la viejecita se mira en el espejo?
6. Describa a la viejecita. ¿Cómo es?
7. ¿De qué se queja la viejecita?
8. ¿Quién la cuida?
9. ¿Se muere feliz o triste?
10. ¿Qué deja la viejecita cuando se muere?

B. Preguntas de análisis

1. Compare todo lo que tenía la viejecita con su percepción de lo que poseía.
2. Explique la ironía del poema.
3. ¿Qué opina la voz poética sobre la mujer?
4. ¿Piensa Ud. que la viejecita tiene razón para quejarse?
5. ¿Cuál es la moraleja del poema?

VI. Sugerencias para los profesores

A. Dibujen la casa de la viejecita.
B. Dibujen a la viejecita cuando se ve en el espejo.
C. Hagan una mini-dramatización o vídeo en los que modernizan el poema.
D. Reescriban su propia versión del poema.
E. Los estudiantes pueden crear su propia versión de "La pobre viejecita" usando Microsoft Photostory o Voicethread en grupos. Los estudiantes sacan fotos y pueden ponerlas en el programa. Luego, pueden añadir su voz a las fotos (las diapositivas) para contar su propia versión. Cada estudiante puede representar un personaje del poema y puede decir sus líneas.

http://www.microsoft.com/windowsxp/using/digital photography/PhotoStory/default.mspx
http://voicethread.com/#home

F. Miren el vídeo del poema "La pobre viejecita". Discutan la ironía del poema y qué significa. (Pueden encontrar el sitio en la sección de **Más Recursos**.)

VII. Más recursos

García Prada, Carlos. "Evocando a Rafael Pombo". *Boletín de la Academia Norteamericana de la Lengua Española* 2–3 (1977): 69–83.

"La pobre viejecita". *Bibliotecas virtuales*. http://www.bibliotecas virtuales.com/biblioteca/literaturainfantil/Poesiainfantil/Rafael Pombo/ lapobreviejecita.asp

(Este sitio tiene un vídeo de "La pobre viejecita" que puede ayudar a que los estudiantes entiendan el concepto de la ironía del poema).

Pombo, Rafael. *La Pobre Viejecita*. Quito: Libresa, 1998.

Rosario Ferré:
"El medio pollito"

I. La autora

Courtesy of mahmag.org

Rosario Ferré (1938–) nació en Ponce, Puerto Rico, en el seno de una familia acomodada. Su padre, Luis A. Ferré Aguayo, fue gobernador de Puerto Rico de 1969 a 1973. En 1960, Rosario se graduó de Manhattanville College, Nueva York, con una especialidad en inglés. En 1985 recibió su maestría de la Universidad de Puerto Rico en Río Piedras, y en 1987 su doctorado en literatura latinoamericana de la Universidad de Maryland, en College Park. La autora participa activamente en actividades artísticas, profesionales y sociales en Puerto Rico y los EE.UU.

Ferré comenzó su carrera literaria mientras estudiaba en la Universidad de Puerto Rico, y en 1972, junto con cuatro compañeros de la universidad, fundó un periódico literario, *Zona de carga y descarga*. Su primera colección de cuentos, *Papeles de Pandora* (1976), fue seguida por ensayos, poemas, novelas, y trabajos críticos. Aunque Ferré es más reconocida por su obra para adultos, ha publicado también varias colecciones de obras infantiles. En 1977 publicó la primera de estas colecciones, *El medio pollito*, seguida de *Los cuentos de Juan Bobo* y *La mona que le pisaron la cola,* ambas de 1981. Ferré combinó todos sus cuentos para niños en una antología, S*onatinas*, que fue publicada en 1989.

II. El contexto

"El medio pollito", cuento titular de la colección, es una historia que, según Ferré, su abuela le contaba de niña y, para no perderlo en el olvido, lo escribió. Uno de sus críticos, Margarita Fernández Olmos, comenta con respecto a la obra de Ferré para niños que: "A diferencia del cuento infantil tradicional en la isla que se basa casi exclusivamente en el folklore o la tradición localista para sus temas, las obras de Ferré incorporan una extensa amalgama de influencias que varían desde la antigua fábula oriental, la picaresca española y los cuentos de hadas europeos hasta las leyendas indígenas y la literatura oral puertorriqueña".

Para entender el posible significado político de este cuento, es necesario hacer una referencia a la historia política de Puerto Rico. En 1952, el país se convirtió en un Estado Libre Asociado de los Estados Unidos. Esto significa que, en algunos aspectos, funciona como un estado de los Estados Unidos, pero en otros no. La situación política es complicada: los puertorriqueños son los únicos latinoamericanos que nacen con ciudadanía americana, y tienen al presidente de los Estados Unidos como su presidente; sin embargo, no tienen el derecho a votar por él, y todas las decisiones políticas deben contar con la aprobación de los Estados Unidos. La isla celebra elecciones cada cuatro años para elegir a un gobernador, el cual se encarga de todos los asuntos políticos de la isla.

Durante muchos años, los puertorriqueños han debatido si deben pedir más derechos bajo el estatus de Estado Libre Asociado, si deben convertirse en un estado más de los Estados Unidos, o si deben romper su asociación con este país y convertirse en un país libre e independiente. El medio pollito del cuento de Ferré tiene las características de un pollo, pero no es completo. Puerto Rico tiene las características de un estado de los EE.UU. Sin embargo, no es un estado con plenitud de derechos.

III. Antes de leer

A. Palabras útiles

1. el bolsillo (m.) — una apertura en la ropa para guardar cosas; *pocket*

2. escarbar — remover la tierra; *to scratch, to dig in the ground*
3. menguar — (pretérito: menguó) disminuir; *to reduce*
4. divisar — (pretérito: divisó) distinguir, percibir; *to make out, to distinguish*
5. el foso (m.) — hoyo, hueco, profundidad alrededor de un palacio/fortaleza; *pit, ditch, moat*
6. dejar de — parar; *to stop doing something, followed by an infinitive*
7. el lomo (m.) — espalda de un animal; *back of an animal, haunches*
8. aterrizar — (pretérito: aterrizó) descender; *to land*
9. hacerle caso (pretérito: le hicieron caso) — poner o prestar atención, escuchar; *to obey*
10. negar (pretérito: negó) — no ceder a hacer algo, rehusar; *to refuse, to deny*

B. Actividades de vocabulario

Actividad 1: Complete la tabla utilizando el vocabulario de la lista

Menguar	
	remover la tierra o buscar en la tierra
Divisar	
	hoyo, hueco, profundidad alrededor de un palacio/ fortaleza
	no hacer nada más
escarbar	
	espalda
aterrizar	
	prestarle atención
bolsillo	

Actividad 2: Llene los espacios en blanco con la palabra adecuada de la lista anterior de vocabulario

1. San Pedro_________ a Cristo tres veces (no quiso reconocerlo).

2. Alejandro ________ fumar (no fumó más).
3. Juan ________ alrededor de la casa en busca del tesoro (buscó en la tierra).
4. El avión ___________ (llegó) al aeropuerto de JFK.
5. Los estudiantes _____________________ al profesor (escucharon al profesor e hicieron lo que él les pidió).
6. ____________ la montaña lejos en el horizonte (vimos, distinguimos).
7. La parte trasera del cuerpo del ser humano es la espalda, pero la misma parte de una vaca es _________.
8. Metió la moneda en ___________________ (una apertura en la ropa para guardar cosas).
9. No pudieron cruzar _________________ (el hueco, la profundidad) que rodeaba el palacio.
10. La fuerza del huracán _______________ (se hizo menor, disminuyó) después de unas horas.

C. Expectativas

1. Basándose en el título, ¿de qué se trata este cuento?
2. Algunos críticos piensan que "El medio pollito" simboliza a Puerto Rico. Si nos fijamos en el contexto, ¿cómo podríamos llegar a esta conclusión?
3. Haga un dibujo para representar su idea del medio pollito.

IV. El Texto

EL MEDIO POLLITO

Había una vez[1] un niño que se encontró a una viejecita sentada a la orilla[2] del camino.

El niño se le acercó y le dijo:

—Tengo mucha hambre y no tengo nada que comer. ¿Tienes un pedazo de pan que compartir conmigo? 5

La viejecita le contestó:

—Me encantaría ayudarte, pero soy tan pobre como tú. Lo único que tengo en el mundo es este huevo que traigo en el *bolsillo*. Como veo que eres muy pobre, lo compartiré contigo.

10 Entonces se sacó el huevo del *bolsillo*, lo partió por la mitad, y le regaló al niño medio huevo.

El niño siguió su camino sosteniendo,[3] con mucho cuidado, el medio huevo en la palma de la mano. Cuando llegó a su casa, se sentó en el piso de tierra y se quedó mucho rato mirándolo.

15 Al fin le dijo cariñosamente:

—Tengo mucha hambre, pero no te voy a comer. Hace tanto tiempo que no tengo con quien jugar y me hace falta[4] un compañero.

Acomodó el huevo en un nido de hojas secas, y lo colocó debajo de la única lámpara de gas en la casa. La única lámpara calentó y calentó el medio huevo hasta que empolló[5] medio pollito, con una sola pata, una sola ala, un solo ojo y medio piquito.[6] 20

El medio pollito creció y creció y jugaba todo el tiempo con el niño.

25 Un día el medio pollito tenía mucha hambre y se puso a *escarbar* con su sola patita alrededor de la casa. Después de un rato se encontró una pepita[7] de oro y se la llevó corriendo al niño.

Decidieron llevársela al rey para vendérsela. Así podrían quizá aliviar el hambre que sentían.

30 Al punto[8] se pusieron camino al palacio. El medio pollito iba muy contento, saltando sobre su única pata y sosteniendo la pepita de oro en su medio pico.

---

[1] había una vez; *Once upon a time there was* [2] lado [3] (de sostener) aguantando; *holding* [4] necesito [5] nació; *hatched* [6] *diminutive of* "pico"; *beak* [7] *diminutive of* "pepa"; *seed* [8] inmediatamente

Llegaron a un valle donde se encontraron un gran río que tenían que cruzar.

—¡Río, río, por favor quítate de en medio y déjanos pasar! —gritó el medio pollito. Pero el río no los dejaba pasar.

Entonces el medio pollito le enseñó la pepita de oro que llevaba en su medio pico y enseguida el río *menguó* su corriente y los dejó pasar.

Más allá *divisaron* el palacio que tenía un *foso* muy ancho, con un puente levadizo.[9] El medio pollito y el niño cruzaron el puente y llegaron a las puertas del palacio.

¡Guardias, guardias, por favor abran las puertas y déjennos pasar! —les gritó el medio pollito.

Pero los guardias no quisieron abrir. Entonces el medio pollito les enseñó la pepita de oro que llevaba en su medio pico y enseguida los guardias bajaron sus lanzas, abrieron las puertas y los dejaron pasar.

Por fin llegaron ante el rey. El niño se le acercó y le dijo:

—¡Rey, rey, tenemos mucha hambre! ¡Danos por caridad[10] un saco de arroz, un saco de habichuelas[11] y un saco de harina![12]

Pero el rey montó en cólera[13] y llamó a los guardias para que vinieran y los sacaran de allí.

Entonces, el medio pollito le enseñó al rey la pepita de oro que llevaba en su medio pico, y le dijo:

—¡Rey, rey, mira que tenemos mucha hambre y nada que comer! ¡Danos un saco de arroz, un saco de habichuelas y un saco de harina y te daremos esta pepita de oro que traigo en el pico!

El rey *dejó de* gritar y contestó:

—Eso está muy bien, muy bien. Dame acá la pepita, y mañana les daré lo que han pedido.

Y el niño y el medio pollito regresaron muy contentos a su casa.

Al otro día los dos amigos salieron muy temprano para el palacio. Cuando llegaron al valle se tropezaron[14] con el río.

—¡Río, río, quítate de en medio y déjanos pasar! —gritó el medio pollito.

Pero el río no menguó su corriente.

Entonces el medio pollito insistió:

---

[9] puente levadizo; un puente que se puede levantar; *drawbridge* [10] por compassion [11] frijoles; *kidney beans* [12] *flour* [13] se enojó; *to fly into a rage* [14] toparon, se encontraron; *ran io*

70 —¡Río, río, quítate de en medio y déjanos pasar, porque si no, te absorbo todito y te tapo con mi medio rabito![15]

Pero la corriente de agua no *menguó*. Entonces el medio pollito se bebió de golpe todo el río y se lo metió debajo de su medio rabito.

75 Más tarde llegaron frente al palacio. Los guardias habían levantado el puente y el medio pollito y el niño no podían cruzar el foso. El medio pollito abrió su única ala, que era tan grande como una vela[16] de barco, y le dijo al niño que se subiera sobre su *lomo*. Dando un gran salto, salieron volando y *aterrizaron* al otro lado

80 del puente.

—¡Guardias, guardias, déjennos pasar! —gritó el medio pollito cuando llegaron frente a las puertas del palacio.

Pero los guardias no le *hicieron caso*. Entonces el medio pollito abrió su medio piquito y soltó un gran chorro[17] de agua que

85 arrastró[18] a los guardias lejos de allí y abrió de golpe las puertas del palacio.

Por fin llegaron frente al rey.

—¡Rey, rey, cumple con[19] tu promesa! ¡Danos nuestro saco de arroz, nuestro saco de habichuelas y nuestro saco de harina y nos

90 iremos tranquilos!

Pero el rey se *negó* a cumplir su promesa. Sentado sobre su trono, *negaba* todo el tiempo, moviendo de lado a lado la cabeza.

Entonces el medio pollito abrió todo lo más que pudo su medio piquito y empezó a vomitar todo el río dentro del palacio.

95 El agua le llegaba al rey casi hasta la cintura,[20] pero se negaba a cumplir su promesa.

—¡Rey, rey, danos lo prometido y nos iremos tranquilos! —gritó el niño.

Ahora el agua le llegaba al rey casi a la altura del cuello, pero

100 se negaba a cumplir su promesa. Sacó la mano fuera del agua y la estiró hacia arriba lo más que pudo, moviendo de lado a lado el dedo índice[21] todo el tiempo, pero el agua subió y subió hasta que se lo tapó.[22]

[15] diminutivo de rabo, cola; *tail* [16] *sail* [17] cantidad de agua [18] llevó; *swept* [19] de cumplir con, hacer algo que se debe [20] el medio cuerpo; *waist* [21] en forma de "no"; *shaking his finger back and forth meaning no* [22] lo cubrió; *covered him*

El niño y el medio pollito esperaron tres días a las afueras del
105 palacio a que el agua del río regresara a su cauce.[23] Entonces repartieron muy contentos todos los bienes[24] del rey entre los pobres, y regresaron a su casa con su saco de arroz, su saco de habichuelas y su saco de harina.

[23] cauce; *riverbed* [24] pertenencias; *belongings, goods*

V. Después de leer

A. Preguntas de comprensión

1. ¿Qué le da la viejecita al niño?
2. ¿Por qué no se lo come?
3. ¿Qué sale del medio huevo? Descríbalo.
4. ¿Qué encuentra el medio pollito?
5. ¿A dónde van el medio pollito y el niño?
6. ¿Qué ocurre cuando llegan al río? ¿Cuándo llegan al palacio?
7. ¿Qué les promete el rey al niño y al medio pollito?
8. ¿Qué ocurre al día siguiente de llegar al río? ¿Cuándo llegan al palacio?
9. ¿Qué le pasa al rey?
10. ¿Qué hacen el niño y el medio pollito con los bienes del rey?

B. Preguntas de análisis

1. ¿Cuáles son algunas de las lecciones que aprendemos de este cuento?
2. ¿Por qué dicen algunos críticos que el medio pollito representa a Puerto Rico?
3. ¿Qué pudiera representar el rey?
4. Cuando el pollito dice, "te tapo con mi medio rabito", ¿cuál es el doble significado y el chiste de sus palabras?
5. Trate de analizar este cuento en varios niveles; es decir, (el nivel literal, metafórico, didáctico o moralista, cultural, político, etc).
6. ¿Qué tenemos que entender sobre la cultura de Puerto Rico para entender este cuento? ¿Qué aspectos culturales sobre Puerto Rico nos demuestra este cuento?

VI. Sugerencias para los profesores

A. Divida la clase en tres grupos para debatir si Puerto Rico debería mantener el estatus de Estado Libre Asociado, independizarse completamente, o constituirse en un nuevo estado de los Estados Unidos.

B. Pida a los alumnos que ilustren o que dramaticen el cuento.

C. Vaya al siguiente sitio de la red para ver más ideas y actividades que pueden acompañar este cuento: http://www.santillana.cl/docentes2/archivos/el_medio_pollito.pdf

VII. Más recursos

Barradas, Efraín. *Apalabramiento: Diez cuentistas puertorriqueños de hoy*. New Hampshire: Ediciones del Norte, 1983.

Fernández Olmos, Margarita. "Constructing Heroines: Rosario Ferré's *Cuentos Infantiles* and Feminine Instruments of Change". *The Lion and the Unicorn*. 10 (1986): 83-94.

Fernández Olmos, Margarita. "Los cuentos infantiles de Rosario Ferré, o la fantasía emancipadora". *Revista de crítica literaria latinoamericana*. 14.27 (1988): 151–163.

"Gobierno de Puerto Rico". *www.gobierno.pr*

González, Ann. "A Question of Power: Rosario Ferré and *Sonatinas*". *Resistance and Survival: Children's Narrative from Central America and the Caribbean*. Tucson: University of Arizona Press, 2009: 48–63.

Hintz, Suzanne S. *Rosario Ferré: A Search for Identity*. New York: Peter Lang Publishing, Inc., 1995.

"Rosario Ferre". *http://rosarioferre.net*

Horacio Quiroga:
"La abeja haragana"

I. El autor

La vida de Horacio Quiroga (1878-1937) estuvo marcada por la tragedia. Nació en Salto, Uruguay, el 31 de diciembre de 1878, y poco después de su nacimiento su padre murió en un accidente de caza. Primero vivió en Córdoba, Argentina, pero, después, su familia regresó a Uruguay, donde Quiroga pasó la mayor parte de su niñez con su madre y sus tres hermanos. De niño, a Horacio le gustaba leer mucho, y le interesaban el ciclismo, la química, la mecánica y la fotografía. En 1901, cuando Quiroga tenía 17 años, su padrastro, que era paralítico, se suicidó. Al año siguiente, Quiroga mató por accidente a su amigo Federico Ferrando. Luego del incidente se mudó a la Argentina, donde trabajó como profesor de español. En 1903, Quiroga visitó por primera vez la selva de Misiones, un territorio de Argentina que le encantó y que aparece en muchos de sus cuentos. Se casó con Ana María Cires, una antigua estudiante suya, y tuvieron dos hijos: Eglé y Darío. En 1915 Ana María se suicidó. Desde 1917 Quiroga ocupó varios puestos en el consulado uruguayo de Argentina. En 1927 se volvió a casar, esta vez con una amiga de su hija, María Elena Bravo, con quien tuvo una hija, María Elena, un año después. En 1936 su segunda esposa lo dejó, y en 1937, al saber que tenía cáncer, Quiroga se suicidó.

Quiroga es conocido sobre todo por sus cuentos para adultos, y en ellos encontramos que la recurrencia de temas como la muerte y la locura reflejan la influencia del escritor estadounidense Edgar Allan Poe y las tragedias que sufrió Quiroga a lo largo de su vida. Otra fuente de inspiración, tanto en sus obras para niños como en las dirigidas para adultos, proviene de Misiones, la selva argentina que serviría de escenario para muchos de sus cuentos protagonizados por animales, y en los que Quiroga examina la relación entre el hombre y la naturaleza.

II. El contexto

De 1916 a 1918, mientras Horacio Quiroga escribía "La abeja haragana" y otros relatos de *Cuentos de la selva*, la historia del mundo se vio marcada por los conflictos de la Primera Guerra Mundial y por el nacimiento de la primera nación comunista, Rusia. En aquel entonces, y tras el suicidio de su esposa, Quiroga vivía en Buenos Aires con sus hijos. Ésta fue su etapa más prolífica, y cuando escribió la mayoría de sus obras infantiles. Antes de ser publicados en obras independientes, estos cuentos aparecieron inicialmente en una serie semanal de la revista infantil, *Billiken*. *Cuentos de la selva*, que reúne muchos de los cuentos infantiles de Quiroga, es una colección de fábulas en las que el autor les da vicios humanos a los personajes animales para comunicar una moraleja a su público infantil.

III. Antes de leer

A. Palabras útiles

1. la advertencia (f.) — indicación que debe comportarse con cuidado; *warning*
2. el agujero (m.) — hueco; *hole*
3. apenas — casi suficiente; *hardly*
4. aprovecharse — disfrutar de algo; *to take advantage*
5. arrastrarse — moverse con dificultad; *to crawl, to drag oneself*
6. asomarse — mirar sin ser muy obvio; *to peek*
7. la colmena (f.) — donde viven las abejas; *hive*
8. desenvolver — quitar la cubierta de algo; *to unwrap*
9. entumecido (adj.) — quedarse una parte del cuerpo sin sensación; *numb*

10. la gota (f.) — una pequeña cantidad de un líquido; *a drop*
11. hallarse — encontrarse; *to find oneself*
12. la miel (f.) — el dulce producido por las abejas; *honey*
13. rodear — poner alrededor; *to surround*
14. soler (ue) — a menudo (pero en forma de verbo); *to be frequent/to tend to;* ejemplo: Las abejas suelen ser trabajadoras. / *Bees tend to be hard workers.*
15. soplar — exhalar con fuerza; *to blow*

B. Actividades de vocabulario

Actividad 1: Complete la tabla con la palabra adecuada de la lista de vocabulario o con una explicación/definición de la palabra dada, según el caso.

	Palabra	Explicación o definición
Modelo	autor	el escritor de una obra
1		echar un vistazo
2		una pequeña cantidad de líquido que sale en forma de glóbulo
3	colmena	
4		hacer lo que hace un niño antes de aprender a andar
5		una apertura más o menos redonda
6		sacar beneficio de algo
7		lo que hace el viento
8	miel	

9		poner alrededor
10		tan frío que no se puede sentir nada
11	hallarse	
12		ser frecuente
13		casi no
14		en vez de castigar a un niño travieso una madre puede dar una de éstas.
15		lo que hacen los niños con sus regalos de Navidad

Actividad 2: Complete el cuento con la palabra adecuada de la lista de vocabulario.

Óscar era un osito que vivía en un bosque enorme. Era muy simpático y no le gustaba robar a los otros animales, pero a veces no podía resistir la tentación. Su comida favorita era la _1_ que fabricaban las abejas. Les había pedido la receta[1] de ésta varias veces, pero las abejas nunca se la daban. Cada noche, Óscar soñaba con probar una sola _2_ de la miel preciosa.

Un día, al despertarse, Óscar le dijo a su madre que iba en busca de una __3__ porque se moría de ganas de probar una sola gota de la dulce miel. Su madre le dio una _4_ diciendo, "cuidado, Óscar, que las abejas __5__ ser muy egoístas con su miel".

Óscar pasó el día buscando la colmena. Hacía mucho frío porque llovía y el viento _6_ fuerte. Las patas de Óscar, el osito, estaban _7_ por el frío. Así que decidió buscar un sitio alejado de la lluvia para secarse y esperar a que escampara.[2] Vio un hueco en la falda de una cuesta y entró. __8__ se había tendido en el suelo cuando se durmió.

---

[1] *recipe* [2] *to clear up*

Mientras dormía, una araña salió de un __9__ pequeño de la cueva. Se aprovechó de la siesta del osito para __10__ lo (el osito) en una telaraña gruesa. Cuando Óscar se despertó, __11__ en un aprieto —estaba completamente atrapado por la telaraña—. ¿Quién hubiera pensado que una araña podía vencer a un osito?

Al atardecer, su madre vino a buscarlo, y lo encontró cuando __12__ a la puerta de la cueva. Óscar estaba envuelto en la telaraña. Su madre se rió y __13__ el regalo más precioso del mundo —su hijo Óscar.

Cuando por fin estuvo libre de sus cadenas, Óscar empezó a llorar. Su madre le dijo:

—Pero Óscar, ¿qué te pasa? Todo está bien.

Óscar contestó:

—No está bien todo si todavía no tengo mi miel preciosa.

Su madre lo consoló diciendo:

—Lo siento, hijo, pero he encontrado algo parecido.

Su madre indicó que debía seguirla. Tuvieron que __14__ por una cueva pequeña y, al salir de ella, se hallaron cerca de una cascada enorme. Caminaron bajo el agua de la cascada, y al llegar al borde del agua su madre cogió una flor que allí crecía. Era la flor de la madreselva.[3]

Óscar tomó el jugo de la flor. Era dulce como la miel, pero aunque había dicho que sólo quería una gotita de miel, quería mucho más que una gota. ¡Tendría que tomar el jugo de todas las madreselvas del bosque para satisfacer sus ganas!

Óscar y su madre regresaron a casa. Óscar se acostó contento, pensando en regresar a la cascada al día siguiente.

C. **Expectativas**

1. Uno de los personajes de "La abeja haragana" dice, "No hay mañana para las que no trabajan". Teniendo en cuenta el título, adivine la moraleja de la fábula.
2. Quiroga vivió por mucho tiempo en la selva de Argentina, un territorio que se llama Misiones, el escenario de "La abeja haragana". ¿Qué saben Uds. de la selva? ¿Cómo sería vivir ahí?
3. Imagínese qué está pasando en esta ilustración del cuento.

---

[3] *honeysuckle*

IV. El Texto

LA ABEJA HARAGANA[1]

Había una vez en una *colmena* una abeja que no quería trabajar, es decir, recorría[2] los árboles uno por uno para tomar jugo de las flores; pero en vez de conservarlo para convertirlo en *miel*, se lo tomaba del todo.

5 Era, pues, una abeja haragana. Todas las mañanas, *apenas* el sol calentaba el aire, la abejita *se asomaba* a la puerta de la *colmena*, veía que hacía buen tiempo, se peinaba con las patas, como hacen las moscas, y echaba entonces a volar, muy contenta del lindo día. Zumbaba[3] muerta de gusto de flor en flor, entraba 10 en la *colmena*, volvía a salir, y así se lo pasaba todo el día mientras las otras abejas se mataban trabajando para llenar la *colmena* de *miel*, porque la *miel* es el alimento de las abejas recién nacidas.

Como las abejas son muy serias, comenzaron a disgustarse 15 con el proceder[4] de la hermana haragana. En la puerta de las *colmenas* hay siempre unas cuantas abejas que están de guardia para cuidar que no entren bichos[5] en la *colmena*. Estas abejas *suelen* ser muy viejas, con gran experiencia de vida y tienen el lomo pelado[6] porque han perdido todos los pelos de rozar[7] contra 20 la puerta de la *colmena*.

Un día, pues, detuvieron a la abeja haragana cuando iba a entrar, diciéndole:

---

[1] perezosa [2] iba por [3] palabra onomatopéyica, emitía un sonido sordo; *she buzzed* [4] comportamiento [5] insectos [6] que se ha quedado sin pelo [7] moverse repetidamente para adelante y atrás, o de arriba abajo: *to rub*

—Compañera: es necesario que trabajes, porque todas las abejas debemos trabajar.

25 La abejita contestó:

—Yo ando todo el día volando, y me canso mucho.

—No es cuestión de que te canses mucho —respondieron—, sino de que trabajes un poco. Es la primera *advertencia* que te hacemos.

30 Y diciendo así la dejaron pasar.

Pero la abeja haragana no se corregía.[8] De modo que a la tarde siguiente las abejas que estaban de guardia dijeron:

—Hay que trabajar, hermana.

Y ella respondió en seguida:

35 —¡Uno de estos días lo voy a hacer!

—No es cuestión de que lo hagas uno de estos días —le respondieron— sino mañana mismo. Acuérdate de esto.

Y la dejaron pasar.

A la noche siguiente se repitió la misma cosa. Antes de que 40 dijeran nada, la abejita exclamó:

—¡Sí, sí hermanas! ¡Ya me acuerdo de lo que he prometido!

—No es cuestión de que te acuerdes de lo prometido —le respondieron—, sino de que trabajes. Hoy es el 19 de abril. Pues bien: trata de que mañana, 20,[9] hayas traído una *gota* siquiera[10] 45 de *miel*. Y ahora, pasa.

Y diciendo esto, se apartaron para dejarla entrar.

Pero el 20 de abril pasó en vano como todos los demás. Con la diferencia de que al caer el sol el tiempo se descompuso[11] y comenzó a *soplar* un viento frío.

50 La abejita haragana voló apresurada[12] hacia su *colmena*, pensando en lo calentito que estaría allá dentro. Pero cuando quiso entrar, las abejas que estaban de guardia se lo impidieron.

—¡No se entra! —le dijeron fríamente.[13]

—¡Yo quiero entrar! —clamó la abejita—. Ésta es mi *colmena*.

55 —Ésta es la *colmena* de unas pobres abejas trabajadoras —le contestaron las otras—. No hay entrada para las haraganas.

—¡Mañana sin falta voy a trabajar! —insistió la abejita.

---

[8] o sea, no cambiaba su comportamiento [9] el 20 de abril de 1917 fue el día en que Lenin, en el periódico ruso *Pravda*, calificó a Rusia como "tierra libre del mundo" [10] *at least* [11] se puso mal [12] con prisa [13] fíjese en el paralelo entre el frío del tiempo y el frío de las voces

—No hay mañana para las que no trabajan —respondieron las abejas, que saben mucha filosofía.

60 Y esto diciendo la empujaron afuera.

La abejita, sin saber qué hacer, voló un rato aún; pero ya la noche caía y se veía *apenas*. Quiso cogerse de una hoja, y cayó al suelo. Tenía el cuerpo *entumecido* por el aire frío, y no podía volar más.

65 *Arrastrándose* entonces por el suelo, trepando[14] y bajando de los palitos y piedritas, que le parecían montañas, llegó a la puerta de la *colmena*, a tiempo que comenzaban a caer frías *gotas* de lluvia.

—¡Ay, mi Dios! —clamó la desamparada—.[15] Va a llover, y
70 me voy a morir de frío.

Y tentó entrar en la *colmena*.

Pero de nuevo le cerraron el paso.

—¡Perdón —gimió[16] la abeja—. ¡Déjenme entrar!

—Ya es tarde —le respondieron.

75 —¡Por favor, hermanas! ¡Tengo sueño!

—Es más tarde aún.

—¡Compañeras, por piedad! ¡Tengo frío!

—Imposible.

—¡Por última vez! ¡Me voy a morir!

80 Entonces le dijeron:

—No, no morirás. Aprenderás en una sola noche lo que es el descanso ganado con el trabajo. Vete.

Y la echaron.[17]

Entonces, temblando de frío, con las alas mojadas y trope-
85 zando,[18] la abeja *se arrastró, se arrastró,* hasta que de pronto rodó[19] por un *agujero*; cayó rodando, mejor dicho, al fondo de una caverna.

Creyó que no iba a concluir nunca de bajar. Al fin llegó al fondo, y *se halló* bruscamente ante una víbora, una culebra verde
90 de lomo color ladrillo, que la miraba enroscada[20] y presta[21] a lanzarse[22] sobre ella.

En verdad, aquella caverna era el hueco de un árbol que habían trasplantado hacía tiempo, y que la culebra había elegido de guarida.[23]

---

[14] subiendo [15] dejada sin protección [16] *moaned* [17] hicieron salir [18] cayendo [19] *tumbled/rolled* [20] *coiled* [21] lista [22] tirarse [23] nido, refugio

95 Las culebras comen abejas, que les gustan mucho. Por esto la abejita, al encontrarse ante su enemiga, murmuró cerrando los ojos:

—¡Adiós mi vida! Esta es la última hora que yo veo la luz.

Pero con gran sorpresa suya, la culebra no solamente no la 100 devoró sino que le dijo:

—¿Qué tal, abejita? No has de ser[24] muy trabajadora para estar aquí a estas horas.

—Es cierto —murmuró la abeja—. No trabajo, y yo tengo la culpa.

105 —Siendo así —agregó la culebra, burlona—,[25] voy a quitar del mundo a un mal bicho como tú. Te voy a comer, abeja.

La abeja, temblando, exclamó entonces:

—¡No es justo eso, no es justo! No es justo que usted me coma porque es más fuerte que yo. Los hombres saben lo que es justi- 110 cia.

—¡Ah, ah! —exclamó la culebra, enroscándose ligero—. ¿Tú conoces bien a los hombres? ¿Tú crees que los hombres que les quitan la *miel* a ustedes, son más justos, grandísima tonta?

—No, no es por eso que nos quitan la *miel* —respondió la abe- 115 ja.

—¿Y por qué, entonces?

—Porque son más inteligentes.

Así dijo la abejita. Pero la culebra se echó a reír, exclamando:

—¡Bueno! Con justicia o sin ella, te voy a comer; aprontate.[26]

120 Y se echó atrás, para lanzarse sobre la abeja. Pero ésta exclamó:

—Usted hace eso porque es menos inteligente que yo.

—¿Yo menos inteligente que tú, mocosa?[27] —se rió la culebra.

—Así es —afirmó la abeja.

25 —Pues bien —dijo la culebra—, vamos a verlo. Vamos a hacer dos pruebas. La que haga la prueba más rara, ésa gana. Si gano yo, te como.

—¿Y si gano yo? —preguntó la abejita.

—Si ganas tú —repuso su enemiga—, tienes el derecho de 30 pasar la noche aquí, hasta que sea de día. ¿Te conviene?[28]

—Aceptado —contestó la abeja.

---

[24] *you must not be* [25] *mocking* [26] prepárate [27] niña maleducada (en este caso, abejita maleducada) [28] de acuerdo

La culebra se echó a reír de nuevo, porque se le había ocurrido una cosa que jamás podría hacer una abeja. Y he aquí lo que hizo:

135 Salió un instante afuera, tan velozmente que la abeja no tuvo tiempo de nada. Y volvió trayendo una cápsula de semillas de eucalipto, de un eucalipto que estaba al lado de la *colmena* y que le daba 140 sombra.

Los muchachos hacen bailar como trompos[29] esas cápsulas, y les llaman trompitos de eucalipto.

—Esto es lo que voy a hacer —dijo la culebra—. ¡Fíjate bien, 145 atención!

Y arrollando vivamente la cola alrededor del trompito como un piolín[30] la *desenvolvió* a toda velocidad, con tanta rapidez que el trompito quedó bailando y zumbando como un loco.

La culebra reía, y con mucha razón, porque jamás una abeja 150 ha hecho ni podrá hacer bailar a un trompito. Pero cuando el trompito, que se había quedado dormido zumbando, como les pasa a los trompos de naranjo, cayó por fin al suelo, la abeja dijo:

—Esa prueba es muy linda, y yo nunca podré hacer eso.

—Entonces, te como —exclamó la culebra.

155 —¡Un momento! Yo no puedo hacer eso; pero hago una cosa que nadie hace.

—¿Qué es eso?

—Desaparecer.

—¿Cómo? —exclamó la culebra, dando un salto de sorpresa—. 160 ¿Desaparecer sin salir de aquí?

—Sin salir de aquí.

—¿Y sin esconderte en la tierra?

—Sin esconderme en la tierra.

—Pues bien, ¡hazlo! Y si no lo haces, te como en seguida — 165 dijo la culebra.

El caso es que mientras el trompito bailaba, la abeja había tenido tiempo de examinar la caverna y había visto una plantita que crecía allí. Era un arbustillo,[31] casi un yuyito,[32] con grandes hojas del tamaño de una moneda de dos centavos.

---

[29] *tops (toy)* [30] *string* [31] *little bush* [32] *little weed*

170 La abeja se arrimó[33] a la plantita, teniendo cuidado de no tocarla, y dijo así:

—Ahora me toca a mí, señora Culebra. Me va a hacer el favor de darse vuelta, y contar hasta tres. Cuando diga "tres" búsqueme por todas partes, ¡ya no estaré más!

175 Y así pasó, en efecto. La culebra dijo rápidamente: "uno. . . , dos. . . , tres", y se volvió y abrió la boca cuan grande era, de sorpresa: allí no había nadie. Miró arriba, abajo, a todos lados, recorrió los rincones, la plantita, tanteó[34] todo con la lengua. Inútil: la abeja había desaparecido.

180 La culebra comprendió entonces que si su prueba del trompito era muy buena, la prueba de la abeja era simplemente extraordinaria. ¿Qué se había hecho? ¿Dónde estaba?

Una voz que *apenas* se oía —la voz de la abejita— salió del medio de la cueva.

185 —¿No me vas a hacer nada? —dijo la voz—. ¿Puedo contar con tu juramento?[35]

—Sí —respondió la culebra—. Te lo juro. ¿Dónde estás?

—Aquí —respondió la abejita, apareciendo súbitamente[36] de entre una hoja cerrada de la plantita.

190 ¿Qué había pasado? Una cosa muy sencilla: la plantita en cuestión era una sensitiva,[37] muy común también en Buenos Aires, y que tiene la particularidad de que sus hojas se cierran al menor contacto. Solamente que esta aventura pasaba en Misiones, donde la vegetación es muy rica, y por lo tanto muy grandes

195 las hojas de las sensitivas. De aquí que al contacto de la abeja, las hojas se cerraron, ocultando completamente al insecto.

La inteligencia de la culebra no había alcanzado nunca a darse cuenta de este fenómeno; pero la abeja lo había observado, y *se aprovechaba* de él para salvar su vida.

200 La culebra no dijo nada, pero quedó muy irritada con su derrota, tanto que la abeja pasó toda la noche recordando a su enemiga la promesa que había hecho de respetarla.

Fue una noche larga, interminable, que las dos pasaron arrimadas[38] contra la pared más alta de la caverna, porque la tor-

205 menta se había desencadenado,[39] y el agua entraba como un río adentro.

---

[33] se acercó [34] tocó/sintió [35] *can I count on your promise?* (juramento = *sworn statement*) [36] de pronto [37] planta originaria de América Central [38] apoyados (en), muy cerca de [39] *broken as in unchained, let loose*

Hacía mucho frío, además, y adentro reinaba la oscuridad más completa. De cuando en cuando la culebra sentía impulsos de lanzarse sobre la abeja, y ésta creía entonces llegado el término de su vida.

Nunca jamás, creyó la abejita que una noche podría ser tan fría, tan larga, tan horrible. Recordaba su vida anterior, durmiendo noche tras noche en la *colmena*, bien calentita, y lloraba entonces en silencio.

Cuando llegó el día, y salió el sol, porque el tiempo se había compuesto,[40] la abejita voló y lloró otra vez en silencio ante la puerta de la *colmena* hecha por el esfuerzo de la familia. Las abejas de guardia la dejaron pasar sin decirle nada, porque comprendieron que la que volvía no era la paseandera[41] haragana, sino una abeja que había hecho en sólo una noche un duro aprendizaje de la vida.

Así fue, en efecto. En adelante, ninguna como ella recogió tanto polen ni fabricó tanta *miel*. Y cuando el otoño llegó, y llegó también el término de sus días, tuvo aún tiempo de dar una última lección a las jóvenes abejas que la *rodeaban*:

—No es nuestra inteligencia, sino nuestro trabajo que nos hace tan fuertes. Yo usé una sola vez mi inteligencia, y fue para salvar mi vida. No habría necesitado de ese esfuerzo, si hubiera trabajado como todas. Me he cansado tanto volando de aquí para allá, como trabajando. Lo que me faltaba era la noción del deber, que adquirí aquella noche.

Trabajen, compañeras, pensando que el fin a que tienden[42] nuestros esfuerzos —la felicidad de todos— es muy superior a la fatiga de cada uno. A esto los hombres llaman ideal, y tienen razón. No hay otra filosofía en la vida de un hombre y de una abeja.

---

[40] se había puesto mejor [41] que no hace nada [42] conducen

V. Después de leer

A. Preguntas de comprensión

1. ¿De qué advirtieron las abejas viejas a la abeja haragana?
2. ¿A quién conoció la abeja haragana durante la noche que pasó fuera de la colmena?
3. ¿Por qué dice la abeja que no es justo que la culebra se la coma?
4. Según la abeja, ¿por qué les quitan los hombres la miel a las abejas?
5. Según la abeja, ¿por qué la culebra quiere comerla?
6. ¿Qué gana la que hace la prueba más rara?
7. Describa la prueba de la culebra.
8. Describa la prueba de la abeja.
9. ¿Qué aprendió la abeja de su noche fuera de la colmena?
10. ¿Qué lección les enseña la abeja a las abejitas de la colmena?

B. Ponga en orden cronológico

_____ 1. La culebra le dice a la abeja que debe prepararse para morir.

_____ 2. Tras pasar una noche en la guarida de una culebra, la abeja regresa a su colmena.

_____ 3. La abeja haragana pasa cada día recorriendo todos los árboles, tomando el jugo de las flores sin convertirlo en miel.

_____ 4. La culebra acepta que la abeja haya ganado la prueba.

_____ 5. La abeja les dice a las abejitas que la felicidad de todos es muy superior a la fatiga de cada uno.

_____ 6. La culebra hace su prueba con la cápsula de unas semillas del eucalipto.

_____ 7. La abeja fabrica más miel que todas las demás abejas.

_____ 8. Las abejas que cuidan la puerta de la colmena le dan una advertencia a la abeja haragana.

_____ 9. La abeja haragana se cae en el agujero de la culebra.

_____ 10. La abeja haragana desaparece.

_____ 11. La culebra propone que hagan dos pruebas para saber quién es la más inteligente.

_____ 12. Las abejas que cuidan la puerta de la colmena no dejan entrar a la abeja haragana.

C. Para entender mejor: Actividad de estructuralismo/narratología

Los cuentos nos pueden descubrir algunos valores de su cultura de origen. Una manera de analizar un cuento es comparar los pares de opuestos (opuestos binarios) en el cuento y las correlaciones de estos pares. Con frecuencia, estas correlaciones se transforman a lo largo del cuento, dando un mensaje relacionado con los valores o las creencias culturales. Por ejemplo, en "Cenicienta", las hermanastras feas son malas, ricas, e infelices, mientras que Cenicienta es bonita, bondadosa, pobre, e infeliz. Al fin del cuento, Cenicienta todavía es bonita y bondadosa, pero también es rica y feliz. Un mensaje que el lector podría deducir de Cenicienta es que la belleza y la amabilidad conducirán a las riquezas y la felicidad. La cultura originaria de Cenicienta aprecia la belleza física y la amabilidad. Obviamente, hay más de una manera de analizar los pares de opuestos en Cenicienta, así que esta actividad es algo subjetiva. Sin embargo, es una herramienta útil para descubrir la estructura de un cuento. La actividad que sigue nos ayudará a descubrir dicha estructura en "La abeja haragana".

Complete la tabla con la palabra adecuada del par de palabras para describir al(los) personaje(s). Si ninguna de las palabras describe al personaje, déjelo en blanco.

	Las abejas (salvo la abeja haragana)	**La abeja haragana** (durante la mayor parte del cuento)	**La culebra**	**La abeja haragana** (al final del cuento)
trabajador/a perezoso/a				
amparado/a desamparado/a				
inteligente poco inteligente				
fuerte débil				

Al final del cuento, la protagonista se ha transformado y su situación ha cambiado también. Según este cuento, ¿qué valora esta cultura? ¿Hay otros mensajes escondidos en la estructura de “La abeja haragana” que encontramos al hacer esta actividad? ¿Cuáles son?

D. Preguntas de análisis

1. Está claro que la culebra es más fuerte que la abejita. No obstante lo cual, la abejita logra vencer a la culebra. ¿Cuál es la debilidad de la culebra?
2. En su opinión, ¿qué quiere decir Quiroga con esta cita de las líneas 107 a 117?

La abeja, temblando, exclamó entonces:

—¡No es justo eso, no es justo! No es justo que usted me coma porque es más fuerte que yo. Los hombres saben lo que es justicia.

—¡Ah, ah! —exclamó la culebra, enroscándose ligero—. ¿Tú conoces bien a los hombres?¿Tú crees que los hombres que les quitan la miel a ustedes, son más justos, grandísima tonta?

—No, no es por eso que nos quitan la miel —respondió la abeja.

—¿Y por qué, entonces?

—Porque son más inteligentes.

3. Quiroga se refiere a la filosofía dos veces en el cuento. En su opinión, ¿a qué filosofía o ideología se refiere Quiroga?

—No hay mañana para las que no trabajan —respondieron las abejas, que saben mucha ***filosofía****.*

—No es nuestra inteligencia, sino nuestro trabajo que nos hace tan fuertes. Yo usé una sola vez mi inteligencia, y fue para salvar mi vida. No habría necesitado de ese esfuerzo, si hubiera trabajado como todas. Me he cansado tanto volando de aquí para allá, como trabajando. Lo que me faltaba era la noción del deber, que adquirí aquella noche.

Trabajen, compañeras, pensando que el fin a que tienden nuestros esfuerzos —la felicidad de todos— es muy superior a la fatiga de cada uno. A esto los hombres llaman ideal, y tienen razón. No hay otra ***filosofía*** *en la vida de un hombre y de una abeja.*

4. Uno de los temas recurrentes en las obras de Quiroga es la muerte. ¿Qué enseña este cuento sobre la muerte?

VI. Sugerencias para los profesores

A. A menudo, para los estudiantes de un segundo idioma, es difícil concentrarse en el contenido de un cuento porque tienen que detenerse mucho en el vocabulario. Para ayudar a sus estudiantes a comprender el texto y recordar la trama, pídales que escriban un resumen de una o dos oraciones por cada página del cuento.
B. Además de *Cuentos de la selva,* Quiroga también escribió una serie de cuentos/cartas para niños que fueron publicados en *Billiken,* una revista infantil. Estas cartas han sido compiladas bajo el título de *Cartas de un cazador* (Arca, 1988). En las cartas, un cazador describe a sus niños sus aventuras en la selva de Argentina. Muchas de estas cartas contienen elementos que no se considerarían apropiados para un público infantil de algunas culturas. Lea los pasajes de "Caza del tigre", de *Cartas de un cazador,* (reproducidos en la página siguiente). Después, compárelos con "La abeja haragana" y hable de la noción cultural de lo que es apropiado para un público infantil.
C. Enseñe la estrategia narrativa de **la focalización**. Como ejercicio, pídales a los estudiantes que vuelvan a contar el cuento desde la perspectiva de la culebra, la abeja haragana, o las abejas que cuidan la puerta de la colmena.
D. Escoja cuatro temas relacionados con el cuento que le gustaría repasar en clase. Traiga a clase un artículo breve para cada tema. He aquí unos temas posibles para "La abeja haragana":

- Un artículo sobre la vida de Horacio Quiroga. "Quiroga, Horacio." *Contemporary Authors Online.* Gale, 2003.
- "Horacio Quiroga: De los devaneos juveniles a la profesionalización del escritor" en http://www.imaginaria.com.ar/09/7/quiroga2.htm.

- Un artículo crítico sobre *Cuentos de la selva* o las obras de Quiroga en general disponible en JSTOR: "La Muerte en los Cuentos de Horacio Quiroga" por André Collard. *Hispania*, 41, 3 (Sep., 1958): 278-281.
- Un resumen breve de la historia de Argentina y Uruguay hasta 1918. "History of Argentina" y "History of Uruguay" en www.wikipedia.org.
- Un artículo sobre la selva de Argentina o Misiones, Argentina http://www.yenys.com.ar/bosques/selva-mis.asp.
- Un resumen breve de las enseñanzas de Marx y Lenin o la historia del comunismo http://es.wikipedia.org/wiki/Comunismo.
- Un artículo sobre el estructuralismo o la narratología http://www.press.jhu.edu/books/hopkins_guide_to_literary_theory/narratology.html.
- Otro cuento de *Cuentos de la selva* disponible en el Internet en www.icdlbooks.org.
- Algunos de los cuentos para adultos de Quiroga: "La insolación", "Las rayas", "La mancha hipotalámica", "El vampiro", "Juan Darién", y "El espectro" están disponibles en la facultad de ciencias sociales de la Universidad de Chile en http://rehue.csociales.uchile.cl/rehue home/facultad/publicaciones/autores/quiroga.

Divida la clase en grupos de cuatro. Éstos serán los grupos de origen. Asigne un tema diferente a cada miembro del grupo. Luego, cada estudiante debe salir de su grupo de origen e ir a su grupo de tema. Habrá cuatro grupos de tema, uno por cada tema. Un grupo de tema constará de todos los estudiantes asignados al mismo tema (por ejemplo, todos los estudiantes asignados a estudiar la historia de Argentina formarían un grupo de tema). Con su grupo de tema, cada estudiante debe leer la información sobre su tema y decidir cuáles son las ideas principales de la información sobre dicho tema. Luego, cada estudiante regresa a su grupo de origen para enseñar al resto del grupo lo que aprendió en su grupo de tema.

Caza del tigre (de *Cartas de un cazador*)

Chiquitos míos: Lo que más va a llamar la atención de ustedes, en esta primera carta, es el que esté manchada de sangre. La sangre de los bordes del papel es mía, pero en medio hay también dos gotas de sangre del tigre que cacé esta madrugada. [. . .]

Hace dos días acababa de salir del monte con dos perros, cuando oigo una gran gritería. Miro en la dirección de los gritos, y veo tres hombres que vienen corriendo hacia mí. Me rodean en seguida, y uno tras otro tocan todos mi Winchester, locos de contento. Uno me dice:

—¡Che amigo! ¡Lindo que viniste por aquí! ¡Macanudo tu *guinche*, che amigo!

Este hombre es misionero, o correntino, o chaqueño, o formoseño, o paraguayo. En ninguna otra región del mundo se habla así.

Otro me grita:

—¡Ah, vocé está muito bom! ¡Con la espingarda de vocé vamos a matar o tigre damnado!

Este otro, chiquitos míos, es brasileño por los cuatro lados. Las gentes de las fronteras hablan así, mezclando los idiomas.

En cinco minutos me enteran de que han perdido ya cuatro compañeros en la boca de un tigre cebado: dos hombres, y una mujer con su hijito. [. . .]

Los cazadores y yo, pues, hallamos el rastro del tigre [. . .] y sujetamos cuatro tacuaras con ocho o diez travesaños a tres metros de altura, y trepando arriba, nos instalamos a esperar a la fiera, el cazador correntino, el paraguayo, el brasileño y yo.

¡Ah, chiquitos, ustedes no se figuran lo que es permanecer horas y horas sin moverse, a pesar de los calambres y de los mosquitos que lo devoran a uno vivo! Pero cuando se caza de noche al acecho, hay que proceder así. El que no es capaz de soportar esto, se queda tranquilo en su casita, ¿verdad? [. . .]

¿Cuánto tiempo permanecimos así? A mí me parecieron tres años. Pero lo cierto es que de pronto, en la misma oscuridad y el mismo silencio, sin que una sola hoja se hubiera movido, oí una voz que me decía sumamente bajo al oído:

—La está o bicho. . .

¡Allí estaba, en efecto, el tigre! Estaba debajo de nosotros, un poco a la izquierda, ¡y ninguno lo había oído llegar!

¿Ustedes creerán que veía al tigre? Nada de eso. Veía dos luces verdes e inmóviles que parecían estar lejísimos. ¡Y ninguno de los tres cazadores del monte lo había sentido llegar!

Sin movernos de nuestro sitio, cambiamos algunas palabras en bajísima voz.

—¡Apúntale bien, che amigo! —me susurró el paraguayo.

Y el brasileño agregó:

—¡Apúrese vocé, que o bicho va a pular! (saltar).

Y para confirmar esto, el correntino gritó casi:

—¡Ligero, che patrón! ¡Y entre los dos ojos!

El tigre ya iba a saltar. Bajé rápidamente el fusil hasta los ojos del tigre, y cuando tuve la mira del Winchester entre las dos luces verdes, hice fuego.

¡Ah, hijitos míos! ¡Qué maullido! Exactamente como el de un gato que va a morir, pero cien veces más fuerte. [. . .]

Mis compañeros lanzaron a su vez un alarido de gozo, porque sabían bien (creían saberlo, como se verá), sabían bien que un tigre sólo maúlla así cuando ha recibido un balazo mortal en los sesos o el corazón.

Estaba muriendo, sin género en duda. De un salto nos lanzamos al suelo, y yo todavía con la linterna en la mano, me agaché sobre la fiera.

¡Ah, chiquitos! ¡Ojalá no lo hubiera hecho! A pesar de su maullido de muerte y de las sacudidas agónicas de sus patas traseras, el tigre tuvo aún fuerzas para lanzarme un zarpazo con la velocidad de un rayo. Sentí el hombro y todo el brazo abierto como por cinco puñales, y caí arrastrado contra la cabeza del tigre.

Aquel zarpazo era el último resto de vida de la fiera. [. . .]

Mis compañeros me retiraron desmayado todavía. Y ahora, mientras les escribo y la piel colgada del tigre gotea sobre el papel, siento que por bajo del vendaje escurre hasta los dedos la sangre de mis propias heridas. . .

Bien, chiquitos. Dentro de diez días estaré curado. Nada más por hoy, y hasta otra, en que les contaré algo más divertido.

VII. Más recursos

Acevedo, Ramón Luis. "Kipling, Quiroga y los cuentos de animales". *Revista de Estudios Hispánicos,* 6 (1979): 77–84.

Boule-Christauflour, Annie. "Horacio Quiroga cuenta su propia vida". *Bulletin Hispanique*, 77 (1975): 74–106.
Bratosevich, Nicolas A. *El estilo de Horacio Quiroga en sus cuentos*. Madrid: Gredos, 1973.
González López, Waldo. "Quiroga en su narrativa para niños". *Casa de las Américas,* 116 (1979): 15–20.
Flores, Ángel. *Aproximaciones a Horacio Quiroga*. Caracas: Monte Ávila, 1976.
"Horacio Quiroga: De los devaneos juveniles a la profesionalización del escritor". Imaginaria.com. http://www.imaginaria.com.ar/09/7/Quiroga2. htm.
Orgambide, Pedro. *Horacio Quiroga: Una historia de vida*. Buenos Aires: Planeta, 1994.
Quiroga, Horacio. *Cartas de un cazador*. Montevideo: Arca, 1988.
———. *El loro pelado y otros cuentos de la selva*. Buenos Aires: Ediciones Colihue, 1989.
———. *Todos los cuentos*. Madrid: Fondo de Cultura Económica, 1993.
"Quiroga, Horacio". *Hispanic Literature Criticism*. New York: Gale, 1994.
"Quiroga, Horacio". *Twentieth-Century Literary Criticism*. Vol. 20. New York: Gale, 1986.

Manlio Argueta:
"Los perros mágicos de los volcanes"

I. El autor

Courtesy of Linda Craft

Manlio Argueta nació el 24 de noviembre de 1935 en San Miguel, El Salvador. Empezó a escribir poesía a la edad de trece años bajo la temprana influencia de Pablo Neruda y F. García Lorca. En el año 1956 ganó un premio nacional de poesía que le dio más reconocimiento en la región. En 1972, por sus críticas al gobierno, Argueta fue exiliado a Costa Rica, y no pudo regresar a El Salvador hasta los años noventa. Aunque se considera poeta, se conoce internacionalmente por su narrativa. En 1977 ganó el prestigioso premio Casa de las Américas con su primera novela, *Caperucita en la zona roja*. Su segundo libro, *Un día en la vida* (1980), es una novela testimonial que constituyó una sensación internacional, y fue traducido a doce idiomas. La novela cuenta las experiencias de un día en la vida de una campesina, Lupe, una abuela de un pueblito de El Salvador, y la brutalidad con la que el ejército salvadoreño trata a los pobres.

Argueta pertenece a la *Generación Comprometida*, un grupo de escritores caracterizados por un espíritu revolucionario tanto en su escritura como en sus ideas políticas. Uno de los objetivos prioritarios de este grupo de escritores era el de que sus obras sirvieran para producir un cambio social. Por eso, se centran en el tratamiento de las clases menos acomodadas y el redescubrimiento de su herencia cultural. Además de novelas y poesía, Argueta escribió un libro autobiográfico sobre su niñez, *Siglo de*

O(g)ro (1997). Su narrativa infantil, hasta la fecha, consta únicamente de dos cuentos, uno de los cuales reproducimos aquí; y ambas historias se basan en **leyendas** y **mitos** de El Salvador. Con la firma de los Acuerdos de Paz de Esquipulas (1987) por los presidentes de Centroamérica, Argueta pudo volver a El Salvador donde trabaja ahora como Director de la Biblioteca Pública Nacional.

II. El contexto

Argueta publicó su cuento *Los perros mágicos de los volcanes/The Magic Dogs of the Volcanoes* en 1990 como un libro bilingüe para los niños salvadoreños que habián venido a los EE.UU. escapando de la Guerra Civil en El Salvador. En esta guerra, que duró doce años (1980-1992), los guerrilleros, una coalición de cinco grupos revolucionarios conocida como el FMLN (el Frente Farabundo Martí para la Liberación Nacional) se enfrentaron al gobierno y al ejército salvadoreños, apoyados por los EE.UU. y el entonces Presidente Ronald Reagan. En 1992, cinco líderes de los grupos guerrilleros y el entonces presidente de El Salvador, Alfredo Cristiani, firmaron un acuerdo en México para poner fin a este conflicto devastador.

En el cuento "Los perros mágicos de los volcanes", Argueta usa los cadejos como símbolo de los guerrilleros, y a Don Tonio y sus trece hermanos como representación del gobierno salvadoreño y las supuestas catorce familias que controlan El Salvador. En su lucha contra el gobierno, los guerrilleros se vestían como campesinos, y de esta manera se hacían "invisibles" al ejército.

III. Antes de leer

A. Palabras útiles

1. sacudirse — moverse, para quitarse el polvo, desprenderse de algo; *to dust or to dust off*
2. cazar — buscar a los animales para matarlos; *to hunt*
3. la sombra — la oscuridad que ocurre cuando algo bloquea los rayos del sol; *shade*

4. los tataranietos/los tatarabuelos — los hijos de los hijos de los hijos de los hijos; *great-great grandchildren/ great-great grandparents*
5. el plomo — un metal de color gris; *lead (metal)*
6. los dueños — patrones; *owners*
7. las semillitas — parte de la planta que produce más plantas; *seeds* (las semillas)
8. derretir — hacer líquido, disolver; *to melt*
9. aplastar — pisar; *to squash, to crush*
10. pisotear — pisar, aplastar con los pies

B. Actividades de vocabulario

Actividad 1: Complete el crucigrama

Horizontal

5. el padre de tu abuelo
6. parte de la planta que produce otra planta
7. buscar un animal para matarlo

Vertical

1. aplastar con los pies
2. disolver
3. metal de color gris y muy pesado
4. oscuridad, falta de luz
6. quitarle el polvo

Actividad 2: Llene los espacios en blanco con la forma adecuada de la palabra de la lista de vocabulario.

1. El perro se ____________________ para quitarse el agua.
2. El sol ____________________ la nieve muy rápidamente.
3. Durante un día soleado y caluroso, la familia hace un picnic a la ____________________ de un árbol.
4. Muchas personas __________________ los venados.
5. Los niños se aburren cuando sus padres les cuentan cuentos sobre sus ____________________.
6. Soy el _________________ de mi casa y de mi coche.
7. El símbolo del _________________ es Pb en la tabla periódica.
8. Los soldados __________________ las flores en su camino.
9. Plantamos _________________ durante la primavera para tener flores en el jardín.
10. El niño ________________ el insecto accidentalmente.

C. Expectativas

1. Piense en el título del cuento: "Los perros mágicos de los volcanes". ¿Qué cree que va a ocurrir en el cuento? ¿Qué son "los perros mágicos"?
2. Vean las ilustraciones de los volcanes y noten cómo están **personificados**. ¿Qué piensa que hacen en el cuento? ¿Qué papel juegan?

IV. El texto

LOS PERROS MÁGICOS DE LOS VOLCANES

Dibujos de Elly Simmons

En los volcanes de El Salvador habitan perros mágicos que se llaman cadejos. Se parecen a los lobos[1] aunque no son lobos. Y tienen el garbo[2] de venados[3] aunque no son venados. Se alimentan[4] de las *semillitas* que echan las campánulas,[5] esas lindas flores que cubren los volcanes y que parecen campanitas.[6]

La gente que vive en las faldas de los volcanes quiere mucho a los cadejos. Dicen que los cadejos son *los tataranietos* de los volcanes y que siempre han protegido a la gente del peligro y de la desgracia.[7]

Cuando la gente de los volcanes viaja de un pueblo a otro, siempre hay un cadejo que la acompaña. Si un cipote[8] está por pisar una culebra o caerse en un agujero, el cadejo se convierte en un soplo[9] de viento que lo desvía[10] del mal paso.

Si un anciano se cansa de tanto trabajar bajo el sol ardiente, un cadejo lo transporta a *la sombra* de un árbol cercano. Por todo esto, la gente de los volcanes dice que, si no fuera[11] por la ayuda de los cadejos, no hubieran podido sobrevivir hoy en día.

---

[1] *wolves* [2] gracia [3] ciervo; *deer* [4] comen; *feed on* [5] *morning glories* [6] *bells* [7] infortunio, desdicha; *misfortune* [8] la palabra en El Salvador para "niño" [9] soplar = *to blow*; un soplo = *a puff or breeze* [10] separar, bifurcar; *diverts* [11] *if it were not for*

Pero lamentablemente, no todos han querido siempre a los cadejos. ¡Qué va![12] A don Tonio y a sus trece hermanos,[13] que
20 eran *los dueños* de la tierra de los volcanes, no les gustaban los cadejos para nada.

¡Los cadejos hechizan[14] a la gente y la hacen perezosa! —dijo un día don Tonio a sus hermanos.

Y los trece hermanos de don Tonio contestaron:

25 —Sí, es cierto. La gente ya no quiere trabajar duro para nosotros. Quieren comer cuando tienen hambre. Quieren beber cuando tienen sed. Quieren descansar bajo *la sombra* de un árbol cuando arde[15] el sol. ¡Y todo eso por los cadejos!

Entonces, don Tonio y sus trece hermanos llamaron a los sol-
30 dados de *plomo* y los mandaron para los volcanes a *cazar* a los cadejos. Los soldados se pusieron en camino con sus tiendas de campaña, sus cantimploras[16] y sus armas centellantes.[17]

—Vamos a ser los soldados de *plomo* más bellos y más respetados del mundo —se dijeron.

35 Vestiremos uniformes con charreteras[18] de plata,[19] iremos a fiestas de cumpleaños, y todo el mundo obedecerá nuestras órdenes.

Los soldados de *plomo* marcharon hacia el volcán Tecapa,[20] que es mujer y viste un ropaje espléndido de agua y un sombrero
40 de nubes. Y marcharon hacia Chaparrastique,[21] un volcán hermoso que lleva siempre su sombrero blanco de humo[22] caliente.

Cazaremos a los cadejos mientras duermen —dijeron los soldados de *plomo*—. Así podremos tomarlos desprevenidos[23] sin correr ningún riesgo.[24]

45 Pero no sabían que los cadejos visten un traje de luz de día y de aire, con lo cual se hacen transparentes. Los soldados de *plomo* busca que busca a los cadejos, pero no encontraban a ninguno.

Los soldados se pusieron furibundos.[25] Comenzaron a *pisotear*
50 las campánulas y a *aplastar* sus *semillitas*.

—Ahora, los cadejos no tendrán[26] qué comer —dijeron.

---

[12] *oh no!* [13] una referencia a las catorce familias ricas y poderosas de El Salvador [14] embrujar, encantar; *cast a spell, bewitch* [15] está muy caliente; *burns* [16] *canteen, water bottle* [17] *sparkling, shining* [18] *epaulette, a fringed shoulder ornament on a military uniform* [19] *silver* [20] un volcán de El Salvador [21] otro volcán de El Salvador [22] *smoke* [23] *unprepared* [24] *risk* [25] enojados; *furious, enraged* [26] el futuro de tener

Los cadejos nunca habían corrido tanto peligro. Así es que buscaron la ayuda de *los tatarabuelos*, los volcanes Tecapa y Chaparrastique. Toda la noche los cadejos hablaron con los vol-
55 canes hasta que comentó Tecapa:

—Dicen ustedes que son soldados de *plomo*. ¿El corazón y el cerebro son de *plomo* también?

—¡Sí! —respondieron los cadejos—. ¡Hasta sus pies están hechos de *plomo*!

60 —Entonces, ¡ya está! —dijo Tecapa.

Y Tecapa le dijo a Chaparrastique:

—Mira, como yo tengo vestido de agua y vos tenés[27] sombrero de fumarolas, simplemente comenzás a abanicarte[28] con el sombrero por todo tu cuerpo hasta que se caliente la tierra y enton-
65 ces yo comienzo a *sacudirme* mi vestido de agua.

Y Tecapa *se lo sacudió*.

—Y eso, ¿qué daño les puede hacer? —preguntaron los cadejos.

—Bueno —dijo Tecapa—, probemos y ya veremos.

70 Al día siguiente, cuando los soldados de *plomo* venían subiendo los volcanes, comenzó el Chaparrastique a quitarse el sombrero de fumarolas y a soplar sobre todo su cuerpo, hasta que ni él mismo aguantaba[29] el calor.

[27] voseo por "tú tienes" [28] *to fan oneself* [29] *couldn't bear, couldn't stand*

Al principio, los soldados sentían sólo una picazón,[30] pero al
75 ratito los pies se les comenzaron a *derretir*. Entonces, Tecapa *se sacudió* el vestido y empezó a remojarles.[31] Y los cuerpos de los soldados de *plomo* chirriaban,[32] como cuando se le echa agua a una plancha[33] caliente.

Los soldados de *plomo* se sentían muy mal y se sentaron a
80 llorar sobre las piedras. Pero éstas estaban tan calientes que se les *derretían* las nalgas.[34]

Fue así que los soldados de *plomo* se dieron cuenta[35] que no era posible derrotar[36] a los cadejos, ni *pisotear* a las campánulas, y, en fin, ni subir a los volcanes a hacer el mal. Y sabiendo que
85 tenían la debilidad de estar hechos de *plomo*, lo mejor era cambiar de oficio[37] y dedicarse a cosas más dignas.

Desde entonces hay paz en los volcanes de El Salvador. Don Tonio y sus trece hermanos huyeron[38] a otras tierras, mientras que los cadejos y la gente de los volcanes celebraron una gran
90 fiesta que se convirtió en una inmensa fiesta nacional.

---

[30] *itch, irritation* [31] *to soak* [32] *sizzled* [33] *iron* [34] las pompas; *butt, buttocks*
[35] *realized* [36] *to defeat* [37] trabajo; *job, profession* [38] *fled*

V. Después de leer

A. Preguntas de comprensión

1. ¿Cómo se llaman los perros mágicos?
2. ¿Qué hacen los perros mágicos para proteger a la gente? Dé ejemplos.
3. ¿Qué apariencia tienen los cadejos?
4. ¿Dónde vive la gente y qué hace?
5. ¿Quiénes son los tatarabuelos de los cadejos?
6. ¿Quiénes son los que no quieren a los cadejos? ¿Por qué?
7. Explique el plan de Don Tonio y sus hermanos.
8. ¿Cómo son los soldados?
9. ¿Cómo se llaman los volcanes? ¿Cómo son?
10. Describa el plan de los soldados. ¿Funciona?
11. ¿Qué hacen los soldados cuando no pueden encontrar a los cadejos?
12. ¿Dónde buscan ayuda los cadejos?
13. ¿Qué hacen los volcanes para proteger a los cadejos?
14. ¿Qué pasa con los soldados? Y después ¿qué decidieron hacer?
15. ¿Qué hicieron Don Tonio y sus hermanos cuando su plan fracasó?
16. ¿Qué celebración hacen los cadejos y la gente al final del cuento?

B. Preguntas de análisis

1. Explique cómo los cadejos simbolizan a los guerrilleros salvadoreños.
2. ¿Cómo se relaciona este cuento con la historia reciente de El Salvador?
3. ¿Por qué piensa Ud. que el cuento "Los perros mágicos de los volcanes" se publicó primero en una edición bilingüe (español e inglés)?
4. ¿Cómo simbolizan Don Tonio y sus trece hermanos el gobierno de El Salvador?
5. ¿Por qué escribiría Argueta un cuento infantil con tantos subtextos sobre el gobierno?

VI. Sugerencias para los profesores

A. Pueden dibujar la idea de lo que es un cadejo e inventar un mini-cuento sobre los cadejos protegiendo a los niños.
B. En grupos de tres o cuatro, pueden modernizar o poner en el futuro la historia de "Los perros mágicos de los volcanes". También, pueden investigar más el papel de los Estados Unidos en la historia de El Salvador y luego tener un debate sobre esta información.

VII. Otros recursos

Manlio Argueta. http://manlioargueta.com/

González, Ann. "Dissent from Within: Manlio Argueta's *Los perros mágicos de los volcanes*". *Resistance and Survival: Children's Narrative from Central America and the Carribbean*. Tucson: University of Arizona Press, 2009: 80-95.

Argueta, Manlio. *El siglo de o(g)ro*. San Salvador: Dirección de Publicaciones e Impresos, 1997.

———. *Magic Dogs of the Volcanoes/ Los perros mágicos de los volcanes*. Trans. Stacey Ross. San Francisco: Children's Book Press, 1990.

Nicolás Guillén:
"Por el mar de las Antillas anda un barco de papel"

I. El autor

Nicolás Cristóbal Guillén Batista nació en Camagüey, Cuba, el 10 de julio de 1902. Fue un famoso poeta afrocubano, y se le conoce como el poeta nacional de Cuba. Cuando tenía diecisiete años, el gobierno mandó matar a su padre, periodista de profesión. Por lo tanto, Guillén se vio en la necesidad de trabajar como tipógrafo para ayudar a su familia. Dos años después terminó la escuela secundaria e inmediatamente empezó a escribir poesía para la revista *Camagüey Gráfico*. En 1921 fue a La Habana para estudiar derecho por un año. En 1922 regresó a Camagüey, fundó una revista literaria con su hermano, y trabajó como editor de un periódico. Regresó a La Habana en 1926, y allí combinó el trabajo de tipógrafo con el de redactor de una sección de un periódico dedicada a la vida de los afrocubanos. En 1930 Guillén empezó su carrera literaria con la publicación de ocho poemas que exploraban temas como la pobreza entre los negros y la tensión racial que reinaba en Cuba. Sus dos poemarios de estos años, *Sóngoro Consongo* (1931) y *West Indies Ltd.* (1934), reflejan estas mismas preocupaciones.

En 1937 Guillén se afilió al partido comunista, e hizo un viaje al extranjero por primera vez. Regresó a Cuba para las elecciones de 1940, y poco después los Estados Unidos le negaron una visa para visitar el país. Sin embargo, durante los veinte años siguientes, viajó extensamente a países de Sudamérica, Europa, y

China. En 1953 el gobierno de Batista le negó la entrada a Cuba, pero después de la revolución de 1959 Fidel Castro le dio la bienvenida, y en 1961 lo nombró presidente de la Unión Nacional de Escritores de Cuba. Guillén recibió el Premio Stalin de la Paz en 1954, y el Premio Internacional Botev en 1976. Guillén murió en 1989 a la edad de 87 años.

II. El contexto

El primero de enero de 1959, después de haber reprimido al pueblo cubano durante muchos años, el presidente Fulgencio Batista huyó de Cuba, y la Revolución Cubana, encabezada por Fidel Castro, declaró la victoria. Durante el gobierno de Batista, la alta y media burguesías florecieron, pero la clase trabajadora vivió oprimida. El triunfo de la Revolución Cubana trajo la esperanza de mayor justicia social para todos cubanos, y, concluida la lucha, el movimiento revolucionario nombró al Dr. Manuel Urrutia presidente de Cuba para complacer a los Estados Unidos. Urrutia, sin embargo, renunció al cargo poco después. Le sucedió Osvaldo Dorticós, quien fue presidente hasta 1976, año en el que Fidel Castro tomó el mando. Durante los primeros años, el nuevo gobierno declaró que el ateísmo era la religión oficial del estado, revisó el sistema de educación, y expropió gran parte de la propiedad privada con escasa compensación a los terratenientes. Estos cambios produjeron una fuerte tensión en las relaciones entre Cuba y los Estados Unidos. A este problema se añadió el embargo económico, la fracasada empresa de Bahía de Cochinos (*Bay of Pigs*), y la crisis de los misiles soviéticos desplegados en Cuba. Además, para asegurar el control del poder, el gobierno empezó a perseguir y encarcelar a la oposición política. A pesar del embargo económico, la caída de la Unión Soviética en 1991, y la renuncia de Fidel Castro al poder en 2008, el gobierno comunista continúa gobernando en Cuba hoy en día bajo la dirección del hermano de Fidel Castro, Raúl Castro.

Guillén se afilió al partido comunista en 1937, y después de la Revolución, en 1961, Castro lo nombró presidente de la Unión Nacional de Escritores de Cuba. En 1978, casi veinte años después de la Revolución, Guillén publicó el libro de poesía para niños, *Por el mar de las Antillas anda un barco de papel*. En el poema titular, vemos cómo el barco, **metáfora** de Cuba, navega por el mar de las Antillas (el Caribe).

III. Antes de leer

A. Palabras útiles

1. andar — ir de un lugar a otro, caminar, viajar.
2. contra — (prep.) oponer una cosa a otra; *against*
3. disparar — hacer que un arma despida su carga; *to fire a weapon*
4. junto — (prep.) con, al lado de; *together, with, next to*
5. marinero — (adj.) de la marina o de los marineros; *having to do with the sea*

B. Actividades de vocabulario

Actividad 1: Complete la tabla con la palabra adecuada de la lista de vocabulario o con una explicación/definición de la palabra dada según el caso.

	Palabra	Explicación o definición
1	contra	
2		al lado de
3	marinero	
4		ir de un lugar a otro, viajar
5	disparar	

Actividad 2: Llene los espacios con la forma y palabra adecuadas de la lista de vocabulario.

1. Hay un dicho en español que dice: "Dónde manda capitán, no manda ___________". Significa que la persona que tiene el poder toma las decisiones y los otros se quedan callados.

2. El policía ______________________ su pistola cuando el ladrón lo atacó.
3. Me senté ____________________ a mi amigo.
4. Mis padres siempre ______________________ por el parque por la noche.
5. Los abolicionistas lucharon ____________________ la esclavitud.

C. Expectativas

1. Basándose en la ilustración de abajo, por Horacio Elena, ¿de qué cree Ud. que se trata el poema?
2. Lea con cuidado el verso que dice: "Una negra va en la popa,[1]/va en la proa[2] un español". ¿Cree Ud. que el artista ha dibujado esta idea correctamente?

Courtesy of Lóguez Ediciones

[1] parte posterior de un barco; *the stern* [2] parte delantera de un barco, con la cual corta las aguas; *the prow*

IV. El texto

POR EL MAR DE LAS ANTILLAS ANDA UN BARCO DE PAPEL

Por el Mar de las Antillas
anda un barco de papel:
anda y *anda* el barco barco,
sin timonel.[1]

5 De La Habana a Portobelo,
de Jamaica a Trinidad,
anda y *anda* el barco barco,
sin capitán.

Una negra va en la popa,
10 va en la proa un español:
anda y *anda* el barco barco,
con ellos dos.

Pasan islas, islas, islas,
muchas islas, siempre más:
15 *anda* y *anda* el barco barco,
sin descansar.

Un cañón[2] de chocolate
contra el barco *disparó,*
y un cañón de azúcar, zúcar,[3]
20 le contestó.

¡Ay, mi barco *marinero,*
con su casco[4] de papel!
¡Ay, mi barco negro y blanco
sin timonel!

25 Allá va la negra negra,
junto junto al español;
anda y *anda* el barco barco,
con ellos dos.

---

[1] hombre que maneja el barco; *helmsman* [2] un arma que lanza una bala; *canon* [3] *repeating the last two syllables of* "azúcar" *for the sound effect* [4] cuerpo de un barco; *the hull*

A. Después de leer

A. Preguntas de comprensión

1. ¿Adónde va el barco?
2. ¿Quién está guiando el barco?
3. ¿Quiénes son los pasajeros? ¿Dónde están en el barco?
4. ¿De qué están hechos los cañones?
5. ¿Por qué disparan los cañones?

B. Preguntas de análisis

1. ¿Qué cualidades asocia Ud. con un barco hecho de papel?
2. Basándose en el contexto, ¿se puede decir que el barco del poema sirve como metáfora de Cuba?
3. ¿Por qué escogió Guillén unas imágenes de cañones de chocolate y azúcar?
4. ¿Qué palabras e imágenes del poema reflejan el tema de la raza?
5. Fíjese bien en el dibujo. ¿Refleja lo que dice el poema o lo cambia? ¿Cómo sabemos cuál es la proa y cuál es la popa?
6. ¿Cuál es el mensaje político del poema? ¿Qué dice Guillén sobre las respectivas posiciones sociales de las razas antes y después de la Revolución Cubana?
7. Analice la función del ritmo y la repetición en el poema.

C. Preguntas de investigación

1. Haga una lista de las islas que incluyen las Antillas Mayores.
2. Usando el mapa, identifique los lugares mencionados en el poema.

Las Antillas

VI. Sugerencias para los profesores

A. Encuentre ejemplos musicales del son cubano; hable de los elementos de este tipo de música, y comente cómo Guillén utiliza el ritmo en su poesía. Dos posibilidades que pueden ayudarle son: http://www.you tube.com/watch?v=bJe7lRokGf0 (el son cubano) http:// www.clarin.com/suplementos/viajes/2006/05/07/v — 01601.htm (el son cubano)
B. Los estudiantes pueden crear imágenes usando materiales diferentes (papel, arcilla, etc.) para representar su país de origen. Deben explicar por qué escogieron el material que usaron y la imagen que crearon.

VII. Otros Recursos

Arnedo-Gómez, Miguel. "Afro-Cuban Literature and the Afrocubanista Poetry of Nicolás Guillén". *Bulletin of Hispanic Studies.* 85.4 (2008): 561–574.

Kubayanda, Josaphat Bekunuru. *The Poet's Africa: Africanness in the Poetry of Nicolás Guillén and Aimé Césaire*. New York: Greenwood Press, 1990.
Sawyer, Mark Q. *Racial Politics in Post-Revolutionary Cuba*. New York: Cambridge University Press, 2006.
Sierra, J.A. *History of Cuba*. http://www.historyofcuba.com/
Smart, Ian. *Nicolás Guillén, Popular Poet of the Caribbean*. Columbia: University of Missouri Press, 1990.
Williams, Lorna V. *Self and Society in the Poetry of Nicolás Guillén*. Baltimore: The John Hopkins University Press, 1982.

Sección Cuatro

La Soledad, la Muerte, y la Pérdida

De acuerdo a Alison Lurie, crítica estadounidense de literatura infantil y autora de *Don't Tell the Grown-Ups: Subversive Children's Literature* (1990), los tópicos más populares en la ficción para adultos son el sexo, el dinero, y la muerte, temas casi totalmente ausentes en la literatura infantil. Sin embargo, y en contra de lo que opina Alison Lurie, la muerte sí aparece más frecuentemente de lo que solemos pensar, especialmente en la literatura infantil escrita en español. La muerte, al igual que el sexo, suele aparecer de forma implícita, disimulada, o en contextos cómicos. Dado que el ser humano es un ente fundamentalmente social, la sensación de soledad y abandono que provoca la muerte es tal vez la condición humana que nos inspira más temor. La soledad contradice todo lo que la cultura occidental valoriza en el amor, la amistad y los actos generosos. Además, pone de relieve el sentido de desamparo que nos embarga cuando no tenemos a nuestros seres queridos alrededor. A continuación presentamos varios ejemplos de la literatura infantil hispana donde la muerte juega un papel importante. Asimismo, incluimos algunos ejemplos de otras pérdidas que dejan al individuo con una sensación de soledad y desamparo: la pérdida de una amistad y la pérdida de la inocencia.

Primero, presentamos una canción anónima infantil que tiene sus orígenes en las batallas de la Guerra de Sucesión entre Inglaterra y Francia, y cuyo objetivo era establecer control sobre España a principios del siglo XVIII. Si buscamos la canción en la red para escuchar la música, lo cual recomendamos, nos veremos sorprendidos por la aparente contradicción entre la música alegre y el tema de la muerte de un soldado, "¡qué dolor, qué dolor, qué pena!". En las escuelas primarias y los jardines infantiles de Latinoamérica, los maestros suelen hacer desfilar a los niños en un círculo tocando tambores al compás de la música como si fueran soldaditos. Cuando Mambrú se muere, a veces la música se vuelve más lenta y sombría, pero al final, cuando el pájaro (del amor y la paz) canta el "pío, pío y pío pa", la música cobra mayor alegría de nuevo. A veces, y en representación de la Santísima Trinidad de la religión católica, al final de la canción aparecen tres pájaros que cantan sobre la tumba de Mambrú, para, así, subrayar la paz y serenidad que traen la muerte y el honor del soldado caído.

Por lo general, la gente desconoce el origen de la canción, pero sabemos que empezó como un chiste francés que se burlaba de la supuesta muerte del Duke of Marlborough (Mambrú), un general inglés odiado por los franceses. Con el tiempo, durante el reinado de los Borbones (una dinastía francesa) en España, la canción se tradujo al español, y la melodía llegó a Latinoamérica traída por inmigrantes españoles. En la confusión histórica, proliferan diferentes versiones de la canción, algunas diciendo que Mambrú era un niño inglés, y otras que era un niño francés. Lo que sí se mantuvo a través de los siglos fue la música alegre y el ritmo rápido, negando totalmente la tragedia de la muerte de Mambrú. Casi todos los países de Latinoamérica tienen su propia versión de esta canción, la cual forma parte de la educación que reciben los niños de esta región.

La segunda lectura es un cuento del mexicano Octavio Paz, adaptado para niños y traducido al inglés por Catherine Cowen, una canadiense. La traducción del cuento fue tan popular que se volvió a traducir al español otra vez. En este cuento se narra la relación entre un niño y una ola del mar que le sigue desde la playa hasta su casa. En la versión original de Paz, es un hombre, en vez de un niño, el que cuenta en primera persona su relación amorosa con la ola (que representa la mujer). Al principio, el narrador está totalmente enamorado de la ola y disfruta de esta relación extraña y emocionante. Sin embargo, su amor va desmoronándose poco a poco hasta que el hombre finalmente se deshace de la ola. De la misma manera que el agua constantemente cambia de forma, el narrador nos sugiere que la identidad de la mujer nunca se puede fijar o definir con precisión, dando lugar a una entidad misteriosa y difícilmente comprensible para el hombre. El niño de la adaptación también disfruta al principio de su nueva amistad, pero ante la inestabilidad emocional de la ola, se desespera. Al final, y aprovechando que por el frío la ola se ha congelado convirtiéndose en una estatua de hielo, la devuelve al mar. Ante la pérdida de la ola, el niño experimenta sentimientos ambivalentes, una combinación de tristeza, soledad y alivio.

El siguiente cuento, "La cueva", del panameño Enrique Jaramillo Levi, describe otra clase de pérdida, la pérdida de la inocencia que también puede dejar al sujeto en un estado emocional frágil y vulnerable en el que se puede sentir solo y tener miedo. Pero esta pérdida también conlleva algunos beneficios, como la adquisición de mayor madurez y la satisfacción de una aventura. En este cuento, un cuarto normal se convierte en la mente de una niña en una cueva oscura llena de misterios y terrores. Aunque la niña quiere esfumarse del mundo restrictivo y exigente de los adultos a través de su cueva imaginaria, el acto de liberación implica un gran riesgo al dejar atrás la seguridad y comodidad de su mundo bajo la protección de los adultos. Así que, en este cuento, vemos una cierta ambivalencia entre el deleite de la niña en su intento de escaparse, y el terror de este mundo imaginario que ella misma ha creado. La última línea del cuento, sin embargo, sugiere que a pesar del miedo y soledad que siente al entrar en este cuarto imaginario de su subconsciente, la atracción de la cueva, de lo desconocido, y de las posibilidades que trae ese otro mundo, es tan grande que, apenas se le presente la oportunidad, posiblemente entrará a explorarlo de nuevo.

El último cuento, "La cucarachita Mandinga", de la costarricense Carmen Lyra, es una versión de un cuento conocido en toda Latinoamérica. La anécdota del cuento se centra en un esposo, "El Ratón Pérez", que al final se muere por acercarse demasiado a una olla de arroz con leche hirviendo. En algunas versiones de este cuento, el personaje principal se llama "La cucarachita Martina" (Cuba y Puerto Rico); en otras, en cambio, la mujer es una hormiga en vez de una cucaracha. Pero todas ellas tienen en común al esposo, siempre un ratón, que se muere por desobedecer a su mujer y meterse en la cocina, el fuero o ámbito femenino. El cuento concluye con la reacción de la cucarachita ante la muerte de aquél (la tradición latinoamericana del luto). El cuento se puede analizar bajo múltiples enfoques críticos, especialmente el feminista, ya que desde el principio se describe cómo la elección del Ratón Pérez como esposo se basa en su habilidad sexual.

En la versión de Carmen Lyra, la cucarachita Mandinga es claramente una afrocaribeña de Limón, un puerto en la costa atlántica de Centroamérica. Su manera de comportarse, también, sugiere los estereotipos que tienen los blancos de la cultura afrocaribeña. Ella se comunica con un defecto típico del habla de los niños, cambiando el sonido de la "s" por "ch"; "luche" en vez de "luce", y "chutás" en vez de "me asustás". También usa el "voseo", que es una forma gramatical que substituye el "tú" por el "vos" en muchas partes de Centroamérica, Argentina y Uruguay. En contraste con el final de una versión de Rosario Ferré de Puerto Rico, en la que la cucaracha sólo canta y llora, la cucarachita Mandinga muestra su tristeza a través de un entierro tradicional afrocaribeño, con un desfile "bien rumboso" y música de tambores. En este desfile, todos los participantes sacrifican algo para mostrar su solidaridad con la cucarachita que ha perdido a su esposo. Lo interesante y sorprendente es que los participantes en este desfile no sólo son seres humanos, sino animales, como la paloma y cosas inanimadas, como "el palomar". Los sacrificios que hacen los distintos participantes también son muy exagerados y dolorosos; por ejemplo, cortarse una pierna o degollarse. Sin embargo, la elección del sacrificio también depende mucho de la rima.

Lyra es una maestra en la manipulación del lenguaje, haciendo que todos sus personajes hablen en la forma típica del costarricense. La Cucarachita, a pesar de su tristeza por la pérdida de su esposo, siempre está en control de la situación, tomando decisiones y manteniendo su posición de autoridad y las riendas de su casa. Como la mujer costarricense en general, la Cucarachita se define por su inteligencia, su racionalidad, su capacidad para trabajar y su gracia, características que se sobreponen a toda dificultad, incluso la de la muerte.

Anónimo: "Mambrú"

I. El autor

II. El contexto

Esta canción tiene una historia interesante. El poema, que se originó en Francia alrededor de 1709 después de la batalla de Malplaquet, trata de la muerte del Duque de Marlborough de Inglaterra. La versión original francesa, *Malbrouc s'en va-t-en guerre*, cuenta cómo la esposa del Duque va a recibir la noticia de la muerte de su marido. De seguro, la canción debió llegar a España en esta misma época, poco después de la guerra y durante la ocupación de España por Francia, cuando la canción ya había ganado gran popularidad e importancia cultural en Francia.

Con la colonización del Nuevo Mundo, la canción llegó hasta las costas de varios de estos países, y hoy en día casi todos los países de América Latina tienen su propia versión "infantil". Algunas de éstas se pueden encontrar fácilmente en Bolivia, Puerto Rico, Chile, Costa Rica y México. Lo interesante de las versiones latinoamericanas es que el soldado, Mambrú, se ha convertido en un héroe nacional que combate, muchas veces, ¡contra España! Como esta canción es tan popular y ha formado parte de la cultura hispana/latinoamericana por tanto tiempo, no se puede atribuir a un solo autor. La canción, pues, forma parte de la conciencia colectiva de estas culturas, y cuenta con múltiples versiones. La poeta argentina María Elena Walsh popularizó la melodía entre los niños en los años sesenta, pero la versión incluida aquí proviene de Puerto Rico.

III. Antes de leer

A. Palabras útiles

1. oro (m.) — un metal de color amarillo que vale mucho; *gold*
2. pena (f.) — aflicción o sentimiento de pesar; *sorrow, hardship, sadness*
3. pascuas (f.) — una celebración cristiana que recuerda la resurrección de Jesucristo; *Easter*
4. ganas de — deseos de hacer algo; *to want/to wish/to feel like doing something*
5. enterrar — después de morir, el cuerpo se deposita en un ataúd y éste se pone bajo tierra, en una fosa; *to bury (someone, something) as in a funeral*
6. tapa (f.) — pieza que sirve para cerrar, por la parte superior, cajas o recipientes; *lid*
7. tapar — cerrar; *to cover*
8. barquito (m.) — diminutivo de la palabra "barco"; *little boat*
9. noticias (f.) — información; *news*

B. Actividades de Vocabulario

Actividad 1: Empareje las palabras con sus correspondientes definiciones

1. pascuas	A. un metal precioso
2. oro	B. celebración cristiana
3. tapar	C. dolor
4. pena	D. sepultar
5. enterrar	E. deseos de hacer algo
6. ganas de	F. cubrir algo
7. barquito	G. un barco pequeño
8. noticias	H. información

Actividad 2: Llene los espacios en blanco con la palabra apropiada de la lista de vocabulario

1. En el verano, cuando hace calor, yo siento ________ nadar en el mar.
2. Yo prefiero los anillos de ________ a los de plata.
3. Siempre tenemos un banquete con toda la familia para celebrar las __________.
4. ¡Cuidado! Cierre bien la ________ de esta caja o todo se va a caer al suelo.
5. Hay que ________ a los muertos rápidamente en los países calurosos del trópico.
6. Me da _______ verte tan triste. Cuéntame lo que te pasa.
7. ¡Aquel __________ es un juguete precioso!

C. Expectativas

1. Piense en las canciones infantiles de su niñez. ¿Recuerda usted la letra de estas canciones? ¿Tienen rima? ¿Cuentan una historia? ¿Cuáles son algunos de los personajes de estas canciones? ¿Son serias o divertidas estas canciones? ¿Qué otros elementos comunes tienen las canciones infantiles?
2. ¿Por qué cree usted que una canción sobre la muerte de un soldado se ha convertido en una canción infantil?
3. ¿Puede pensar en otras canciones infantiles que usted conoce y que tienen como temas la muerte/el entierro/la vida eterna etc.?
4. Escuche la canción aquí: http://www.youtube.com/watch?v=HsSDqMJ5YYA

IV. El texto

MAMBRÚ

Mambrú se fue a la guerra,
¡qué dolor, qué dolor, qué *pena*!
Mambrú se fue a la guerra
no sé cuándo vendrá,
5 do, re, mi, do, re, fa,[1]
no sé cuándo vendrá.

Si vendrá para *Pascuas*
¡qué dolor, qué dolor, qué *pena*!
Si vendrá para *Pascuas* o para Navidad,
10 do, re, mi, do, re, fa,
o para Navidad.

Allá[2] viene un *barquito*
¡qué dolor, qué dolor, qué *pena*!
allá viene un *barquito*
15 ¿qué *noticias* traerá?
do, re, mi, do, re, fa,
¿qué *noticias* traerá?

Las *noticias* que trae,
¡qué dolor, qué dolor, qué *pena*!
20 las *noticias* que trae,
dan *ganas de* llorar,
do, re, mi, do, re, fa,
dan *ganas de* llorar.

Es que Mambrú se ha muerto,[3]
25 ¡qué dolor, qué dolor, qué *pena*!
es que Mambrú se ha muerto,
y lo llevan a *enterrar*,
do, re, mi, do, re, fa,
y lo llevan a *enterrar*.

---

[1] *names of musical notes* [2] *over there* [3] *has died*

30 La caja[4] era de *oro*,
¡qué dolor, qué dolor, qué pena!
La caja era de oro,
con *tapa* de cristal,
do, re, mi, do, re, fa,
35 con *tapa* de cristal.

Encima de la *tapa*
¡qué dolor, qué dolor, qué *pena*!
encima de la *tapa*
40 un pajarito[5] va,
do, re, mi, do, re, fa,
un pajarito va.

Cantando pío, pío[6]
¡qué dolor, qué dolor, qué *pena*!
45 Cantando pío, pío
el pío, pío, pa,
do, re, mi, do, re, fa,
el pío, pío, pa.

---

[4] ataúd; *coffin* [5] *diminutive of* "pájaro"; *little bird* [6] *the sound the bird makes, its song*

V. Después de Leer

A. Preguntas de comprensión

1. Según el texto, ¿cómo sabemos que Mambrú es un soldado?
2. ¿Sabemos cuándo él debe regresar?
3. ¿Cuáles son los días festivos que menciona el texto?
4. ¿Qué quiere el cantante/la voz poética que el barquito traiga?
5. ¿Por qué quiere llorar el cantante?
6. ¿Cómo es el ataúd en el que van a enterrar a Mambrú?
7. ¿Qué está encima de la tapa del ataúd?
8. ¿Qué está haciendo este animal?

B. Preguntas de análisis

1. ¿Quién canta esta canción?
2. ¿Cuál es el significado del estribillo "¡qué dolor, qué dolor, qué pena!"?
3. ¿Por qué es este estribillo importante en esta canción? ¿Qué tipo de ambiente crea?
4. ¿Es una canción feliz o triste? ¿Cómo sabemos esto? ¿Por qué es ambiguo?
5. ¿Por qué está hecho el ataúd de materiales tan costosos?
6. ¿Qué puede indicar el uso del oro y del cristal en el ataúd de Mambrú?
7. ¿Por qué aparece un pájaro al final? ¿Qué simboliza? Piense en lo que simboliza una paloma.
8. ¿Qué significado tiene el hecho que este pájaro esté cantando la misma canción?

VI. Sugerencias para los profesores

A. Como no hay ilustraciones para esta canción, pídales a los estudiantes que dibujen sus propias ilustraciones en formato de una tira cómica como "Peanuts". Pueden incluir la letra de la canción debajo de las ilustraciones para indicar qué episodio están representando. Después de dibujar sus tiras, puede mostrar el vídeo de la canción, el link de internet está incluido en la sección "otros recursos".

B. El hilo del cuento termina con la imagen del ataúd y el pájaro. Sin embargo, hay otras versiones que aportan más detalles y tienen una extensión más amplia. Los estudiantes pueden buscar otras versiones y variaciones de esta canción y compararlas. Algunas sugerencias importantes para buscar son: ¿Qué o quién trae las noticias? ¿Cómo se describe a Mambrú de niño? ¿Cómo se describe el ataud? ¿Cúantos pájaros hay y qué significan?

VII. Otros Recursos

La letra:

Mambrú de Bolivia: www.mamalisa.com/world/bolivia/**mambru**.html

Versiones de Mambrú en varias lenguas: http://es.wikipedia.org/wiki/Mambr%C3%BA_se_fue_a_la_guerra

La canción:

Mambrú http://www.youtube.com/watch?v=HsSDqMJ5YYA

La critica:

González, Ann. "Who is Mambrú and What is He Doing in Kindergarten?" *Postscript*. 22 (Spring 2005): 60–68. http://www2.unca.edu/postscript/postscript22/ps22.7.pdf

Martínez, María C. *Juegos y canciones infantiles de Puerto Rico*. San Juan, Puerto Rico: Baldrich, 1940.

Octavio Paz:
"Mi vida con la ola"

I. El autor

Octavio Paz nació a finales de la Revolución Mexicana, el 31 de marzo de 1914, en Mixcoac, un pueblo que hoy en día forma parte de la Ciudad de México. Sus padres habían apoyado al líder revolucionario Emiliano Zapata, un defensor de los derechos de los campesinos e indígenas mexicanos. Después del asesinato de Zapata, su familia tuvo que exiliarse en los Estados Unidos.

Octavio Paz siempre tuvo una gran afición por la literatura, especialmente por la europea y mexicana, y en el año 1931 publicó su primer libro de poesía, *Caballera.* Escribió varias obras en los años siguientes, viajó a España y en 1938 organizó su propia revista literaria, *Taller*. En este mismo año conoció y se casó con Elena Garro, considerada como una de las mejores escritoras de México.

Octavio Paz es conocido no sólo por su poesía, sino también por sus ensayos. Su libro de ensayos más famoso es *El laberinto de la soledad* (1950), en el que hace un estudio de la identidad mexicana. Ganó el premio Nobel de literatura en 1990, y murió el 19 de abril de 1998.

II. El contexto

Originalmente, este cuento no fue escrito para niños, sino que salió como parte de una colección titulada *¿Águila o sol?* Se han hecho al menos dos adaptaciones para niños, una de Elena Poniatowska, reconocida escritora mexicana (esta versión se puede bajar fácilmente de la red); y la otra de una canadiense,

Catherine Cowan. En la versión de Cowan se cambiaron bastantes detalles de la historia original, y su éxito fue tal que se tradujo otra vez al español, manteniendo todos los cambios de la adaptación al inglés.

Pero antes de continuar con el comentario sobre la obra seleccionada, me parece pertinente incluir unas observaciones sobre uno de sus temas dominantes: el machismo. Octavio Paz explica en *El laberinto de la soledad* (1950), una de sus obras ensayísticas más destacadas, que la cultura mexicana considera **el estoicismo**, la capacidad de no "rajarse" (no rendirse; *not to quit or give up*) como una de las virtudes más importantes del hombre. Literalmente, "rajarse" quiere decir "abrirse" (*to tear or crack open*), lo cual enfatiza la importancia en la cultura mexicana de mantenerse hermético frente a toda amenaza. La mujer, por el contrario, al tener una raja permanente y biológica, y permitir que otro, literalmente, penetre su intimidad, la hace inevitablemente vulnerable y, en consecuencia, para la cultura mexicana, inferior al hombre. El machismo, con el dualismo implícito de la superioridad del hombre y la inferioridad de la mujer, tiene raíces muy fuertes en la historia y la identidad del latinoamericano, pero cobra una fuerza vital en la identidad del mexicano. La cultura mexicana, tradicionalmente, lo ha imbuido de un significado positivo; un "macho" es un hombre valiente, fuerte, decisivo, y protector de la familia. La idea del machismo, no obstante, por más positiva que sea, siempre coloca a la mujer en una posición de inferioridad, ya que por definición la mujer es lo opuesto del hombre, o sea, sumisa, callada, frágil, casta y maternal. En la década de los sesenta el movimiento feminista de los EE.UU. trajo a la conciencia pública la universalidad del machismo. El término, incluso, se ha incorporado al léxico inglés, pero con connotaciones más negativas, apuntando más bien a un hombre que es agresivo, egoísta, autoritario e intimidante.

En el cuento, "Mi vida con la ola", el tema del machismo mexicano ocupa un lugar central. El relato original cuenta la historia de un hombre que se hace amigo/amante de una ola del mar. La ola, que representa a la mujer, subraya el estereotipo de la mujer como un ser inconstante e impredecible. Lo que empieza como una relación íntima y amorosa entre el protagonista y la ola/mujer, poco a poco se vuelve problemática y dañina. Como la acción narrativa se focaliza a través del punto de vista de un hombre, el lector tiende a simpatizar con el protagonista y su perspectiva de la situación. Sin embargo, vale la pena también analizar el cuento y el comportamiento del hombre desde la perspectiva de la mujer. Leído bajo este punto de vista, podemos apreciar cómo el protagonista no es muy justo con la ola, y al final hasta se muestra muy cruel con ella.

Es interesante notar que la versión en inglés suaviza bastante el machismo implícito del cuento. Al respecto, debemos señalar que no es un hombre, sino un niño, el que forma una amistad con la ola. Además, se suprimen todos los problemas de transportar la ola a la casa, y, más importante aún, se elimina por completo la última escena del cuento en la que el protagonista vende la ola (como si la mujer fuera su propiedad) convertida en un bloque de hielo. La versión en inglés, en cambio, nos narra cómo el muchacho devuelve la ola, congelada en una bella estatua de hielo, al mar. En ambas versiones, sin embargo, tenemos un cuento bastante ambiguo en cuanto a las relaciones entre los géneros. Incluimos aquí la adaptación hecha por Catherine Cowan. Más información y ejercicios para acompañar la versión de Elena Poniatowska se encuentran en el apéndice.

III. Antes de Leer

A. Palabras útiles

1. sujetar — agarrar, controlar; *to subject to, to control*
2. rincón (m.) — ángulo entre dos líneas, o dos paredes de una casa; *corner*
3. huir — escaparse, correr; *to flee*
4. reglamento (m.) — ley, política, orden; *rule, ordinance*
5. ferrocarril (m.) — tren; *train (literally iron rail)*
6. irrumpir — abrirse paso; *to burst in, to invade*
7. barrer — limpiar el piso con una escoba; *to sweep*
8. resplandecer — brillar; *to shine*
9. erguir — levantar y poner algo derecho; *to straighten, to stand up, to rise up*
10. mecer(se) — moverse suavamente de un lado a otro; *to rock as in a cradle*
11. echar de menos — extrañar; *to miss someone or something*

B. Ejercicios de vocabulario

Actividad 1: Los verbos. Escoja los verbos de la lista del vocabulario y haga un dibujo al lado de cada uno de ellos para ilustrar su sentido.

Actividad 2: Traducción
1. I miss my friend.
2. My friend misses me.
3. I missed the bus. (Cuidado, no se usa la misma expresión en español).

Actividad 3: Palabras relacionadas. Al aprender una palabra nueva, podemos explorar otras palabras que están relacionadas. Abajo citamos unos ejemplos. ¿Cuántas variaciones pueden encontrar ustedes? Haga una lista. Ahora haga otra lista de variaciones con la palabra "sujetar".
Un reglamento: *a rule, statute, ordinance*
Una regla: *a ruler, a measuring stick*
Las reglas del juego: *rules of a game*
La regla (de una mujer — "estar con la regla"): *menstruation*

Actividad 4: Pronunciación. La palabra "ferrocarril", o el plural "los ferrocarriles", se usa para practicar el sonido de la doble rr (erre). Practique este trabalenguas:
Erre con erre, cigarro; erre con erre, barril; rápido ruedan los carros cargados del ferrocarril.

C. Expectativas

1. ¿Qué sugiere el título sobre el contenido de este cuento? ¿Qué información nos da el título sobre la perspectiva narrativa (**la focalización**) del cuento?
2. Una cita del cuento dice: "Nuestra vida era un juego perpetuo". Si imaginamos que la ola es una mujer,

¿qué nos sugiere esta cita en cuanto a la relación del narrador con la ola?

IV. El texto

MI VIDA CON LA OLA

La primera vez que fui al mar, me enamoré de las olas. Cuando ya abandonábamos la playa, una ola se escapó. Y cuando las demás olas intentaron detenerla, *sujetándola* por su vestido flotante, ella me agarró de la mano y juntos *huimos* saltando por la ru-
5 gosa[1] arena.

Mi padre intentó hacerla volver, pero la ola lloró, imploró y amenazó hasta que él le permitió venir con nosotros.

A la mañana siguiente fuimos a la estación para tomar el tren. La ola se elevaba contenta y llena de luz; pero no quería
10 llamar la atención, no fuera a haber[2] algún *reglamento* que prohibiera el transporte de olas en los *ferrocarriles* y el conductor la echase[3] del tren. Así que, tacita a tacita,[4] sin que nadie me viese, vacié el depósito[5] de agua para los pasajeros donde mi amiga pudo viajar escondida.
15 Cuando llegamos a casa, la ola *irrumpió* en nuestro hogar...

Antes era una sola ola, ahora parecía ser muchas. Inundaba nuestras habitaciones con sol y aire, alejando las sombras con sus reflejos azules y verdes. Su luz *barrió* el polvo de los pequeños *rincones* olvidados y la casa entera *resplandeció* con su risa.
20 Su sonrisa brillaba por todas partes.

El sol entraba con gusto en nuestras viejas y oscuras habitaciones y se quedaba durante horas y horas. Le encantaba bailar conmigo y con la ola, tanto que se olvidaba de partir y varias noches, las estrellas, escandalizadas, lo vieron salir por mi ventana.
25 Nuestra vida era un juego perpetuo. Cuando la abrazaba, ella se *erguía* como un árbol de tallo[6] líquido y de pronto se convertía en un chorro[7] de espuma que caía entre risas sobre mi cabeza y mi espalda. Si corría hacia ella, se extendía ante mí y por sorpresa me envolvía y en un cerrar de ojos me encontraba arri-
30 ba, suspendido en lo alto, para caer después como una piedra y sentirme suavemente depositado en el suelo como una pluma.

---

[1] arrugada; *wrinkled, with ridges* [2] *in case there might be...* [3] echara; *subjunctive of* "echar", *might throw her off the train* [4] poco a poco; *little by little; literally one cup at a time* [5] tanque que contiene agua; *water tank* [6] parte de una planta entre las raíces y la flor; *stem* [7] fuente de agua; *squirt, spray*

Por la noche nos tendíamos[8] juntos y cambiábamos confidencias, cuchicheos,[9] risas. Me dormía *mecido* en sus aguas y cantaba dulces canciones marinas a mi oído, caracola. Ciertas noches, en la oscuridad, *resplandecía* como un arco iris y tocarla era como tocar un pedazo de cielo tatuado[10] con fuego.

Pero a veces también se hacía oscura y amarga. A horas inesperadas, mugía, suspiraba y se retorcía. Al oírla, el viento del mar venía a través de las montañas. Gemía con voz de viento salvaje por entre los árboles y rascaba los cristales de mi ventana durante la noche.

Los días nublados la irritaban, por eso, en una ocasión, aplastó mi tren de juguete, empapó[11] mi colección de sellos[12] y cubrió mi habitación con una espuma gris y verdosa.

Sujeta a la luna, el sol y las estrellas, cambiaba de humor como cambian las mareas.[13]

Pensando que quizá se sentía sola, le di caracolas, piedrecitas y un barquito velero para jugar. Y cuando los estrelló contra la pared, le traje una colonia de peces. Los *meció* en sus brazos, les susurró y jugó con ellos durante mucho tiempo. Por la noche, mientras ella dormía, los peces le adornaban la cabellera con sus leves relámpagos y chapoteos[14] de colores.

Un día no pude más. Ahora la ola dedicaba todo su tiempo a jugar con los peces y nunca jugaba conmigo. Me arrojé sobre ellos, pero se me escapaban, ágiles por entre las manos, y la ola se reía y me golpeaba hasta derribarme.

Con la llegada del invierno, el cielo se volvió gris y la ciudad tembló bajo una llovizna helada. La ola tenía pesadillas.[15] Soñaba con heladas regiones polares donde se convertía en un gran trozo de hielo que navegaba bajo cielos negros en noches largas como años. Se acurrucaba[16] en un *rincón* y aullaba largamente durante días y noches. Sus aullidos llenaban la casa de fantasmas y atraían a los monstruos de las profundidades.

Mi padre dijo que la ola tenía que marcharse. Mi pobre madre estaba al borde de la locura. Como yo ya no podía atraparla,

---

[8] nos acostábamos [9] hablando en voz muy baja, susurrar; *whisperings* [10] con un tatuaje; *with a tatoo* [11] mojó, llenó de agua [12] estampillas [13] la subida y bajada del mar; *tides* [14] *splashes* [15] sueños malos [16] se hizo pequeño como una bola; *curled up*

hicimos las maletas[17] y nos fuimos de casa por un tiempo dejando a la ola en el frío.

Cuando regresamos, como había hecho tanto frío, encontramos a la ola convertida en una bonita estatua de hielo. Aunque
70 se me rompía el corazón ayudé a mi padre a envolverla en una manta[18] y la llevamos de vuelta al mar.

La casa ha vuelto a ser oscura y los *rincones* se han llenado de polvo y de sombras. A veces me despierto en la noche y me acuerdo de la ola. Mis padres dicen que qué alivio sin olas malas
75 y que no podré volver a traer una ola a casa. Pero *echo de menos* a mi amiga.

Quizás el año que viene, si vamos a la montaña, me traiga una nube. Las nubes son dulces y cariñosas y nunca se comportarían como una ola.

---

[17] llenamos las valijas con ropa para viajar; *we packed our suitcases* [18] una cobija, una tela; *blanket*

V. Después de Leer

A. Preguntas de comprensión

1. ¿Dónde conoció el niño a la ola?
2. ¿Qué hizo la ola cuando la familia se fue?
3. ¿Cómo viajaba la familia a la playa y de vuelta a casa?
4. ¿Qué hizo el niño para que la ola pudiera viajar sin que nadie se diera cuenta?
5. ¿Cómo se sentía la ola tan pronto como llegó a la casa?
6. ¿Qué cuerpo celestial visita la casa para bailar con la ola y el niño?
7. ¿Por qué están "escandalizadas" las estrellas?
8. ¿Por qué cambia de humor la ola?
9. ¿Por qué el niño le regala peces a la ola?
10. ¿Por qué el niño dice: "Un día no pude más"?
11. ¿Cómo afecta el invierno a la ola?
12. ¿Por qué la familia se va de la casa?
13. ¿Cómo está la ola cuando vuelve la familia?
14. ¿A dónde llevan la ola al final del cuento?
15. ¿Cómo reacciona el niño ante esta separación?
16. ¿Qué piensa hacer en las próximas vacaciones? ¿Por qué?

B. Preguntas de análisis

1. Si se supone que la ola representa o simboliza a la mujer en este cuento, ¿qué características de la mujer se destacan en el cuento?
2. ¿Qué indica el cuento sobre las relaciones interpersonales?
3. ¿Qué indica el cuento sobre el comportamiento de la mujer?
4. ¿Quién tiene la "culpa" de que la relación no sea tan buena como al principio?
5. ¿Por qué el final del cuento es problemático si estamos hablando simbólicamente de una relación entre un hombre y una mujer?

VI. Sugerencias para los profesores

A. Al no incluir las ilustraciones de este cuento, una posible actividad es la de dividir la clase en grupos pequeños y pedir que cada grupo ilustre un párrafo diferente del cuento. No consiste tanto en una oportunidad de expresar la creatividad, sino en una manera de comprobar que los estudiantes entienden cabalmente las descripciones.

B. Este cuento presenta una buena oportunidad para hablar sobre los estereotipos de la mujer y del hombre, y los problemas que éstos presentan.

VII. Otros Recursos

Cowan, Catherine. *My Life with the Wave.* New York: Lothrop, Lee & Shepard Books, 1997.

Cowan, Catherine. *Mi vida con la ola.* Trans. Esther Rubio. Barcelona: Editorial Kókinos, 2003.

Mercier, Cathryn M. "Review of *My Life with the Wave*". *The Horn Book Magazine.* 73.5: 555.

Del Castillo, Adelaida R. "Mexican Gender Ideology". *The Latino/a Condition: A Critical Reader*. Ed. Richard Delgado. New York, NY: New York UP, 1998: 499–500.

Gutman, Matthew C. *The Meanings of Macho.* Los Angeles: University of California University Press, 1996.

Roberts-Camps, Traci. *Gendered Self-Consciousness in Mexican and Chicana Women Writers: The Female Body as an Instrument of Political Resistance.* Lewiston, NY: Mellen, 2008.

Enrique Jaramillo Levi:
"La cueva"

I. El autor

Courtesy of Enrique Jaramillo Levi

Enrique Jaramillo Levi nació en Colón, Panamá, en 1944. Demostró una pasión por la escritura a muy temprana edad, llegando a escribir obras de teatro a la edad de trece años. Hizo sus estudios universitarios primero en la Universidad de Panamá, donde recibió su licenciatura en filosofía y letras, y luego en la Universidad de Iowa, donde se tituló en composición literaria y estudios latinoamericanos. Debido a su profesión, dedicada a la docencia, Jaramillo Levi ha vivido en varios países. Ha sido profesor en la Universidad Autónoma Metropolitana y el Instituto Tecnológico de Monterrey, México, en las Universidades de Texas, Cal State y Oregon State —EE.UU.— y en las Universidades de Panamá y la Universidad Tecnológica de Panamá.

Además de profesor, Jaramillo Levi ha sido un promotor incansable de la cultura. Es el director y fundador de la revista cultural panameña *Maga*, presidente y fundador de la fundación cultural Signos, coordinador de Difusión Cultural en la Universidad Tecnológica de Panamá, y fundador de varios premios nacionales de literatura y arte.

Además de todas estas responsabilidades, Jaramillo Levi ha sido un escritor prolífico. Ha escrito más de 50 obras, pero se ha destacado como poeta y, sobre todo, como cuentista. Sus obras suelen contemplar temas relacionados con la imaginación humana y lo misterioso de la vida. Entre las colecciones de cuentos más importantes se incluyen *El búho que dejó de latir* (1974), y *Ahora que soy él* (1985). El autor mismo seleccionó este cuento para nuestra antología de literatura juvenil.

II. El contexto

Los españoles llegaron a Panamá por primera vez en 1501, y fue establecida como colonia en 1538. Panamá formó parte importante del imperio colonial de España porque formaba la única conexión terrestre entre América del Norte y América del Sur, y porque proporcionaba la vía más corta para conectar el océano Pacífico con el océano Atlántico.

En 1821, Panamá logró su independencia de España, pero durante este período Panamá no existía como país soberano, sino como un departamento de Colombia. Panamá declaró su independencia de Colombia en 1903, con el apoyo de EE.UU., que quería los derechos para la construcción del Canal de Panamá. EE.UU. comenzó la construcción del canal en 1904, y lo terminó en 1914. El canal funcionó bajo la autoridad de EE.UU. hasta diciembre de 1999, fecha en la que se le regresó el control a Panamá. En la actualidad, gracias al canal, Panamá es un centro importante del comercio internacional y tiene la economía más acelerada de Centroamérica.

Después de 1903, Panamá se convirtió en una democracia constitucional; sin embargo, un golpe de estado en 1968 marcó el inicio de un período de dictaduras militares. Panamá permaneció bajo varias dictaduras por 21 años, hasta que en 1989 Estados Unidos invadió el país y capturó al dictador General Manuel Noriega. Noriega fue llevado a una prisión de los EE.UU., estableciendo con ello nuevamente la democracia en Panamá.

El cuento que Enrique Jaramillo Levi escogió para incluir en esta antología no tiene vínculos evidentes con la situación política de Panamá, pero sí habla del tema de la liberación personal, y la incertidumbre de dejar atrás todo lo conocido y familiar para explorar nuevas opciones en la vida.

III. Antes de leer

A. Palabras útiles

1. alambre (m.) — hilo de cualquier metal; *wire*
2. baúl (m.) — mueble frecuentemente de tapa convexa que sirve generalmente para guardar ropa; *trunk*

3. cola (f.) — rabo, la parte de la columna vertebral de algunos animales que se extiende fuera del cuerpo; *tail*
4. guiñar — cerrar el ojo momentáneamente; *to wink*
5. mostrador (m.) — mesa larga para presentar la mercancía en las tiendas; *counter*
6. negocios (m.) — trabajo, comercio, aquello que es objeto de una ocupación lucrativa; *business*
7. orinar — hacer pipí; expeler orina; *to urinate*
8. pata (f.) — extremidad de los animales; *leg, paw, foot*
9. temblar — agitarse con sacudidas de poca amplitud, rápidas y frecuentes; *to shiver, to shake, to tremble*
10. tragar — hacer que algo pase de la boca al estómago; *to swallow*

B. Actividades de vocabulario

Actividad 1: Llene los espacios en blanco con la palabra adecuada de la lista de vocabulario.

1. Durante el verano, la muchacha guarda la ropa de invierno en un ________.
2. Cuando Jaime le__________ el ojo a Pablo, Pablo sabe que Jaime está bromeando (*joking*).
3. El cajero (*cashier*) se sienta detrás del ________ mientras espera a los clientes.
4. El baño es el lugar apropiado para _________.
5. El suelo __________ durante un terremoto (*earthquake*).
6. Yo voy a estudiar ________ en la universidad porque quiero empezar mi propia compañía algún día.
7. Una diferencia entre los seres humanos y los monos (*monkeys*) es que los seres humanos no tienen __________.
8. Es más fácil ___________ una pastilla (*pill*) con un sorbo (*sip*) de agua.
9. La electricidad viaja desde la planta generadora de electricidad a nuestra casa por medio de un __________ de cobre (*copper*).
10. El perro camina usando sus cuatro ______________.

Actividad 2: Abajo hay una lista de las palabras del vocabulario, pero con las letras en desorden. Descubra la palabra correcta. Luego, utilice las letras enumeradas para descifrar el mensaje final.

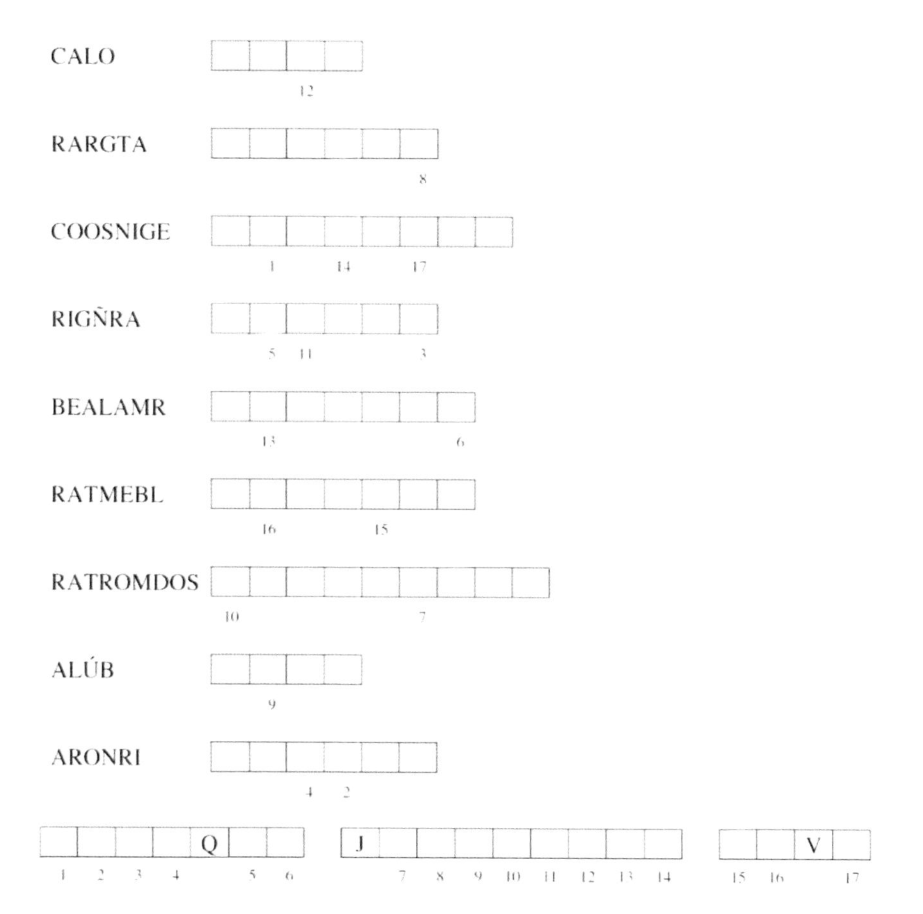

C. Expectativas

1. ¿Cómo es una cueva? ¿Qué ruidos se escuchan en una cueva? ¿A qué huele? ¿Qué animales viven en una cueva? ¿Tendría Ud. miedo de estar solo/a en una cueva?

2. ¿Por qué nos asusta la oscuridad? ¿Qué papel juega la imaginación en cuanto al temor que sentimos en la oscuridad?

IV. El texto

LA CUEVA

Un perro blanco con manchas[1] negras *orinaba* junto a la vitrina.[2] Al otro lado del cristal las mercancías eran formas que se distorsionaban. Abrí la puerta y cuando quise entrar tuve la impresión de que me *tragaría* una gran boca oscura.

5 Me recibió mi gata. Sus ojos bizcos[3] me miraron mansos[4] a la vez que arqueaba el lomo.[5] Luces amarillas, azules y blancas danzaron alrededor mío sin razón aparente. Respiré profundo. De las paredes se desprendía el familiar olor a incienso y fragancias de pino. Mi padre atendía a un cliente desde su puesto 10 habitual tras el *mostrador*. Hablaban de *negocios*, creo. Seguí de largo.

Tras recorrer el pasillo flanqueado por viejos *baúles* inservibles, entré en la cueva. Así llamaba yo a ese sitio extraño y fascinante que me cautivó *desde* pequeñita. Papá guardaba toda 15 suerte de[6] cosas raras allí. Cada vez que entraba me parecía que los cocodrilos disecados me miraban protestando por su destino inmutable. El caballito gris de la *pata* rota se movió saludándome desde su rincón de telarañas.[7] Una brisa leve que se colaba por la claraboya[8] meció[9] el bacalao[10] que colgaba con un 20 *alambre* del bajo techo. Arranqué un pedazo de aquella piel seca y lo masqué[11] para extraerle sal de piratas.

Penetré más aún en la oscuridad de la cueva. A medida que presentía sombras desplazándose[12] hacia el fondo, se fueron soltando los miedos que traía amarrados.[13] Vagas sensa-25 ciones me recorrían toda. Me detuve al oír un chirrido.[14]

Alambres retorcidos configuraban amenazantes siluetas que surgían de cajas torpemente almacenadas.[15] De remotos frascos salían rancios[16] olores de perfumes que no demoraron en marearme.[17] Algo sinuoso[18] rozó[19] mis pies descalzos y se perdió 30 entre las sombras.

---

[1] *spots* [2] *glass cabinet, showcase* [3] *cross-eyed* [4] *tame, docile* [5] espalda; *back* [6] toda suerte de; *all kinds, types or sorts* [7] *spiderwebs, cobwebs* [8] *skylight* [9] mecer; *to swing, sway or rock* [10] *dried codfish* [11] masticar; *to chew* [12] desplazarse; *to move, to travel* [13] *tied up* [14] *squeaking or creaking noise* [15] *stored* [16] *rancid* [17] marear; *to make sick or dizzy* [18] *devious* [19] rozar; *to brush against*

Di un paso atrás. Tropecé. Sentí enrollarse un cascabel[20] a mis tobillos. Grité echando a correr. Rodé por el suelo. Me levanté dando tumbos,[21] el corazón en la boca.[22] Entonces me recibió una caja metida en otra que a su vez[23] estaba presa en
35 otra mayor.

Los enormes ojos de la gata refulgieron[24] en la oscuridad. Me miraban fijamente. Extendió las patotas[25] delanteras hasta apoyarlas en el borde de la caja exterior. Se estiraba.[26] Con toda la calma del mundo se estiraba. Y al hacerlo bajó la cabeza enor-
40 me. Me vi reflejada en aquellos pozos[27] líquidos que me seguían mirando. Abrió desmesuradamente la boca. Su olor a bacalao me llenó de asco.[28] Vi acercárseme los punzones[29] blancos de sus colmillos.[30]

El miedo no me impidió asirme[31] de un pelo largo de su bi-
45 gote y empecé a columpiarme[32] con la esperanza de coger suficiente impulso para poder caer afuera. Cerré los ojos tratando de no *temblar* exageradamente ante los ojos bizcos que me seguían perplejos de lado a lado.

Al fin me atreví a soltarme. Caí sobre unos *alambres* enros-
50 cados[33] que de inmediato me ciñeron.[34] Un maullido[35] atroz me obligó a voltear la cabeza. La suela[36] gris, enorme, se me venía encima.

De pronto se encendió la luz. La cueva se convirtió en un depósito[37] sucio y desordenado como cualquier otro. Mi gata se dio
55 a la fuga.[38] Me entraron unas ganas muy grandes de llorar. Y lloré confundida.

Cuando las manos fuertes de mi padre empezaron a desenroscar[39] los *alambres* que me aprisionaban, busqué en su rostro una explicación. Tras alzarme en peso[40] me colocó en el
60 piso. No dijo una palabra. Sólo hallé en su mirada la inexpresividad de siempre. Las cosas habían vuelto a la normalidad.

---

[20] *bell* [21] dar tumbos; *staggering, stumbling* [22] corazón en la boca; *heart pounding* [23] a su vez; *in turn* [24] refulgir; *to gleam* [25] aumentativo de pata; *leg, paw, foot* [26] estirarse; *to stretch* [27] *pools* [28] llenar de asco; *to fill with disgust, to make sick* [29] puntos filosos y agudos; *sharp, pointing tips* [30] *fangs* [31] asir; *to sieze, grasp* [32] columpiarse; *to sway, to move back and forth* [33] *coiled* [34] ceñir; *to surround* [35] *meow* [36] trozo de cuero; *hide, sole-referring to the cat, perhaps* [37] *warehouse* [38] darse a la fuga; *to flee* [39] *to uncoil, to unwind* [40] alzar en peso; *to pick up in one movement*

Así lo entendí porque un fragmento de espejo me devolvió una imagen aceptable de mi tamaño cuando estuve en pie. Sin embargo, me ardían los huesos.

65 Sonó la campanita de la puerta. Llegaba algún cliente. Mi padre se apresuró a salir de la cueva, que ya no lo era tanto, mascullando[41] regaños[42] contra mi torpeza.

Parada frente al largo espejo rectangular que ocupaba una de las esquinas al fondo, vi acercarse a la gata a mis espaldas. 70 Yo era como siempre tres veces más grande que ella y dos veces más chica que el espejo. Maulló. Me di vuelta para verla mejor.

Sus ojillos bizcos brillaban bajo la luz del foco[43] que pendía del techo entre ambos. Antes de que se marchara irguiendo[44] impertinentemente la *cola*, vi bien claro cómo me *guiñaba* 75 un ojo.

---

[41] mascullar; *to mutter, to mumble* [42] *scoldings* [43] *light bulb* [44] erguir; *to raise, lift or straighten*

V. Después de leer

A. Preguntas de comprensión

1. ¿Qué hace el perro al principio del cuento?
2. ¿Qué hace el padre de la niña cuando ella entra en la tienda?
3. ¿A dónde va la niña?
4. ¿Cómo se convirtió el depósito en una cueva?
5. ¿Quién acompaña a la niña en la cueva?
6. ¿Qué otros animales están en la cueva?
7. ¿Por qué y dónde se cae la niña?
8. ¿Qué sucede en la cueva cuando se encienden las luces?
9. ¿Quién salva a la niña?
10. ¿Qué hace el gato al final del cuento?

B. Preguntas de análisis

1. ¿Qué nos dice este cuento sobre la niñez?
2. ¿En qué sentido podemos decir que la imaginación crea la realidad que experimentamos?
3. ¿Se puede decir que la cueva representa el subconciente?
4. En cierto sentido, podemos comparar la entrada de la niña en la cueva con sus primeros pasos hacia la independencia. ¿Qué nos dice el cuento, entonces, sobre el proceso de independizarse?
5. Si la cueva le da miedo a la niña, ¿por qué nos da a entender que quiere entrar de nuevo en ella?
6. Cuando ella dice "busqué en su rostro una explicación", ¿cuál es la explicación que la niña espera de su padre que él no puede, o no desea, darle?
7. ¿Cómo sabemos que el protagonista es una niña?

VI. Sugerencias para los profesores

A. Pida a los alumnos que dramaticen el cuento o que lo ilustren.
B. Analice el uso de los cinco sentidos en el cuento.

VII. Más recursos

Birmingham-Pokorny, Elba D. "Enrique Jaramillo Levi (11 December 1944–)". In Salgado, María A. *Modern Spanish American Poets: Second Series.* Detroit, MI: Gale, 2004: 77–83.

Burgos, Fernando. "Pulsiones y transformaciones psicosociales en la cuentística de Enrique Jaramillo Levi: Conversación con el autor". *Istmo: Revista Virtual de Estudios Literarios y Culturales Centroamericanos.* 19 (July–Dec. 2009): 1–27.

Carmen Lyra:
Cuentos de mi Tía Panchita

I. La autora

Carmen Lyra, seudónimo de María Isabel Carvajal Quesada, nació en San José, Costa Rica, en 1888. Fue hija natural; es decir, nació fuera del matrimonio. Quería ser monja; sin embargo, su status social como hija ilegítima le impidió ingresar en un convento. En su lugar, Carmen Lyra asistió al Colegio Superior de Señoritas, uno de los más prestigiosos del país, y aquí sacó un certificado de Maestra Normal que le sirvió para trabajar varios años en las escuelas de su país.

Más tarde, obtuvo una beca para estudiar en Europa. Durante su estancia en el viejo continente escribió y publicó su primer libro de cuentos infantiles, *Cuentos de mi tía Panchita* (1920), que sigue en prensa hasta hoy día y se considera un texto central y formativo en la literatura infantil de Costa Rica.

A su regreso de Europa, Lyra vivió en Costa Rica, pero a causa de sus ideas marxistas y de su trabajo en el partido comunista de su país, la exiliaron a México después de la Guerra Civil de 1948. Se publicaron varias versiones de *Cuentos de mi tía Panchita* en vida de la autora, pero ella nunca llegó a conocer la popularidad de sus cuentos, ni a saber que sería reconocida como una de las figuras más importantes de la literatura de su país. Murió en México en 1948, y sus restos fueron trasladados a Costa Rica para enterrarlos en su tierra natal. Miles de personas fueron al velorio para mostrar su respeto por esta figura tan insigne en la historia y cultura costarricenses.

II. El contexto

Carmen Lyra escribió *Cuentos de mi tía Panchita* en un momento en que Costa Rica estaba tratando de establecer su identidad nacional. Lyra jugó un papel clave a la hora de crear una visión del costarricense como una persona sencilla y pobre, pero buena y trabajadora. En sus cuentos, los campesinos son los personajes principales y los triunfadores. Además, muchos de sus cuentos se basan en el folklore de Costa Rica y del Caribe. Por ejemplo, su cuento, "La cucarachita Mandinga", es una interpretación de un cuento muy popular en el Caribe. Otra autora incluida en esta colección, Rosario Ferré, de Puerto Rico, escribió otra versión inspirada por el mismo cuento folklórico.

En "La cucarachita Mandinga", el personaje principal representa a una afrocaribeña de Limón, un puerto en la costa atlántica. Durante la segunda mitad del siglo XIX y la primera del siglo XX, la exportación de productos agrícolas, y la de bananos en particular, fue muy importante para la economía de Costa Rica. Para trabajar en estas plantaciones, los dueños, la mayoría de los cuales eran empresarios estadounidenses, contrataron a miles de trabajadores afrocaribeños procedentes de las islas de la región; y la mayoría de ellos procedían de islas anglohablantes, como Jamaica, Trinidad y Tobago. Esta gente trajo su propia cultura y lengua a las costas de Costa Rica, y es por ello que la cucarachita Mandinga habla español con un acento particular de la región. Ella dice, por ejemplo, "No me luche", en vez de "No me luce", lo cual la identifica como descendiente de estos trabajadores afrocaribeños que llegaron a Costa Rica para laborar en las plantaciones bananeras. La figura afrocaribeña de la cucarachita Mandinga es significativa para reconocer la importancia de la cultura e influencia de esta gente de la costa Atlántica. Es importante también porque, con la elección de este tipo de protagonista, Carmen Lyra trata de incorporar esta población marginalizada en el desarrollo de una identidad nacional.

III. Antes de Leer

A. Palabras Útiles

1. empolvarse — poner maquillaje; *to powder, to put on make-up*
2. pelo suelto — no poner el pelo en un moño; *hair worn down, loose*
3. pasear — caminar sin objetivo ni destino; *to stroll*
4. bastón (m.) — usado para ayudar a caminar; *cane*
5. agradar — complacer, contentar, gustar; *to like*
6. curiosear — ocuparse en averiguar lo que alguien hace o dice; *to be curious, to meddle*
7. resbalarse — caerse; *to fall, to slip*
8. desgracia (f.) — suerte adversa; *misfortune*
9. asomarse — ver desde una posición escondida; *to peek*
10. ataúd (m.) — caja para enterrar a un muerto; *coffin*

B. Actividades de Vocabulario

Actividad 1: Complete el crucigrama de abajo. Ojo: puede incluir algunas palabras de vocabulario de otras lecturas en esta sección.

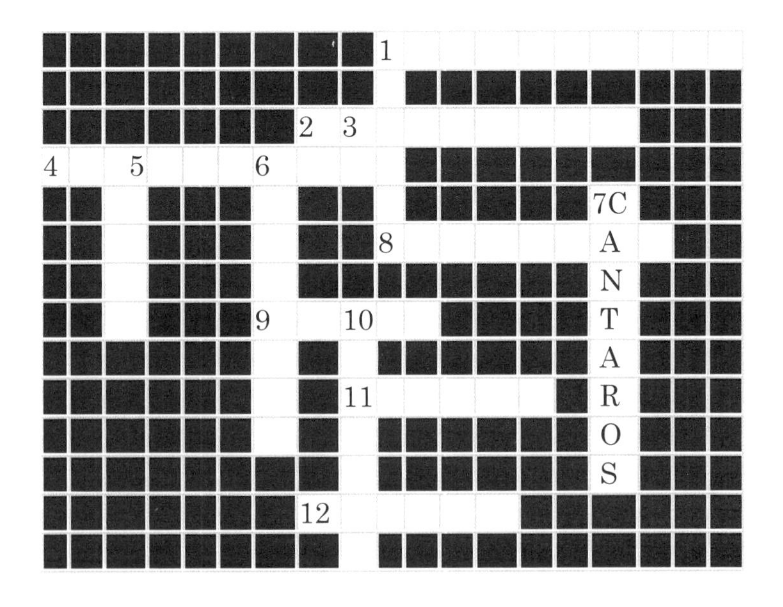

Horizontal:

1. Hoy en día está muy de moda para las mujeres llevar su _________ ________.
2. Es una _____ que hayas perdido tanto dinero.
4. La cucarachita Mandinga no quiere salir de casa sin maquillaje, ella necesita_____.
8. En los dibujos animados, muchas veces las personas se _____ cuando pisan la cáscara de un banano.
9. Cuando uno se muere se necesita un _____ para que lo entierren.
11. Entre dos paredes hay una esquina o un _____.
12. A veces los ancianos necesitan ayuda para caminar, y ellos usan un _____.

Vertical:

1. Durante la primavera a mucha gente le gusta _____ por el parque para ver las flores y los animales.
2. dos letras para decir "doctor"
3. conjugar el verbo "ser" en la persona de "ella"
5. Los seres humanos tienen pies pero los animales tienen _____.
6. Uno no debe _____ a un precipicio, ¡se puede caer!
10. La cucarachita cocina para _____ a su esposo.

C. Expectativas

1. Dado el título, ¿qué tipos de personajes van a aparecer en este cuento?
2. Los cuentos en que los animales pueden hablar se llaman **fábulas**. ¿Qué sabe Ud. sobre este género? Haga una lista de las características que espera encontrar en una fábula. Después de leer este cuento, compárelo con su lista para ver si todas las características aparecieron.

3. Sabemos que Costa Rica es un país tropical, entonces, ¿cómo imagina Ud. el lugar en donde ocurre la acción narrativa?
4. Busque la palabra "mandinga" para ver qué **connotaciones** puede tener.

IV. El texto

LA CUCARACHITA MANDINGA

Había una vez[1] una Cucarachita Mandinga que estaba barriendo las gradas[2] de la puerta de su casita, y se encontró un cinco.[3]

Se puso a pensar en qué emplearía el cinco. —¿Si compro un 5 cinco de colorete?[4] —No, porque no me luche.[5]¿Si compro un sombrero? —No, porque no me luche. ¿Si compro unos aretes? —No, porque no me luchen. ¿Si compro un cinco de cintas? —Sí, porque sí me luchen.

Y se fue para las tiendas y compró un cinco de cintas; vino y 10 se bañó, *se empolvó*, se peinó de *pelo suelto*, se puso un lazo en la cabeza y se fue a *pasear* a la Calle de la Estación. Allí buscó asiento.

Pasó un toro y viéndola tan compuesta,[6] le dijo:

—Cucarachita Mandinga, ¿te querés[7] casar conmigo?

15 La Cucarachita le contestó:

—¿Y cómo hacés de noche?

—¡Mu....mu........!

La Cucarachita se tapó los oídos:

—No, porque me chutás.[8]

20 Pasó un perro e hizo la misma proposición.

—¿Y cómo hacés de noche? —le preguntó la Cucarachita.

—¡Guau....guau....!

—No, porque me chutás.

Pasó un gallo:

25 —Cucarachita Mandinga, ¿te querés casar conmigo?

—¿Y cómo hacés de noche?

—¡Qui qui ri quí!....

—No, porque me chutás.

Por fin pasó el Ratón Pérez. A la Cucarachita se le fueron los
30 ojos[9] al verlo. Parecía un figurín,[10] porque andaba de leva,[11] tirolé[12] y *bastón*. Se acercó a la Cucarachita y le dijo con mil monadas:[13]

—Cucarachita Mandinga, ¿te querés casar conmigo?

—¿Y cómo hacés de noche?

35 —¡I, i, iii...!

A la Cucarachita *le agradó* aquel ruidito, se levantó de su asiento y se fueron de bracete.[14]

Se casaron y hubo una gran parranda.[15]

Al día siguiente la Cucarachita, que era muy mujer de su ca-
40 sa,[16] estaba arriba desde que comenzaron las claras del día[17] poniéndolo todo en su lugar.

Después del almuerzo puso al fuego una gran olla de arroz con leche,[18] cogió dos tinajas[19] que colocó una sobre la cabeza y otra en el cuadril,[20] y se fue por agua.

45 Antes de salir dijo a su marido:

—Véame el fuego y cuidadito con golosear[21] en esa olla de arroz con leche.

Pero apenas hubo salido su esposa, el Ratón Pérez le pasó el picaporte[22] a la puerta y se fue a *curiosear* en la olla. Metió una
50 manita y la sacó al punto: —¡Carachas![23] ¡Que me quemo!— Metió la otra: —¡Carachas! ¡Que me quemo!— Metió una pata: —¡Carachas! ¡Que me quemó!— Metió la otra pata y salió bailando de dolor: —¡Demontres[24] de arroz con leche, para estar pelando!—[25] Pero como eran muchas las ganas de golosear, acercó
55 un banco al fuego y se subió a él para mirar dentro de la olla...!

El arroz estaba hierve que hierve, y como la Cucarachita le había puesto queso en polvo y unas astillitas de canela,[26] salía un olor que convidaba.[27]

---

[9] *literally, lost her eyes; that is, she was transfixed* [10] *he looked very handsome* [11] *top coat* [12] *top hat* [13] *sweetly* [14] *arm in arm* [15] fiesta; *party* [16] en control de su casa [17] desde el amanecer; *from the break of dawn* [18] *a typical Latin American dessert consisting of milk, rice, vanilla, cinnamon and various other spices, like a rice pudding* [19] cántaros; *jugs* [20] *hip* [21] *be careful not to sneak a bite!* [22] *lock* [23] *euphemism for* "Carajo"; *darn* [24] demonios [25] caliente; *burning hot, scalding* [26] cinnamon sticks [27] inviting

60 El Ratón Pérez no pudo resistir y se inclinó para meter las narices entre aquel vaho[28] que olía a gloria.[29] Pero el pobre *se resbaló*. . . y cayó dentro de la olla.

Volvió la Cucarachita y se encontró con la puerta atrancada.[30] Tuvo que ir a hablarle a un carpintero para que viniera a 65 abrirla. Cuando entró, el corazón le avisaba que había pasado una *desgracia*. Se puso a buscar a su marido por todos los *rincones*. Le dieron ganas de *asomarse* a la olla de arroz con leche... y ¡va viendo![31] ... a su esposo bailando en aquel caldo.[32]

La pobre se puso como loca y daba unos gritos que se oían en 70 toda la cuadra. Los vecinos la consideraban,[33] sobre todo al pensar que estaba tan recién casada. Mandó a traer un buen *ataúd,* metió dentro de él al difunto[34] y lo colocó en media sala. Ella se sentó a llorar en el quicio[35] de la puerta.

Pasó una palomita que le preguntó:

75 —Cucarachita Mandinga, ¿por qué estás tan triste?

La Cucarachita le respondió:

—Porque Ratón Pérez
se cayó entre la olla,
y la Cucarachita Mandinga
80 lo gime[36] y lo llora.

La palomita le dijo:

—Pues yo por ser palomita
me cortaré una alita.[37]

Llegó la palomita al palomar[38] que al verla sin una alita, le 85 preguntó:

—Palomita, ¿por qué te cortaste una alita?

—Porque Ratón Pérez
se cayó entre la olla,
y la Cucarachita Mandinga
90 lo gime y lo llora...
Y yo por ser palomita
me corté una alita.

Entonces el palomar dijo:

—Pues yo por ser palomar
95 me quitaré el alar.[39]

---

[28] *steam* [29] *smelled like heaven* [30] cerrada; *locked* [31] *who do you think she saw?* [32] *hot liquid, broth* [33] *felt sorry for her* [34] el muerto; *the deceased* [35] *doorjamb* [36] *moans* [37] *diminutive of* "ala"; *wing* [38] *pigeon loft* [39] *part of the roof*

Pasó la reina y le preguntó:
—Palomar, ¿por qué te quitaste el alar?
—Porque Ratón Pérez
se cayó entre la olla,
100 y la Cucarachita Mandinga
lo gime y lo llora...
Y la palomita se cortó una alita...
Y yo por ser palomar
me quité mi alar.
105 La reina dijo:
—Pues yo por ser reina,
Me cortaré una pierna.
Llegó la reina renqueando[40] donde el rey, que le preguntó:
—Reina, ¿por qué te cortaste una pierna?
110 —Porque Ratón Pérez
se cayó entre la olla,
y la Cucarachita Mandinga
lo gime y lo llora...
Y la palomita
115 se cortó una alita,
el palomar
se quitó su alar,
y yo por ser reina,
me corté una pierna.
120 El rey dijo:
—Pues yo por ser rey,
me quitaré mi corona.
Pasó el rey sin corona por donde el río, que le preguntó:
—Rey, ¿por qué vas sin corona?
125 —Porque Ratón Pérez
se cayó entre la olla,
y la Cucarachita Mandinga
lo gime y lo llora...
Y la palomita
130 se cortó una alita,
el palomar
se quitó su alar,
la reina
se cortó una pierna,

---

[40] *limping*

135 y yo por ser rey,
me quité la corona.
El río dijo:
—Pues yo por ser río,
me tiraré a secar.[41]
140 Llegaron unas negras al río a llenar sus cántaros y al verlo seco, le preguntaron:
—Río, ¿por qué estás seco?
—Porque Ratón Pérez
se cayó en la olla,
145 y la Cucarachita Mandinga
lo gime y lo llora...
Y la palomita
se cortó una alita,
el palomar
150 se quitó su alar,
la reina
se cortó una pierna,
el rey
se quitó su corona
155 y yo por ser río,
me tiré a secar...
—Pues nosotras por ser negras, quebramos los cántaros.
Pasaba un viejito, quien al ver a las negras quebrar sus cántaros, les preguntó:
160 —¿Por qué quebráis los cántaros?
—Porque Ratón Pérez
se cayó entre la olla,
y la Cucarachita Mandinga
lo gime y lo llora...
65 Y la palomita
se cortó una alita,
el palomar
se quitó su alar,
la reina
70 se cortó una pierna,
el rey
se quitó la corona,
el río

---

[41] *I'll dry out*

se tiró a secar
175 y nosotras por ser negras,
quebramos los cántaros.
El viejito dijo:
—Pues yo por ser viejito,
me degollaré.[42]
180 Y se degolló.
Entre tanto llegó la hora del entierro.

La Cucarachita quiso que fuera bien rumboso e hizo venir músicos que iban detrás del *ataúd* tocando. Los violines y los violones decían:
185 —¡Por jartón,[43] por jartón,
por jartón
se cayó entre la olla!

Y me meto por un huequito y me salgo por otro para que ustedes me cuenten otro.[44]

---

[42] *I'll cut my throat* [43] *greedy* [44] *a formulaic ending, much like "and they lived happily ever after". Literally, it means "and I crawl in a little hole and crawl out of another so that you will tell me another story".*

V. Después de Leer

A. Preguntas de Comprensión

1. ¿Qué encuentra la cucarachita Mandinga?
2. ¿Qué quiere comprar ella y por qué?
3. ¿Por qué se casa con el Ratón Pérez?
4. ¿Qué está cocinando?
5. ¿Por qué necesita salir de la casa?
6. ¿Qué hace su esposo, el ratón, mientras ella no está?
7. ¿Cómo murió su esposo?
8. ¿Quiénes son los personajes que se sacrifican por ella para consolarla?
9. ¿Qué le dan a la cucarachita Mandinga estos personajes?
10. ¿Qué quiere la cucarachita Mandinga para el entierro de su esposo?
11. ¿Qué quiere decir el refrán al final del cuento?

B. Preguntas de Análisis

1. ¿Por qué quiere ser más bella la cucarachita Mandinga?
2. ¿Qué significa el pelo suelto de la cucarachita Mandinga?
3. ¿Qué mensaje hay sobre el comportamiento y las expectativas que la sociedad tiene de una mujer?
4. La cucarachita Mandinga es muy sensual en este cuento; ¿es este un estereotipo de la mujer exótica (y negra) del Caribe?
5. ¿Hay una moraleja que aprender de las acciones del ratón?
6. Después de la muerte del ratón, ¿qué significan "los regalos" que los personajes del cuento le dan a la cucarachita Mandinga?
7. ¿Es extraño que hable el palomar? ¿Qué podemos entender de las diferencias culturales que aparecen en este episodio del cuento?
8. ¿Por qué aparecen los reyes? ¿Hay reyes en Costa Rica? ¿Simbolizan algo?

9. ¿Qué piensa del viejo que se degolló? ¿Por qué es importante en el desarrollo del cuento?
10. ¿Cómo es distinto el entierro del Ratón Pérez de los funerales de los EE.UU.?
11. ¿Qué podemos decir de las diferencias culturales entre las razas blanca y negra de Costa Rica?

VI. Sugerencias para los profesores

A. Para mejor entender la cultura en la costa atlántica de Costa Rica se necesita conocer la cultura de las islas caribeñas anglohablantes. Los estudiantes mismos pueden hacer una investigación o el instructor puede presentar algunos aspectos claves de la cultura de estas islas. Una discusión centrada en los estereotipos, el racismo y la inmigración podría ser útil.
B. No tenemos ilustraciones en este cuento, pero puede hacer las siguientes preguntas a los estudiantes: ¿cómo imagina Ud. a los personajes? ¿Qué ropa llevan puesta ellos; parecen animales o más bien seres humanos? ¿Qué tipo de voz tienen? Pídales que describan detalladamente a los personajes con palabras o ilustraciones.
C. Busque varias versiones de este cuento, por ejemplo, "La cucarachita Martina" de la puertorriqueña Rosario Ferré. Compare las versiones. ¿Qué pueden significar las diferencias?

VII. Otros Recursos

Horan, Elizabeth Rosa. *The Subversive Voice of Carmen Lyra: Selected Works*. Gainesville, FL: UP of Florida, 2000.

Garcia-Saez, Santiago. "Carmen Lyra: La huella de la tradición oral en su obra". *Atenea*; 17.1,2 (1997): 29–36.

González, Ann. "And They All Lived Unhappily Ever After: Carmen Lyra and *Los cuentos de mi tía Panchita*". *Resistance and Survival: Children's Narrative from Central America and the Caribbean*. Tucson: University of Arizona Press, 2009: 30–47.

Apéndices

Material Suplementario: *Extra pre-reading and post-reading exercises to accompany textual selections that were not included due to copyright issues.*

Julia Álvarez:
Las huellas secretas

I. La autora

Julia Álvarez nació en Nueva York en 1950, pero se crió en la República Dominicana hasta que cumplió diez años. Debido a la participación de su padre en una organización clandestina que se opuso al dictador Rafael Trujillo, su familia tuvo que salir del país repentinamente en 1960 y restablecerse en Nueva York. Más tarde, Álvarez describiría este evento como el más dramático de su vida. A la edad de trece años sus padres la mandaron a un internado (*boarding school*), donde terminó sus estudios pre-universitarios. Durante esta época, Álvarez pasaba todos los veranos en la República Dominicana.

Álvarez asistió a Middlebury College, y en 1975 recibió su maestría en composición literaria de Syracuse University. Al terminar sus estudios, trabajó como "escritora en residencia" para la "Kentucky Arts Commission", y después viajó por EE.UU. dando talleres de poesía y narrativa. Trabajó como profesora de composición literaria en Middlebury College hasta 1998, año en el que se jubiló para dedicarse por completo a la escritura. A pesar de su jubilación, Álvarez sigue como "escritora en residencia" de Middlebury College, pero vive en Vermont con su esposo.

En 1984 Álvarez publicó su primera obra, *The Housekeeping Book*, un libro de poesía. La fama como escritora le llegó con la publicación de la novela *How the García Sisters Lost Their Accents* (publicado primero en inglés) en 1991; este libro figuró en la lista internacional de los libros más vendidos. Otras novelas importantes de Álvarez incluyen *En el tiempo de las mariposas* (1994), *¡Yo!* (1997), *En el nombre de Salomé* (2000), y la más reciente, publicada en 2010, *Return to Sender*. Álvarez publicó su primer libro para niños, *Las huellas secretas*, en el 2000, y desde entonces ha publicado un total de nueve libros para niños y jóvenes.

II. El contexto: Véase Capítulo 2, la sección sobre Juan Bosch y "*La Ciguapa*"

III. Antes de leer

A. Palabras útiles

1. alimentos (m.) — las sustancias que un ser vivo toma o recibe como nutrición; *food, nourishment*
2. arbusto (m.) — planta perenne, de tallos leñosos y ramas que salen de su base; *bush, shrub*
3. boquiabierto (adj.) — quedarse con la boca abierta, embobado o pasmado, mirando algo; *open-mouthed, flabbergasted*
4. atreverse — tener la determinación de decir o hacer algo arriesgado, *to dare*
5. encerrar — meter a una persona o a un animal en un lugar del que no pueda salir; *to lock up*
6. huella (f.) — señal que deja el pie del hombre o del animal en la tierra por donde pasa; *footprint* (Ojo: huella digital = *finger print*)
7. jaula (f.) — armazón hecho con barras o listones y diseñado para encerrar animales; *cage*
8. regañar — dar muestras de enfado con palabras y gestos; *to scold*
9. superficie (f.) — aspecto externo de algo; *surface*

10. travesura (f.) — acción ingeniosa y de poca importancia, especialmente hecha por niños; *prank, mischief*

B. Actividades de vocabulario

Actividad 1: Complete la tabla utilizando el vocabulario de la lista

huella	
	quedarse con la boca abierta
regañar	
	acción maligna e ingeniosa hecha por niños
	planta perenne, de tallos leñosos y ramas que salen de la base
encerrar	
	Comida
atreverse	
	aspecto externo de algo
jaula	

Actividad 2: Llene los espacios en blanco con la palabra adecuada de la lista de vocabulario

1. Veo mi reflejo en la ______________ del agua.
2. El niño valiente ______________ a jugar con la serpiente, pero yo no soy tan atrevido.
3. El arroz y los frijoles son ______________ básicos.
4. Los niños hacen ______________ para divertirse, pero sus padres se enojan.
5. Las frambuesas (*raspberries*) crecen en un ______________.
6. Los niños dejan sus ______________ en la arena cuando corren en la playa.
7. Me quedé ______________ porque lo que él dijo me sorprendió tanto.

8. El padre de la niña la ________________ por no limpiar su habitación.
9. Es mejor ________________ a los criminales en una cárcel que dejarlos libres.
10. El niño guarda su periquito en una ______________ para que no se escape.

C. Expectativas

1. Basándose en el título, ¿de qué se trata este cuento?
2. El personaje principal del cuento es una ciguapa, un ser mitológico de la República Dominicana. ¿Qué sabe Ud. de la República Dominicana?
3. Vean algunas de las ilustraciones del libro. Basándose en ellas, ¿de qué se trata este cuento? ¿Cómo es la ciguapa?

IV. El texto: Álvarez, Julia. *Las huellas secretas*. Dragonfly Books, 2002. (available on www.amazon.com).

V. Después de leer

A. Preguntas de comprensión

1. ¿Dónde viven las ciguapas?
2. ¿Cuál es el secreto de las ciguapas?
3. ¿Por qué tienen las ciguapas los pies al revés?
4. ¿Cómo es diferente Guapa de las otras ciguapas?
5. ¿Qué hace Guapa con el vestido?
6. ¿Por qué no quiere la reina que las ciguapas tengan contacto con los seres humanos?
7. ¿Qué ocurre cuando Guapa vuelve a ver al niño humano por segunda vez?
8. ¿Qué piensa la familia cuando le ve los pies de Guapa?
9. ¿Cómo logra escapar Guapa?
10. ¿Qué admite la reina de las ciguapas al final del cuento?

B. Preguntas de análisis

1. ¿Cuáles son algunas de las lecciones que aprendemos de este cuento?
2. ¿Cómo se relacionan las ciguapas con la gente indígena de la República Dominicana?
3. ¿Qué simbolizan las huellas de las ciguapas?
4. ¿Por qué desea la autora relacionar la palabra "guapa" con la valentía y la hermosura?
5. Además del pueblo indígena, las ciguapas de *Las huellas secretas* también pueden representar a los niños. Dé algunos ejemplos del cuento que apoyan este argumento.

VI. Sugerencias para los profesores

A. Divida la clase en tres grupos. Cada grupo inventará una alteración del cuerpo que le pueda servir de utilidad hoy en día. Después explicará a la clase los beneficios de sus ideas.
B. Pida a los alumnos que dramaticen o ilustren el cuento.

VII. Más recursos

Hickman, Trenton. "Ciguapas, the Colonial Encounter, and Julia Álvarez's *The Secret Footprints*". *Monographic Review/Revista Monográfica* 20(2004): 115–26.

Gioconda Belli:
"El taller de las mariposas"

I. La autora

Gioconda Belli nació el 9 de diciembre de 1948 en Managua, Nicaragua. Es hija de Humberto Belli, un empresario, y Gloria Pereira, la fundadora del Teatro Experimental de Managua. Estudió en el colegio de la Asunción, en Managua, y en 1965 se graduó del Real Colegio de Santa Isabel, en Madrid, España. También estudió publicidad y periodismo en los Estados Unidos.

Por sus actividades políticas en apoyo al Frente Sandinista de Liberación Nacional (FSLN), de la que fue miembro de 1970 a 1994, tuvo que vivir exiliada en México y Costa Rica desde 1975. Viajó por Europa y América Latina para conseguir recursos y armas, y promover la causa Sandinista hasta su victoria en 1979.

De 1982 a 1987 publicó tres libros de poesía: *De la costilla de Eva*, *Truenos y arco iris*, y *Amor insurrecto*. En 1988, Belli publicó una de sus más conocidas obras, *La mujer habitada*, una novela semi-autobiográfica sobre la lucha Sandinista, y en la que por primera vez en la narrativa revolucionaria nicaragüense se tratan ideas feministas. En 1992, Belli publicó un cuento para niños, "El taller de las mariposas", traducido al alemán, holandés, e italiano. En enero de 2001 publicó *El país bajo mi piel*, un testimonio-memoria de sus años como Sandinista. Su novela más reciente, *El infinito en la palma de la mano* (2008), recuenta la historia bíblica del Génesis desde la perspectiva de Eva.

II. El contexto

Nicaragua es un país centroamericano que ha sufrido mucho durante su historia por una multitud de causas: guerras, dictadura, pobreza, y corrupción política. A pesar de sus dificultades políticas y económicas, o tal vez como resultado de las mismas, ha tenido una rica historia literaria. Su autor más famoso, Rubén Darío, se asocia con lo mejor que ha producido el movimiento **Modernista** en Latinoamérica. Por su tradición cultural, entonces, se dice que Nicaragua es un país de poetas, y entre los más renombrados, después de Darío, se puede nombrar a Pablo Antonio Cuadra, Ernesto Cardenal, Daisy Zamora y Gioconda Belli.

Belli, como miembro del partido FSLN, participó plenamente en la lucha Sandinista contra la dinastía Somoza, que había controlado el país por unos 40 años. Con su victoria en 1979, los Sandinistas desmantelaron la estructura opresiva del régimen anterior e intentaron establecer reformas socialistas. El entonces presidente de los Estados Unidos, Ronald Reagan, se opuso al nuevo gobierno del FSLN y apoyó a los Contras, culpables de la destrucción de la economía nicaragüense y de la matanza de más de 40,000 personas. Finalmente, en 1990, los nicaragüenses, cansados de la lucha constante entre Contras y Sandinistas, eligieron a Violeta Chamorro, la candidata de la oposición, como presidenta de Nicaragua. Dos años después, en 1992, Gioconda Belli escribió *El taller de las mariposas*.

III. Antes de leer

A. Palabras útiles

1. mariposa (f.) — un insecto con alas de muchos colores; *butterfly*
2. atardecer (m.) — cuando baja el sol en la tarde; *late afternoon*
3. colibrí (m.) — un pájaro colorido y muy pequeño con un pico muy largo y fino; *hummingbird*
4. estanque (m.) — un lago pequeño; *pond*
5. murciélago (m.) — un mamífero que vuela de noche; *bat*

6. luciérnaga (f.) — un insecto que puede iluminar una parte de su cuerpo; *lightning bug*
7. telaraña (f.) — tela de araña, una red que construye la araña para atrapar comida; *spider web*
8. taller (m.) — un lugar donde la gente trabaja con las manos; *workshop*
9. arco iris (m.) — los colores que aparecen a veces en el cielo después de la lluvia; *rainbow*
10. cueva (f.) — una apertura dentro de una montaña; *cave*

B. Actividades de vocabulario

Actividad 1: Empareje las palabras del vocabulario con el dibujo correspondiente

1) ______________________________

2) ______________________________

3) ______________________________

4) ______________________________

5) ______________________________

6) ______________________________

7) ______________________________

8) ______________________________

9) ______________________________

10) ______________________________

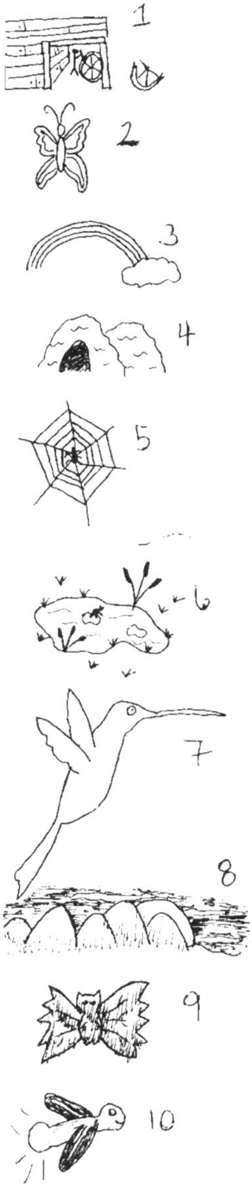

Actividad 2: Complete el cuento usando el vocabulario de la lista

Yo soy un ratón con alas. Técnicamente soy un __________. Mi vida es muy extraña porque me despierto cuando viene la noche, después del __________. Vivo en una ________, donde la única luz viene de las _____________ que vuelan durante toda la noche. Una mañana, cuando llovía mucho, decidí salir de la cueva. Nosotros, los murciélagos, normalmente no hacemos esto, pero tenía curiosidad. Yo fui a las aguas de un __________, y desde allí podía ver un ___________ de muchos colores en lo alto del cielo. Había oído de ellos, pero nunca había visto uno. En ese momento, mientras pensaba en la belleza, otra cosa muy bonita me llamó la atención. Parecía un pájaro, pero más pequeño, con las alas muy finas, y con el diseño de muchos colores. Le pregunté —¿qué es usted?—. Con una sonrisa, me contestó —Soy una ___________—. Entonces le pregunté —¿Dónde vive usted?—. Me contestó —En las flores. Comparto mi casa con un _________, un ave que tiene el pico largo y fino y que mueve las alas rápidamente—. —¿En qué trabaja usted?—. —Yo trabajo en un _________ que elabora el polen de las flores—. —¡Qué bueno!—; le dije y entonces me fui. Estaba seguro que mis papás me extrañaban. Cuando entré en la cueva, me enredé en una __________ que se me pegó al cuerpo. Volé hasta mi habitación, y me acosté. Esa noche soñé con el arco iris, con las mariposas y los colibríes, y con todas las cosas bellas que había visto en el día.

C. Las expectativas

1. Estudie las ilustraciones. ¿De qué cree que trata la historia?
2. ¿Cuál es la función de un taller? ¿Por qué suena raro tener un taller de mariposas?
3. En este cuento, Belli habla de los Diseñadores de Todas las Cosas y de la Anciana Encargada de la Sabiduría. ¿Quiénes pueden ser?

VI. El texto: Belli, Gioconda. *El taller de las mariposas*. Barcelona: Pujol & Amadó SLL, 2008. (Available on www.amazon.com)

V. Después de leer

A. Preguntas de comprensión

1. ¿Qué trabajo tiene Odaer?
2. ¿A dónde van Odaer y sus amigos para hablar en secreto?
3. ¿Por qué no puede Odaer mezclar el pájaro con la flor? (¿Cuál es la única regla que todos deben observar?) ¿En qué se basa el orden del cosmos?
4. ¿En qué taller tiene que trabajar Odaer? ¿Por qué?
5. ¿A Odaer le gusta trabajar en su taller? ¿Por qué?
6. Enumere algunas de las criaturas que Odaer y sus amigos inventaron en su taller.
7. ¿Qué diseñó el abuelo de Odaer?
8. Según el sueño de Odaer, ¿qué quiere traer al mundo?
9. ¿Qué consejos le da el perro a Odaer?
10. ¿Cómo logra Odaer inventar la mariposa? ¿Qué le inspiró?
11. ¿Por qué diseñó Odaer la mosca?
12. ¿Por qué quieren pedir Odaer y sus amigos una audiencia con Los Diseñadores de Todas las Cosas?
13. Describa a Los Diseñadores de Todas las Cosas.
14. ¿Cómo reaccionan Los Diseñadores de Todas las Cosas ante las mariposas?
15. ¿Por qué decide Odaer crear la etapa fea de la larva?

B. Preguntas de Análisis

1. Basándose en la biografía y el contexto, ¿cómo relaciona este cuento con la vida de la autora? ¿Cómo se puede relacionar el cuento *El taller de las mariposas* con la Revolución Sandinista de Nicaragua?
2. ¿Por qué tienen que hablar en secreto Odaer y sus amigos?
3. ¿Qué diferencias hay entre la historia de la creación, tal como se muestra en este cuento, y la que se nos relata en la Biblia?
4. ¿Por qué le dice la Anciana a Odaer "En tu búsqueda del diseño perfecto, puedes crear monstruos. Tu afán de hacer la vida más agradable y bella, puede resultar,

si no eres cuidadoso, en dolor y miedo para otras criaturas de la naturaleza"?

5. Compare la vida del perro con la de Odaer. ¿Tienen características similares?
6. Clarifique las ideas de Odaer sobre la belleza. ¿Qué es y qué significa la belleza?
7. Uno de los temas de este cuento tiene que ver con el desafío de la autoridad. ¿Cuáles son algunos de los riesgos que se puede correr si desafiamos la autoridad?
8. ¿Qué dice el cuento sobre la perseverancia? ¿y sobre la invención o creación? ¿Qué problemas, beneficios o recompensas hay?
9. Los nombres de los amigos de Odaer son muy raros. No son nombres comunes en español. ¿Qué pueden significar? (Una pista: escríbalos al revés).
10. El nombre de Odaer también es poco común. Dados los nombres de los amigos, es probable que Belli se refiera a una persona que escribe "odas", o sea, un poeta. Busque la definición de una oda y relacione este término con el personaje de Odaer.

VI. Sugerencias para los profesores

A. Pueden dibujar su propia mezcla de una flor y un pájaro, o pensar en otras mezclas, como, por ejemplo, un ser humano y un reptil, un árbol y un animal.

B. Divida la clase en talleres. Todos tienen que inventar un animal nuevo, pero tienen que seguir las reglas de la Anciana.

C. Divida la pizarra en dos mitades. Titule un lado El Cosmos Cristiano y el otro lado El Cosmos de Belli. Pida al grupo que haga una comparación. Anote en la pizarra los puntos salientes. Incluya respuestas a las siguientes preguntas:

1. ¿Quién se encarga de la creación?
2. ¿Cuánto tiempo toma?
3. ¿Qué reglas sigue?
4. ¿Cuál es el estilo gerencial de Dios y de la Anciana?

5. ¿Cuál es la diferencia más grande entre los dos sistemas?
6. ¿Cuál es el conflicto principal dentro de la creación?

VII. Más recursos

Barbas-Rhoden, Laura. *Writing Women in Central America: Gender and the Fictionalization of History*. Athens: Ohio University Press, 2003.

Craft, Linda J. *Novels of Testimony and Resistance from Central America*. Gainesville: University Press of Florida, 1997.

Gioconda Belli Página Oficial. Gioconda Belli. http://www.giocondabelli.com/biografia.htm

González, Ann. "Transgressing Limits: Gioconda Belli and *El taller de las mariposas*". *Resistance and Survival: Children's Narrative from Central America and the Caribbean*. Tucson: University of Arizona Press, 2009: 96–109.

Isabel Allende:
"La gorda de porcelana"

I. La autora

Isabel Allende nació en Perú en 1942, pero es de nacionalidad chilena. Es hija de diplomáticos, y pariente de Salvador Allende, el primer presidente marxista-socialista de Chile. Debido a un golpe de estado en el que murió el presidente Allende, Isabel y su familia huyeron a Venezuela en 1975, donde vivieron por trece años. Isabel Allende ha vivido gran parte de su vida en el exilio, donde ha escrito gran parte de su obra.

Allende alcanzó fama internacional con la publicación de su primera novela, *La casa de los espíritus* (1982), una obra que, como otras más de la autora, incluye elementos del **realismo mágico**. Allende ha sido una escritora prolífica, y entre sus publicaciones podemos mencionar *De amor y de sombra* (1984), *Eva Luna* (1987), *Cuentos de Eva Luna* (1989), *El Plan infinito* (1991), *Paula* (1994), *Afrodita* (1996), y *La hija de la fortuna* (1999). La mayoría de sus obras han sido traducidas al inglés, lo que ha resultado en una mayor atención crítica.

Isabel Allende ha recibido varios premios prestigiosos, entre los que se incluyen el de "La Mejor Novela del Año" en Chile (1983), el del "Libro del Año" en Alemania (1984), el "Premio Literario Colima" en México (1986), y el de "Los Mejores 60 Libros en los Últimos 60 Años", del *London Times*, en Inglaterra (2009), por *La casa de los espíritus*.

Allende inició su carrera como escritora para niños a principios de los años setenta, con su participación en la revista infantil chilena *Manpato*. "La gorda de porcelana" (1985) fue el primer cuento infantil que escribió, pero a éste le siguen otros. Allende también ha publicado una trilogía para adolescentes que ha sido traducida al inglés: *La ciudad de las bestias* (2002), *El reino del dragón de oro* (2003) y *El bosque de los pigmeos* (2004).

II. El Contexto

Aunque "La gorda de porcelana" se publicó en 1985, Allende escribió el cuento en 1974, sólo un año después del golpe de estado en Chile. El 11 de septiembre de 1973, el General Augusto Pinochet Ugarte encabezó las fuerzas armadas que derrocaron al gobierno de Salvador Allende. Aunque se sospecha que el ejército asesinó a Allende, el gobierno militar lo negó alegando que Allende se suicidó. Unas 11,000 personas murieron como consecuencia del golpe de estado, y la mayoría de los parientes de Isabel Allende fueron encarcelados o huyeron.

No es de sorprenderse, entonces, que Allende describa una sociedad conformista en este cuento, un mundo gris en el que toda la gente camina viendo el suelo. Al principio del cuento, vemos cómo el personaje principal, Don Cornelio, es una persona poco expresiva y con hábitos rutinarios que se ha acostumbrado a vivir en un mundo monótono. Pero un día descubre una extraña estatua mágica ("La Gorda") que cobra vida para él y que le enseña a disfrutar de la vida. Don Cornelio experimenta por primera vez la felicidad, la espontaneidad, y el color. Junto a la alegría que acompaña a la emoción misma del amor, Don Cornelio se siente con la confianza de poder hacer cualquier cosa, de llegar a ser alguien distinto, de cambiar la vida, y de liberarse de la rutina, la opresión, y el aburrimiento. No es por casualidad que el nombre de La Gorda sea Fantasía.

III. Antes de leer

A. Los cognados

"La gorda de porcelana" tiene muchos cognados; esto es, palabras que son escritas casi lo mismo en español que en inglés, y que significan lo mismo. En la lista de **Palabras** hay unas palabras en español, y en la lista de **Definiciones**, sus correspondientes definiciones en inglés. Trate de decidir qué frase de la lista de definiciones se corresponde con cada palabra de la lista de palabras. Algunas de las palabras en español no son cognados exactos del inglés, pero trate de usar su conocimiento de las dos lenguas para comprenderlas.

Palabras

1. vértigo
2. cadáver
3. monotonía
4. veneno
5. acuario
6. vainilla
7. estatua
8. porcelana
9. caligrafía
10. archivados
11. cronómetro
12. fantasía
13. inflexible
14. tibia
15. pirata
16. puntualidad
17. combatir
18. imbécil

Definiciones

A. a hard white translucent ceramic made by firing pure clay and glazing
B. stupid, silly (refers to people)
C. the inner and larger bone of the lower human leg, extending from the knee to the ankle
D. uniformity or lack of variation in pitch, intonation, or inflection
E. a flavoring extract prepared from the cured seedpods of this plant
F. the art of fine handwriting
G. one who robs at sea or plunders the land from the sea without permission
H. a dead body
I. the creative, unrestrained imagination
J. the sensation of dizziness
K. a substance that causes injury, illness, or death; especially by chemical means
L. incapable of being changed; unalterable
M. a three-dimensional form sculpted, carved or modeled in material such as clay or bronze.
N. to put or keep (papers, for example) in useful order for storage or reference
O. a water-filled enclosure in which living fish or other aquatic plants and animals are kept
P. the act of arriving or acting exactly at the time appointed
Q. to oppose in battle; to fight against
R. a stopwatch

B. Palabras útiles

1. avena (f.) — alimento o desayuno común que consiste del fruto de este cereal; *oatmeal*
2. desafiar — retar o enfrentarse a un peligro o a una persona; *to challenge*
3. guiñar — hacer una señal con los ojos; *to wink*
4. hada (f.) — un ser mágico, típicamente una mujer, que se encuentra en los cuentos infantiles; *fairy*
5. miope (adj.) — persona que sufre de un defecto de la visión que no le permite ver las cosas más alejadas; *near-sighted*
6. paloma (f.) — una especie de ave común; *dove or pigeon*
7. pensión (f.) — un tipo de casa; *boarding house, apartment*
8. saludar — decir "hola" cuando se encuentra a alguien; *to give greetings*
9. saludo — una expresión o gesto cortés; *a greeting (a wave, a hello, etc.)*
10. silbar — hacer un sonido a través de los labios; *to whistle.* Silbido — el sonido que se hace con el aire a través de los labios; *a whistle*
11. vergüenza (f.) — sentido de humillación; *embarrassment*

C. Actividad de vocabulario: ¿Cuánto ha aprendido? Llene los espacios vacíos con las palabras apropiadas.

1. Mi papá tiene que usar lentes porque es muy ________________. No ve de lejos.
2. Un niño lindo me ________________ un ojo.
3. Estoy buscando una ____________ porque no quiero vivir con mis padres.
4. Me da _____________ caerme en público.
5. Mi madre siempre me dice que la ______________ es un buen desayuno.
6. Históricamente, la ____________________ ha sido el pájaro que simboliza la paz.

7. Es muy común oír los __________ de los muchachos cuando un grupo de chicas lindas pasa por la calle.
8. Cuando hablo por teléfono con mi amiga siempre mando un ____________ a su familia.
9. En muchos cuentos infantiles hay un ______________ madrina que ayuda a la protagonista con sus poderes mágicos.

D. Expectativas

1. Sin leer el texto, mire los dibujos y el título del cuento. ¿De qué piensa usted que va a tratar el cuento?
2. Lea el primer párrafo del cuento. ¿Quién narra este cuento? Describa al narrador.
3. Mientras lee el texto, fíjese en las siguientes ideas:
   - La ausencia de color en la vida de don Cornelio y en el escenario del cuento.
   - El significado de los nombres de los personajes principales.
   - La relación de los cambios del escenario con respecto a los que ocurren en la vida de los personajes.

IV. El texto: Allende, Isabel. *La gorda de porcelana*. Alfaguara, 1984. (Not available for purchase, may be ordered through interlibrary loan).

V. Después de leer

A. Preguntas de Comprensión

1. Al principio del cuento, ¿cómo describe el narrador a don Cornelio? ¿Cuál es su rutina diaria?
2. ¿Cómo se conocieron don Cornelio y el narrador?
3. ¿Dónde trabaja don Cornelio? ¿Cuántos años ha trabajado allí? Además de escribir, ¿en qué consiste el trabajo de don Cornelio? ¿Cómo se siente haciendo ese trabajo?

4. ¿Por qué tiene don Cornelio tanta compasión por las "bestias peludas" de su oficina?
5. Al mediodía, ¿qué hace don Cornelio? Explique en detalle su ritual.
6. El narrador dice que don Cornelio "estaba casi satisfecho con esa vida..." ¿Qué implica esta palabra "casi"?
7. ¿Qué ve don Cornelio que interrumpe su andadura a la Notaría?
8. ¿Cuándo ve usted el primer cambio en la vida de don Cornelio?
9. ¿Cuándo sabe que la Gorda de Porcelana no es solamente una estatua normal?
10. Dada la referencia bíblica del nombre "Baltasar", ¿por qué cree que la autora incorporó a este personaje?
11. ¿Qué usa don Cornelio para cubrir su nueva compra? ¿Qué representa esta bandera y cómo se relaciona con esta historia?
12. ¿Qué sentimientos u opiniones tiene usted acerca del nombre "Fantasía"? ¿Es apropiado el nombre para este personaje?
13. Hay unos instantes en los que la autora se refiere a Fantasía como un ángel. ¿Por qué? ¿Qué nos está diciendo?
14. ¿Cuál es la primera indicación que sugiere que don Cornelio va a hacerse amigo de la estatua?
15. Al referirse al cuarto donde trabaja don Cornelio, Fantasía dice "Esto huele como una tumba". ¿Qué significado tienen estas palabras con respecto a la vida de don Cornelio?
16. ¿Por qué vuela la pareja un poco en el cuarto antes de salir por la ventana?
17. ¿Qué les dicen los conejos, las flores, las abejas y los pinos a don Cornelio y Fantasía? ¿Por qué motivo incluye la autora a estos personajes?
18. ¿Por qué le agradece don Cornelio al pintor que haya hecho diseños en su ropa?
19. ¿Por qué dice don Cornelio que no es "el único loco por allí"?
20. ¿Por qué piensa usted que Fantasía se convierte en estatua después de su vuelo?

21. ¿Qué personaje representa lo opuesto de Fantasía? ¿Cómo lo sabemos?
22. Según don Cornelio, ¿cuándo empieza su verdadera vida?
23. ¿Qué hace don Cornelio al final del cuento para ganarse la vida?
24. ¿Qué puede hacer don Cornelio después de conocer a Fantasía que no podía hacer antes, y cuál era su anhelo? ¿Qué significa y representa eso?
25. ¿Cómo ha cambiado el personaje de don Cornelio al final del cuento en comparación con el don Cornelio del principio?

B. Preguntas de análisis

1. La autora describe la tienda del anticuario como un acuario. En algunas obras literarias, el acuario no funciona simplemente como objeto, sino también como un símbolo. El acuario representa un mundo completo dentro de otro mundo. Es un espacio, contenido físicamente por unas fronteras, que posee un mundo totalmente distinto del que está fuera de esas fronteras. ¿Por qué piensa usted que el narrador compara esta tienda con un acuario?
2. Este cuento hace una dura crítica de la sociedad como egoísta y comercial. Por ejemplo, el narrador nos cuenta que Fantasía y don Cornelio no fueron vistos por nadie, ¡aunque estaban volando! Además, al fin del cuento, don Cornelio se marcha de su trabajo después de veinte años y "nadie lo miró cuando se fue". ¿Por qué se pueden considerar estos ejemplos como una crítica de comportamientos o actitudes sociales?
3. Isabel Allende usa un lenguaje maravilloso a lo largo del cuento. Fíjese en cómo Allende describe una montaña cubierta de nieve. ¿Puede encontrar otras metáforas en el texto?
4. La descripción de la Gorda con sus "suaves rollos que decoraban su cintura" es un reflejo del concepto de belleza en una cultura. En la nuestra ¿se considera la gordura como algo bello? ¿Por qué piensa usted que lo

que se considera bello en una cultura puede ser diferente en otra?

5. Prediga el futuro de la relación entre don Cornelio y Fantasía; use su imaginación. ¿Tendrán una relación romántica, o solamente permanecerán como amigos? ¿Se casarán? ¿Vivirán siempre en el mismo hogar? ¿Qué cambiará en su relación?
6. ¿Piensa usted que las ilustraciones de este cuento son comunes dentro del género de la literatura infantil? ¿Se publicaría un cuento así para niños en los Estados Unidos? ¿Son apropiadas para niños estas ilustraciones? ¿Cree que la aceptación de representaciones de este tipo es algo que diferencia una cultura de otra?

VI. Sugerencias para los profesores

A. A fin de prepararse para esta historia y tema, ponga a los estudiantes a escribir en un papel una lista de adjetivos relacionados con el término "belleza". Después de leer y estudiar "La gorda de porcelana", pida a los estudiantes que hagan una lista de adjetivos que definen el término de "belleza" dentro del cuento. ¿Cuáles son las diferencias? ¿Hay semejanzas? Discuta la diferencia de percepción del concepto de belleza entre distintas culturas.

B. Deje que los estudiantes se dividan en dos grupos en base a su opinión sobre las ilustraciones del cuento. ¿Cree o no cree que sean aceptables? Facilite un debate entre los estudiantes que piensan que estas ilustraciones son apropiadas para un libro infantil y entre los que no las aprueban.

C. Para que los estudiantes entiendan mejor el concepto del realismo mágico, explique brevemente las nociones básicas del género. Haga que los estudiantes investiguen algún aspecto del realismo mágico. Pida que escriban un ensayo explicando lo que aprendieron y lo que ahora saben del género. Especifique que los estudiantes deben referirse a algunos acontecimientos narrativos del cuento pertenecientes al realismo mágico.

D. Para ayudar a los estudiantes con el vocabulario e incorporar el tema de lo fantástico o de la fantasía, haga un juego en el que cada estudiante piensa en su profesión ideal. ¿Qué sería él o ella si pudiera hacer algo en el mundo? ¿Cuál sería su trabajo ideal? Deje que un estudiante vaya al centro de la clase para dar pistas a sus compañeros sobre este trabajo imaginario. El primer estudiante que adivine este trabajo va al centro y el juego continúa de este modo sucesivamente. Recuérdeles a los estudiantes que hablen solamente en español.

E. Una tarea divertida para los estudiantes sería pedirles que escribieran esta historia desde el punto de vista de Fantasía. Pueden narrar su versión en primera o tercera personas y, después, leerla a la clase.

VII. Más recursos

Allende, Isabel. *La gorda de porcelana*. Madrid: UNIGRAF, S.A., 1983.

———. *El bosque de los pigmeos*. New York: HarperCollins, 2004.

———. *El reino del dragón de oro*. New York: HarperCollins, 2003.

———. *La ciudad de las bestias*. New York: HarperCollins, 2002.

———. "The Short Story". *Journal of Modern Literature* 20.1 (1996): 21–28.

Erro-Peralta, Norma, and Caridad Silva, eds. *Beyond the Border: A New Age in Latin American Women's Fiction*. Gainesville: University Press of Florida, 2000.

Hart, Patricia. "The Role of Magic in *La gorda de porcelana*". *Narrative Magic in the Fiction of Isabel Allende*. London: Associated University Presses, 1989: 159–63.

Hendry, Kim. "Of Exiles and Healers: Interview with Isabel Allende". *The Guardian* 5 April 1989. <www.guardian.co.uk>

Rodden, John, ed. *Conversations with Isabel Allende*. Austin: University of Texas Press, 2004. *Isabel Allende*. 2008. <www.isabelallende.com>.

The Isabel Allende Foundation. 2007. <www.isabelallendefoundation.org>

Elena Poniatowska:
"Mi vida con la ola"
(adaptación para niños del cuento de Paz)

I. La Adaptadora

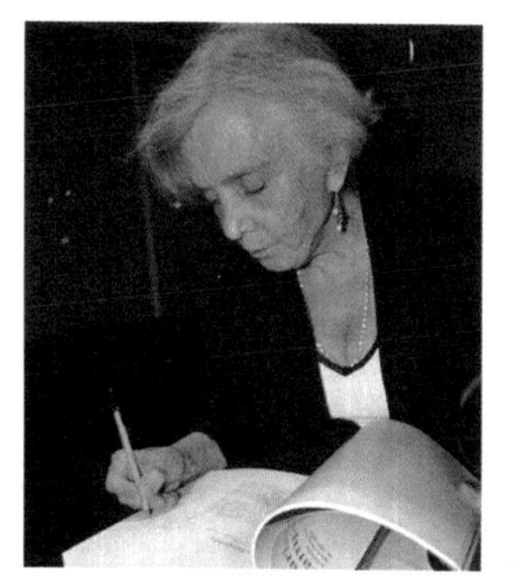

Elena Poniatowska, nacida en 1932 en París, formaba parte de la vieja nobleza de Polonia. Su padre fue el Príncipe Jean Evremont Poniatowski Sperry, descendiente de Stanislaos II de Polonia y Luis XV de Francia. Sin embargo, el estatus de la familia no le sirvió de protección durante la Segunda Guerra Mundial, y Elena y su madre tuvieron que refugiarse en México en 1942, donde Elena aprendió español. Vivió en México hasta 1943, fecha en la que se fue a los Estados Unidos para estudiar. En 1953 regresó a México y empezó a escribir para el periódico *Excélsior*.

Su obra más conocida es *La noche de Tlatelolco* (1971), basada en entrevistas que hizo la autora a los sobrevivientes del movimiento estudiantil de 1968 y a sus familiares. Muchos partidarios de este movimiento murieron a manos del ejército y grupos paramilitares cuando se manifestaron, un 2 octubre de 1968, en la Plaza de las Tres Culturas de la Ciudad México. Elena Poniatowska sigue siendo en la actualidad una voz influyente tanto en la política como en las esferas intelectuales de México.

II. El Contexto: Véase la información sobre el contexto en la Sección Cuatro de este texto.

III. Antes de leer

A. Palabras útiles

1. ingenuidad (f.) — candor, falta de malicia; *ingenuousness; naivety*
2. acariciar — tocar, rozar suavemente; *to pet, to caress*
3. veneno (m.) — sustancia que es capaz de producir graves alteraciones funcionales, e incluso la muerte; *poison*
4. esbelto/a (adj.) — alta, delgada y de figura proporcionada; *slender*
5. asunto (m.) — materia de que se trata; *matters, affairs*
6. arrojarse — tirarse; *to throw oneself*
7. amargo/a (adj.) — que está afligido o disgustado; *bitter, disappointed*
8. retorcer — torcer mucho algo, dándole vueltas alrededor; *to twist a lot*
9. suspirar — dar suspiros, querer algo o a alguien intensamente; *to sigh or to wish for something*
10. concha (f.) — caracol, caracola; *sea shells, conchs*
11. naufragar — sufrir un naufragio o hundimiento del barco en que viaja; *to shipwreck*
12. alivio (m.) — acción y efecto de aliviar o aliviarse; *relief*

B. Actividades de Vocabulario

Actividad 1: Divida las palabras en tres listas: verbos, sustantivos y adjetivos. Ponga las palabras de cada lista en orden alfabético. En parejas, actúe el significado de uno de los verbos. Su compañero tiene que adivinar qué verbo es. Si adivina, le toca a él/ella seguir con el juego.

Actividad 2: En la siguiente visualización, encuentre las palabras del vocabulario de la lista de palabras útiles y ponga un círculo alrededor de cada una.

http://www.wordle.net/

C. Expectativas

1. ¿Qué tipo de relación puede tener un hombre con una ola? ¿Cómo imagina esta relación? ¿Dónde viven ellos, en el mar o en la ciudad? Si viven en el mar, ¿cómo es que el hombre puede respirar? Si viven en la ciudad, ¿cómo es que la ola puede mantener su forma?
2. ¿Qué otros problemas imagina Ud. que esta pareja va a tener? ¿Cómo pueden resolver estos problemas? ¿Cómo piensa que será el destino de esta pareja?
3. Véase otra vez la visualización de arriba. ¿Cuáles son algunas de las palabras más importantes?
4. ¿Hay algunas palabras que no conoce? Búsquelas en un diccionario.
5. ¿Cuántas palabras tienen relación con la idea de "agua"?
6. Según las palabras más grandes, ¿de qué se trata este cuento?

IV. El texto

La adaptación de este cuento por Elena Poniatowska se encuentra en la dirección siguiente: http://bibliotecadigital.ilce.edu.mx/sites/colibri/cuentos/francisca/htm/sec_4. htm

V. Después de Leer

A. Preguntas de comprensión

1. ¿Dónde conoció el hombre a la ola?
2. ¿Cuál fue el primer desafío o dificultad con el que se enfrentaron el hombre y la ola?
3. ¿Por qué no quería el hombre que la señora tomara el depósito de agua en el tren?
4. ¿Por qué encarcelaron al hombre?
5. ¿Quién estaba esperando al hombre en casa cuando salió de la cárcel?
6. ¿Qué cuerpo celestial visitaba la casa del hombre?
7. ¿Qué trajo la ola a la casa?
8. ¿Por qué tenía que salir el hombre de la casa tan frecuentemente?
9. ¿Qué pasó con la ola en el invierno?
10. ¿A dónde lleva el hombre a la ola?
11. ¿Qué sucedió con ella?

B. Preguntas de análisis

1. ¿Qué representa la ola en este cuento?
2. ¿Nos da este cuento una descripción positiva o negativa de la vida matrimonial?
3. ¿Cómo se justifica la presencia del episodio del tren? ¿A dónde van los protagonistas?
4. ¿Por qué es importante el hecho de que la ola regrese a la casa del hombre?
5. ¿Qué representa el sol que visita la casa? ¿Es una aventura amorosa?
6. ¿Por qué está triste la ola?
7. ¿Piensa Ud. que el hombre es un machista?

8. ¿Piensa Ud. que el episodio al final del cuento, el del hombre con el picahielo, puede representar la violencia contra la mujer o la violencia doméstica?
9. Si la ola representa a una mujer, ¿qué tipos de imágenes o estereotipos nos enseña este cuento de la mujer?

VI. Sugerencias para los profesores

A. Las imágenes de este cuento en la red son muy bellas y representan a la ola de distintas maneras. Pida a los estudiantes que dibujen la ola también, especialmente en situaciones extrañas, como la de escapar del tren como vapor o cuando está con los peces en la casa. Deben usar colores y pueden hacer collages o modelos 3-D para representar mejor a la mujer-ola. Por cierto, las imágenes de OLAS de Google Search pueden ayudar a estimular la conversación e inspirar a los estudiantes.

B. Los estudiantes deben escribir una segunda parte de este cuento. ¿Qué pasa con la ola después de que es víctima del hombre con el picahielo? ¿Se muere? ¿Regresa al mar? ¿Busca venganza contra el hombre? Deben escribir esta segunda parte desde el punto de vista de la ola y no del hombre.

VII. Otros Recursos

Elena Poniatowska. *Octavio Paz: Las palabras del árbol*. Mexico City: Plaza & Janes, 1998.

Wachtel, Eleanor. "An Interview with Elena Poniatowska". *Brick*. 82: 126–137.

Glosario

A

a través de – algo que pasa de un lado a otro, por; *through, across*
acariciar – tocar, rozar a alguien suavemente; *to caress*
aceituna (f.) – el fruto del olivo, es una fruta con una semilla que existe en una gran variedad de colores; *olive*
además – también; *moreover, also*
advertencia (f.) – indicación de que debe tenerse cuidado; *warning*
agarrar – coger fuertemente con la mano; *to grab*
agradar – complacer, contentar, gustar; *to like*
agujero (m.) – hueco; *hole*
ajedrez (m.) – juego de táctica; *chess*
al cabo – por último; *at last*
al revés – de orden inverso; *backwards*
alambre (m.) – hilo de cualquier metal; *wire*
alborotado (adj.) – desordenado, revuelto; *messed up, tousled*
alcalde (m.) – posición política, la persona encargada de manejar una ciudad; *mayor*
alcanzar – lograr; *to reach (over), to attain*
alimentos (m.) – las sustancias que un ser vivo toma o recibe como nutrición; *food, nourishment*
alivio (m.) – acción y efecto de sentirse mejor o aliviarse; *relief*
almohada (f.) – el cojín sobre el que una persona pone la cabeza cuando duerme; *pillow*
alocado (adj.) – disperso, sin juicio; *disperse, gone crazy, from* "loco"
amanecer – empezar a aparecer la luz del día; *to dawn*
amargado/a (adj.) – que está afligido o disgustado; *bitter, disappointed*
andar – ir de un lugar a otro, viajar; *to go, to walk*
animarse – entusiasmarse; *to liven up, to cheer up*
anochecer – oscurecerse, hacerse noche (anochezca: *subjunctive form of* anochecer; *when it is getting dark*); *to get dark*
antiparras (f.) – anteojos; *glasses*
apedazar – romper; *to tear apart*

apenas – casi; *hardly*
aplastar – pisar; *to squash, to crush*
aprendizaje (m.) – el sustantivo de aprender, el conocimiento; *learning*
aprovecharse – disfrutar de algo; *to take advantage*
apurar – hacer algo muy rápido; *to hurry*
araña (f.) – animal de ocho pies que construye una red; *spider*
arbusto (m.) – planta perenne, de tallos leñosos y ramas desde la base; *bush, shrub*
arco iris (m.) – *rainbow*
arder – quemar; *to burn*
armónica (f.) – un instrumento que se toca con la boca; *harmonica*
arrancar – sacar; *to pull out*
arrastrar(se) – llevar jalado por el piso; moverse con dificultad; *to crawl, to drag, to drag oneself*
arrojarse – tirarse; *to throw oneself*
arroyo (m.) – caudal pequeño de agua, casi continuo; *stream*
asomarse – ver desde una posición escondida; *to peek*
asombrado (adj.) – sorprendido; *surprised*
áspero (adj.) – algo seco que pica; *dry, rough, scratchy*
asunto (m.) – tema del que se habla; *matters, affairs*
atar – ligar, conectar; *to tie something to something else*
atardecer – *late afternoon*
ataúd (m.) – caja para los cadáveres; *coffin*
aterrizar – (pretérito: aterrizó) descender; *to land*
atraso (m.) – falta o insuficiencia de desarrollo, demora; *lack of development, delay*
atreverse – tener la determinación de decir o hacer algo arriesgado; *to dare*
aullar – emitir el sonido de un animal como un lobo o perro; *to howl*
aves (f.) – ("avecitas", diminutivo), pájaros; *birds*
avena (f.) – alimento o desayuno común que se hace con los granos de esta planta; *oatmeal*

B

bajar – descender; *to descend or to go down*
barquito (m.) – diminutivo de la palabra "barco"; *little boat*
barranca (f.) – profundidad grande; *steep bank*
barrer – limpiar el piso con una escoba; *to sweep*

bastón (m.) – vara que se usa para apoyarse al caminar; *walking stick, cane*

baúl (m.) – mueble, frecuentemente de tapa convexa, que sirve generalmente para guardar ropa; *trunk*

besar – tocar con los labios; *to kiss*

beso (m.) – un toque con los labios; *a kiss*

bicho (m.) – insecto; *bug (vulgar in the Dominican Republic)*

bigote (m.) – pelo que crece en la cara sobre el labio superior; *mustache*

bolsillo (m.) – una apertura en la ropa para guardar cosas; *pocket*

boquiabierto (adj.) – quedarse con la boca abierta, embobado o pasmado, mirando algo; *open–mouthed, flabbergasted*

bosque (m.) – muchos árboles; *forest, woods*

bramar – emitir un sonido un animal, como el toro; *to roar, to bellow*

brindar – celebrar con alcohol, decir algo antes de beber; *to toast*

bulla (f.) – ruido; *noise*

burro (m.) – asno; *donkey*

C

cabello (m) – pelo; *hair*

caer – bajar o descender; *to drop or to fall*

caldo (m.) – sopa; *broth*

canasta (f.) – una cesta; *basket*

caracol/caracola (m./f.) – concha en forma de espiral; *conch shell*

carcajada(f.) – risa impetuosa y ruidosa; *loud laughter*

cargado (adj.) – lleno; *full*

cazar – salir a matar animales; *to hunt*

charlador/a (adj.) – que habla mucho; *chatty*

charlar – hablar o platicar; *to chat*

chillar – un sonido de llanto exagerado; *to howl, to squeal, to scream*

cita (f.) – momento, hora, fecha y lugar indicado para que dos o más personas se encuentren; *date, appointment*

cobija (f.) – una manta para taparse y protegerse del frío; *blanket*

codo (m.) – parte del cuerpo que une el brazo y el antebrazo; *elbow*

coger – agarrar; *to hold*

cojines (m.) – almohadas; *cushions*

cola (f.) – rabo, la parte de la columna vertebral de algunos animales que se extiende fuera del cuerpo; *tail*

colchón (m.) – parte de la cama; *mattress*
colibrí (m.) – *hummingbird*
colmena (f.) – donde viven las abejas; *hive*
colocar – posicionar, poner; *to place or to put*
comadre (f.) – madrina de bautizo de una criatura; *Godmother*
compadre (m.) – padrino de bautizo de una criatura; *Godfather*
concha (f.) – caracol; *sea shell, conch*
consultar – pedir información; *to consult*
contra – (prep.) la oposición de una cosa con otra; *against*
contratar – emplear a alguien; *to hire*
crecer – hacerse mayor; *to grow or to grow up*
criada (f.) – empleada doméstica; *maid or servant*
criatura (f.) – niño recién nacido o de poco tiempo; *baby, creature*
crujiente (adj.) – de textura tostada, que hace ruido; *crunchy*
cubierto (adj.) – tapado u oculto; *covered*
cubrir – tapar una cosa con otra; *to cover*
cuerda (f.) – un objeto usado para atar cosas; *rope, string, cord*
cueva (f.) – apertura en una montaña; *cave*
curiosear – ocuparse en averiguar lo que alguien hace o dice; *to be curious, to meddle*

D

dalia (f.) – especie de flor; *dahlia*
dejar – 1. permitir que alguien haga algo, o 2. parar de hacer algo; 1. *to let someone do something, or* 2. *to stop doing something*
dejar de – parar; *to stop doing something, followed by an infinitive*
derretir –hacer algo líquido, disolver; *to melt*
desafiar – retar o enfrentarse a un peligro o a una persona; *to challenge*
desenvolver – quitar la cubierta de algo; *to unwrap*
desgracia (f.) – suerte adversa; *misfortune*
desistir – parar, dejar de hacer algo; *to stop, to cease, to desist*
desmoronar – deshacer algo; *to undo, to pull into pieces*
diadema (f.) – un adorno para la cabeza en forma de cinta; *tiara*
discutir – argumentar; (cognado falso) *to argue, to discuss heatedly*
disparar – hacer que un arma despida su carga; *to fire a weapon*

divisar – (pretérito: divisó) distinguir, ver; *to see in the distance, to distinguish*
dueño (m.) – patrón; *owner*

E

echar – hacer salir a alguien de algún lugar; *to expel, to throw out*
echarse a – comenzar de repente a + verbo, empezar a + verbo con fuerza; *to begin to do something suddenly;* echarse a reir – *to burst out laughing*
echar de menos – extrañar; *to miss someone or something*
empañar – quitar la claridad; *to blur*
empolvarse – ponerse maquillaje; *to powder, to put on make–up*
emprender – empezar, embarcar; *to begin, to set out*
en seguida – inmediatamente; *right away, immediately*
enagua (f.) – prenda de vestir de la mujer, falda; *skirt*
enano (m.) – una persona de estatura anormalmente baja; *little person, dwarf, midget*
encender – prender la luz; *to light, to switch on*
encerrar – meter a una persona o a un animal en un lugar del que no pueda salir; *to lock up*
enredar – entretejer una cosa con otra; *to complicate*
enterrar – después de morir, el cuerpo se pone en un ataúd bajo tierra en una tumba; *to bury*
entumecido (adj.) – sin sensación; *numb*
erguir – levantar y poner algo derecho; *to straighten, to stand up, to rise up*
esbelta (adj.) – alta, delgada y de figura proporcionada; *slender*
escarbar – remover la superficie de la tierra; *to scratch, to dig in the ground*
esconderse – refugiarse; *to hide*
espantar – asustar; *to scare, to frighten*
estanque (m.) – lago pequeño; *pond*

F

ferrocarril (m.) – tren; *train (literally iron rail)*
fiebre (f.) – la elevación de la temperatura normal del cuerpo; *fever (In some Latin American countries the word* "calentura" *is more commonly used for "fever").*
figurarse – imaginarse; *to imagine*

foso (m.) – hoyo, hueco, profundidad alrededor de un palacio/ fortaleza; *pit, ditch, or moat*
fracasar – salir mal; *to fail*

G

ganas de + verbo – deseos de hacer algo; *to want/to wish/to feel like doing something*
gerente (m./f.) – director de una compañía; *manager*
golondrina (f.) – pájaro muy común con pico negro y corto, cuerpo negro azulado por encima y blanco por debajo, alas puntiagudas y cola larga y muy ahorquillada; *swallow*
gota (f.) – una pequeña cantidad de un líquido; *a drop*
gozar – disfrutar; *to enjoy*
grueso (adj.) – corpulento, duro y pesado; *thick*
gruñir – emitir un sonido de queja; *to groan*
guiñar – cerrar el ojo momentáneamente; *to wink*

H

hacerle caso (pretérito: le hicieron caso) – poner atención, escucharlo; *to pay attention*
hacerle cosquillas – tocar a alguien con la intención de hacerle reír; *to tickle*
hada (f.) – mujer imaginaria, hermosa, con alas, y protectora de lo bueno; *fairy*
hallarse – encontrarse; *to find oneself*
herramienta (f.) – instrumento que se utiliza para realizar algún trabajo; *tool*
hojear – mirar, ver; *to leaf through, to look through the leaves* (Ojo: hoja = *leaf of a book or a tree*)
hoyo (m) – hueco, agujero; hole
huella (f.) – señal que deja el pie del hombre o del animal en la tierra por donde pasa; *footprint*
huerta (f.) – el jardín; *vegetable garden*
huir – escaper; *to flee, to run away*
huracán (m) – tormenta fuerte de lluvias y vientos del caribe; *hurricane*

I

impuestos (m.) – *taxes*
ingenuidad (f.) – candor, falta de malicia; *ingenuous*
irrumpir – abrirse paso; *to burst in, to invade*

inútil (adj.) – algo que no sirve para nada; *useless*

J

jaula (f.) – armazón hecho con barras o listones y diseñado para encerrar animales; *cage*
joder – fastidiar; *to annoy* (*vulg*)
juez (m./f.) – persona con la autoridad para decidir en la corte, la persona que decide asuntos legales; *judge*
junto – (prep.) con, al lado de; *together, with, next to*
jurar – prometer, insistir solemnemente; *to swear*

K

L

lágrima (f.) – el líquido que sale de los ojos cuando se llora; *tear*
ligero (adj.) – que no pesa mucho, rápido; *light, quick*
lirio (m.) – una flor grande y bella de varios colores; *iris*
lobo (m.) – *wolf*
lomo (m.) – espalda de un animal; *back*
luciérnaga (f.) – *lightning bug*

M

madera (f.) – material que viene del tronco de un árbol; *wood*
marinero (adj.) – de la marina o de los marineros; *sailor, having to do with the sea*
mariposa (f.) – *butterfly*
mecer(se) – moverse suavemente de un lado a otro; *to rock as in a cradle*
media (f) – calcetín, más común en Centroamérica; *sock*
mejilla (f.) – cachete, los lados de la cara; *cheek*
melancolía (f.) – tristeza, desilusión; *melancholy, unhappiness, depression*
menguar – (pretérito: menguó) disminuir; *to reduce*
mentir – no decir la verdad; *to lie*; una mentira; *a lie*
miel (f.) – el dulce producido por las abejas; *honey*
miope (adj.) – corto de vista, persona con problemas para ver las cosas a distancia; *near-sighted*
mono (m) – animal de la selva que trepa en los árboles; *monkey*
mostrador (m.) – mesa larga para presentar la mercancía en las tiendas; *counter*
murciélago (m.) – *bat*

N

naufragar/naufragio – cuando un barco se hunde; *to shipwreck, shipwrecked*

negar (pretérito: negó) – no ceder a hacer algo, rehusar; *to refuse, to deny*

negocios (m.) – trabajo, comercio, aquello que es objeto de una ocupación lucrativa; *business*

nevado (adj.) – cubierto de nieve, o blanco como la nieve; *snow–covered, or snowy–white color*

nido (m.) – lugar en el que los pájaros ponen sus huevos; *nest*

nieve (f.) – precipitación de agua helada; *snow*

noticias (f.) – información; *news*

nuez (m.) – la fruta de un tipo de árbol; *nut*

O

olor (m), oler, oliente (adj), oloroso (adj) – variaciones del sentido percibido por la nariz; *a smell, to smell, smelly*

ordenar – mandar; *to order*

orinar – hacer pipí, expeler orina; *to urinate*

oro (m.) – un metal de color amarillo que vale mucho; *gold*

P

paloma (f.) – una especie de ave común; *dove or pigeon*

panza (f.) – vientre de las personas, barriga; *belly*

parecido (adj.) – similar o semejante; *similar*

pascuas (f.) – una celebración cristiana que recuerda la resurrección de Jesucristo; *Easter*

pasear – caminar sin una razón o un destino particular; *to stroll*

paso (m.) – sonido de una persona cuando camina o corre; *footstep*

pata (f.) – extremidad de un animal; *leg, paw, foot*

pegar – golpear; *to hit*

pelo suelto (m.) – el pelo sin recogerlo ni ponerlo en un moño; *hair worn down, loose*

peludo (adj.) – una persona o un animal que tiene mucho pelo; *hairy (person) or furry (animal)*

peluquín (peluca) (m.) – pelo postizo; *wig*

pena (f.) – aflicción, pesar; *sorrow, hardship, sadness*

pensión (f.) – un tipo de casa; *boarding house, apartment*

perseverancia (f.) – el sustantivo de perseverar, la insistencia en hacer algo; *perseverance*

picar – causar urticaria; *to itch*
piececitos (m.) – el diminutivo de "pies"; *tiny feet*
pino (m.) – una especie de árbol alto con hojas puntiagudas; *pine (tree)*
pisotear – pisar, aplastar con los pies
plata (f.) – un metal o color metálico que se usa en la joyería y la manufactura de monedas; *silver*
plomo (m.) – *lead (metal)*
ponerse a – comenzar a, empezar a; *to begin to do something*
portarse – actuar de una manera; *to behave*
prado (m.) – una tierra verde con mucho césped; *field, meadow*
puño (m.) – la mano cerrada, lista para pegar; *fist*

Q

quejarse – lamentarse; *to complain*

R

rama (f.) – parte del árbol donde crecen las hojas; *branch*
ramo (m.) – manojo de flores; conjunto de flores que se usan para decorar; *bouquet*
recreo (m.) – un período de descanso durante el día escolar; *recess*
regañar – dar muestras de enfado con palabras y gestos; *to scold*
reglamento (m.) – ley, política, orden; *rule, ordinance*
reina (f.) – la monarca; *queen*
reino (m.) – territorio gobernado por un rey; *kingdom*
remordimiento (m.) – inquietud, lo que una persona siente después de hacer algo malo; *remorse*
rendido (adj.) – muy cansado; *exhausted*
repicar – tocar o sonar repetidamente las campanas, como en señal de regocijo; *to ring a bell*
resbalarse – caerse; *to fall, to slip*
resplandecer – brillar; *to shine*
retorcer – torcer algo mucho dándole vueltas alrededor; *to twist a lot*
retrasar(se) – sinónimo de tardar, quedarse atrás; *to fall behind*
retrato (m.) – un dibujo o una pintura de una persona; *portrait*
reventar – explotar; *to explode*
rincón (m.) – ángulo que se forma en el encuentro de dos paredes o de dos superficies; *corner in a room*
rodear – poner alrededor; *to surround*

S

sabroso (adj.) – delicioso; *tasty*
sacudir(se) – mover; *to shake, to dust off*
saltar – brincar; *to jump*
saludar – dirigirse a alguien con ciertos gestos de cortesía; *to greet*
saludo – una expresión o gesto cortés; *a greeting (a wave, a hello, etc.)*
sandalia (f.) – zapato ligero y muy abierto; qu *sandal*
seda (f) – tela fina producida por el gusano de seda; *silk*
semilla (f.) – (semillita, en diminutivo), fruto de los vegetales que produce nuevas plantas; *seed*
senos – los pechos de la mujer; *breasts*
silbar – hacer un sonido a través de los labios; *to whistle.*
silbido – el sonido que se hace con el aire al salir a través de los labios; *a whistle*
sitio (m.) – lugar; *place or site*
soler (ue) – a menudo (pero en forma de verbo); *to be frequent/to tend to*
soltar – dejar ir o escapar; *to let go, to free*; suelto (adj.); *free*
sombra (f.) – imagen oscura; *shadow*
sombrío (adj.) – oscuro; *dark, shadowy, from* "sombras"
sonámbulo (adj.) – persona que camina mientras está dormida; *sleep walking*
sopapear – darle golpes a alguien; *to beat up*
soplar – exhalar con fuerza; *to blow*
sujetar – agarrar, controlar; *to subject to, to control*
superficie (f.) – aspecto externo de algo; *surface*
suspirar – dar suspiros, querer algo o a alguien intensamente; *to sigh or to wish for something*

T

tal vez – quizás; *maybe, perhaps*
taller (m.) – *workshop*
tapa (f.) – pieza que cierra por la parte superior cajas o recipientes; *lid*
tapar – cerrar; *to cover*
tardar – demorar; *to take a long time, to be late*
tataranietos/tatarabuelos (m.) – *great-great grandchildren/great-great grandparents*

telaraña (f.) – *spider web*
temblar – agitarse con sacudidas de poca amplitud, rápidas y frecuentes*; to shiver, to shake, to tremble*
tenderse – acostarse; *to lie down*
tierno (adj.) – suave, fresco; *tender, soft, fresh*
tragar – hacer que algo pase de la boca al estómago; *to swallow*
tranquilo (adj.) – calmado; *calm*
trapo (f.) – un pedazo viejo de tela; *rag*
tras – después, detrás; *after as in "day after day" or to be "after" something*
travesura (f.) – acción ingeniosa y de poca importancia, especialmente hecha por niños; *prank, mischief*
trenza (f.) – peinado que se hace entretejiendo el cabello largo; *braid*
tropezar(se) – chocar con algo y casi caerse; *to stumble, to trip, to bump into*

U

V
venas (f.) – conductos por los que retorna la sangre al corazón; *veins*
veneno (m.) – sustancia que es capaz de producir graves alteraciones funcionales, e incluso la muerte; *poison*
vergüenza (f.) – sentido de humillación; *embarrassment*
verja (f.) – barras o rejas que protegen una puerta, una ventana o un lugar; *railings or wrought–iron gate*
vigilante (f.) – persona encargada de cuidar algo; *guard*
volar – moverse en el aire; *to fly*

W - Z

Términos críticos

alegoría- ficción en virtud de la cual una cosa representa o significa otra cosa, una historia que representa otra historia; *allegory*

aliteración- la repetición notoria del mismo o de los mismos sonidos, sobre todo consonantes, al principio de una palabra o frase; *alliteration*

anáfora- repetición de palabras al principio de varios versos; *anaphora*

antónimos- palabras opuestas; *antonyms*

argumento- asunto del que trata una obra literaria; *plot*

aumentativos- terminaciones que hacen algo más grande; puede tener connotaciones cariñosas, despectivas o cómicas (e.g., -ote, -tote, -ón, -ucho, -azo); *augmentatives*

cambios/diferencias diacrónicas- cambios que se desarrollan a lo largo del tiempo; *diachronic changes or differences*

cambios/diferencias sincrónicas- cambios que ocurren o que se desarrollan durante un período de tiempo limitado; *synchronic changes or differences*

canon- el conjunto de obras consideradas por los críticos como las más destacables o las más dignas de estudio; *canon*

canónico- se refiere a la versión más aceptada por las autoridades; *canonical*

carpe diem- una expresión del latín que quiere decir "aprovechar el momento"; *Latin for "seize the day"*

colonialismo- forma de dominación entre países mediante la que un país mantiene bajo su poder a otro país ubicado fuera de sus fronteras; *colonialism*

conciencia social- una sensibilidad hacia los problemas de otras personas o de la comunidad; *social conscience*

cuento de hadas- narración breve de sucesos ficticios y mágicos o de carácter fantástico, hecha muchas veces con fines didácticos; *fairy tale*

didáctico- relacionado con la enseñanza; *didactic*

diminutivos- terminaciones que hacen algo más pequeño, puede tener connotaciones cariñosas, despectivas o hasta cómicas (e.g., -ito, -ico, -illo, -ín); *diminutives*

entorno- ambiente, lo que rodea a alguien o algo; *setting, environment*

estoicismo- en la actualidad, se utiliza cotidianamente el término "estoicismo" para referirse a la actitud de tomarse las adversidades de la vida con fortaleza y aceptación; *stoicism, fortitude*

estribillo- frase hecha que se repite con frecuencia en un poema o canción; *repeated set-phrase, refrain*

existencialismo- una corriente filosófica que se centra en el análisis de la condición humana, la libertad, y la responsabilidad individual; *existentialism*

expectativas- lo que uno espera o anticipa que va a suceder; *expectations*

feminismo- un conjunto heterogéneo de ideologías y de movimientos políticos, culturales y económicos que tienen como objetivo la igualdad de derechos entre hombres y mujeres; *feminism*

focalización- perspectiva a través de la cual vemos la acción en una obra narrativa; *focalization, point of view*

géneros- los grandes grupos en que se pueden dividir las obras literarias según su objetivo, el asunto que tratan y cómo lo hacen (novela, poesía, teatro); también, la distinción entre los sexos masculino y femenino; *genre or gender depending on context*

humor- provocar risa, entretener, experiencia agradable

ideología- conjunto de ideas fundamentales que caracterizan el pensamiento de una persona, una colectividad, una doctrina o una época; *ideology, world view*

ironía- técnica retórica que consiste en dar a entender lo contrario de lo que se expresa; *irony, one thing is said or written, while another is understood*

ladino- persona mestiza o india que adopta las costumbres, la manera de vestir, y el idioma españoles; *Indian or mestizo who has adopted the Spanish language, dress, and way of life.*

leyendas- relaciones de sucesos imaginarios o maravillosos a menudo sobre figuras históricas; *legends*

literatura didáctica- un tipo de literatura que tiene como objeto la enseñanza o la exposición de conocimientos; *didactic literature*

literatura/novela picaresca- parodia de las narraciones idealizadoras del Renacimiento, generó las llamadas "antinovelas", es de carácter antiheróico, está protagonizada por antihéroes; *picaresque literature/novel*

machismo- actitud y comportamiento de quien discrimina o subestima a las mujeres por considerarlas inferiores respecto a los hombres; *sexism, male chauvinism*

marco- un cuento que enmarca o delimita otro (cuando un cuento se cuenta dentro de otro cuento, el segundo es el marco); *frame story*

mestizaje- una identidad compartida entre los que son de raza mixta; *the mixing of races, especially indigenous and white*

mestizos- personas descendientes de padres de razas diferentes, en especial europeos blancos e indígenas; *mestizo*

metacuento- cuando un cuento contiene un argumento o elementos del argumento que se refieren al mismo cuento, es decir, que el cuento es autorreferencial. O cuando un cuento tiene un argumento que se repite entre cuentos distintos; *a story that refers to itself or to the process of writing, or an underlying story that repeats despite differences in plot, setting, characters, and theme*

metáfora- una comparación entre dos cosas; *metaphor*

mitos- invenciones que intentan entender la realidad, explicaciones de por qué las cosas son como son; *myths*

Modernismo- movimiento literario, surgido en Latinoamérica a finales del siglo XIX y principios del XX, caracterizado por el cosmopolitismo, el rechazo de la realidad cotidiana, la renovación de la estética del lenguaje y la métrica, el cultivo de la imagen y la belleza; *Modernism*

moraleja- el mensaje moral que se deduce de un cuento o una experiencia; *moral (ie. of the story)*

omnisciente- que sabe todo; *all knowing*

ontológico- referente al ser humano en general y a sus propiedades trascendentales; *ontological*

paradigma- concepto básico bajo el cual funcionamos todos los miembros de una cultura y de una época específica; *paradigm*

paradoja- técnica que consiste en emplear palabras o frases que expresan una aparente contradicción; *paradox*

personaje- un ser que toma parte en la acción de una obra literaria, teatral, etc.; *character*

personificación o **prosopopeya-** técnica que consiste en atribuir a las cosas inanimadas o abstractas cualidades propias de seres animados, o a animales cualidades propias de seres humanos; *personification or prosopopeia*

realismo mágico- técnico artística que surgió en Latinoamérica en la década de 1960 y que mezclaba elementos reales con elementos mágicos sin producir sorpresa en los personajes; *magical realism*

retahíla- serie de palabras y sonidos rítmicos y humorísticos con juegos de palabras con el propósito de vender mercancía; es usada comúnmente por los vendedores de la calle para llamar la atención a sus productos; *specific kind of sales pitch used in Latin America by people selling goods in the streets, involves rhythm, rhyme, word play, and speaking very quickly like an auctioneer*

rima- igualdad entre los sonidos de dos o más palabras a partir de la última sílaba acentuada; *rhyme*

ritmo (la métrica)- ordenación armoniosa y regular, basada en los acentos y el número de sílabas en una serie de palabras; *rhythm*

Sandinistas- grupo revolucionario y partido político (FSLN-Frente Sandinista de Liberación Nacional) nombrado por Augusto César Sandino, héroe nacional que se opuso a la invasión en 1930 de los EEUU a Nicaragua y que fue asesinado. El FSLN ganó la lucha contra la dinastía Somozista en Nicaragua en 1979; *Sandinista revolutionaries*

símil- comparación directa o semejanza entre dos elementos, normalmente expresada con el uso de la palabra "como" o un equivalente; *simile*

sinestesia- descripción de un sentido en términos de otro, confusión y mezcla entre los sentidos; por ejemplo, un sonido descrito como si fuera un color; *synesthesia*

subalterno- inferior, que está bajo las órdenes de otra persona; *subordinate, subaltern, other*

subyacente- por debajo; *underlying*

sufragio- el derecho de voto; *suffrage*

surrealismo- movimiento artístico surgido en Francia a principios del siglo XX que se interesó en las teorías de Freud y el subconciente y buscó los mecanismos para sobrepasar lo real por medio de lo imaginario y lo irracional; *surrealism*

tabúes- comportamiento prohibido por la cultura; *taboos*

terrateniente- el dueño de tierras o terrenos; *landowner*

Vanguardismo- movimientos artísticos de principios del siglo XX que buscaban la innovación en la producción artística; *avant guarde*

voz narrativa/voz poética- el/la narrador/a, la voz que narra o cuenta una historia, sea en prosa o en verso; *narrator, speaker*

Credits

Manlio Argueta "los perros mágicos de los volcanes". © Reprinted with permission of the Publisher, Children's Book Press, San Francisco, CA, www. Childrensbookpress.org *Magic Dogs of the Volcanoes/Los perro mágicos de los volcanes.* Story © 1990 by Manlio Argueta and Stacey Ross. Illustration © 1990 by Elly Simmons. Juan Bosh, "La ciguapa". Reprinted by permission. Mario Benedetti, "El hombre que aprendió a ladrar" © Fundación Mario Benedetti, c/o Guillermo Schavelzon & Asociados, Agencia Literaria, www.schavelzon.com. "Mi vida con la ola" © 1997 Catherine Cowan. Pablo A. Cuadra, "El sombrero del tío Nacho" and illustration. Reprinted by permission of Pedro Xavier Solís Cuadra. Rosario Ferré, "El medio pollito" © 1996 by Rosario Ferré. Published by Alfaguara, México, in 1996. By permission of Susan Bergholz Literary Services, New York, NY and Lamy, NM. All rights reserved. José Luis García and Miguel Ángel Pacheco, "El niño que tenía dos ojos" © Reprinted by permission. Nicolás Guillén, "Por el mar de las Antillas anda un barco de papel". Reprinted by permission. Joaquín Gutiérrez, "en el barco viene una rosa" from *Cocorí* © Reprinted by permission of Elena George Nascimento. Joaquín Gutiérrez, illustrations "En el barco viene una rosa", from *Cocorí,* by Hugo Díaz Jiménez © Reprinted by permission of Rosa María Fernández Amador de Díaz. Juana de Ibarbourou, "Retorno", "La hora" © Reprinted by permission. Enrique Jaramillo Levi, "La cueva" © Reprinted by permission of the author. Juan Ramón Jiménez, Caps. I, XLIII, LXXVII and CXXXV from *Platero y yo.* © Reprinted by permission of Carmen Hernández-Pinzón Moreno, Representante de los Herederos de Juan Ramón Jiménez. María López Vigil, "El Gueguense" and illustration. Reprinted by permission of the author. Gabriela Mistral, "Miedo", "Mientras baja la nieve", "Piececitos". Reprinted by permission of Orden Franciscana de Chile: "La Orden Franciscana de Chile autoriza el uso de la obra de Gabriela Mistral. Lo equivalente a los derechos de autoría son entregados a la Orden Franciscana de Chile, para los niños de Montegrande y de Chile, de conformidad a la voluntad de Gabriela Mistral". Augusto Monterroso, "El perro que deseaba ser un ser humano". Reprinted by permission. Francisco Morales Santos "La creación del mundo", *El Popol Vuh para niños* © 2011, Gare de Creación, S.A. Augusto Roa Bastos, "Los juegos de Carolina y Gaspar" © Augusto Roa Bastos. Augusto Roa Bastos, "Los juegos de Carolina y Gaspar". Ilustraciones de Claudia Legnazzi © CIDCLI. Harriet Rohmer, "Uncle Nacho's Hat/El sombrero del Tío Nacho" © Reprinted with permission of the Publisher, Children's Book press, San Francisco, CA, www.childrensbookpress.org. *Uncle Nacho's Hat / El sombrero de Tío Nacho.* Story © 1989 by Harriet Rohmer. Jerry Tello, "Abuelo y los tres osos". From ABUELO Y LOS TRES OSOS by Jerry Tello, cover illustration by Ana Lopez Escriva. Copyright © 1997 by Scholastic Inc. Reprinted by permission. María Elena Walsh, "El reino del revés" and "Voy a contar un cuento" from *El reino del revés* © María Elena Walsh c/o Guillermo Schavelzon & Asociados, Agencia Literaria. www.schavelzon.com. El niño que tenía dos ojos. Illustration copyright © 1984 by Ulises Wensell. Used with permission of the illustrator and Bookstop Literary Agency. All rights reserved. Photo of Rosario Ferré©Mahmag.